Overspel

RICHARD B. WRIGHT

OVERSPEL

Uit het Engels vertaald door
Kathleen Rutten

DE GEUS

Deze uitgave is totstandgekomen met een bijdrage van
The Canada Council (Ottawa)

Oorspronkelijke titel *Adultery*, verschenen bij HarperCollins Canada
Oorspronkelijke tekst © R.B.W. Books Inc., 2004
Nederlandse vertaling © Kathleen Rutten en De Geus BV, Breda 2007
Omslagontwerp De Geus BV
Omslagillustratie © Photolibrary
Foto auteur © Divino Mucciante
Druk Koninklijke Wöhrmann BV, Zutphen
ISBN 978 90 44506 49 5
NUR 302

Voor Gerry Shantz

Een

Na een uur bracht de jonge politieagente Fielding een kop koffie en liet hem alleen in het vertrek. Agente Warren stond afwijzend tegenover hem en zijn verhaal en in een zekere zin had hij haar intimiderend gevonden met haar afkeurende stiltes en de waakzame manier waarop ze hem af en toe aankeek. Het was absurd, want hij betwijfelde of ze al vijfentwintig was. De hoofdagent had meer met hem meegeleefd en gezegd dat er een rechercheur uit Exeter onderweg was, die er binnen een uur zou zijn. Fielding had de twee agenten verteld over de man op het strand met zijn grijzende haar in een staartje en zijn bozige, wezenloze gezicht, dat Fielding aan een gebalde vuist had doen denken. Die woorden had hij niet gebruikt; hij wilde niet dat ze hem te fantasievol of te literair zouden vinden. Eerder had hij hun al verteld dat hij redacteur was bij een uitgeverij. In Toronto in Canada. Dus had hij enkel gezegd dat de man kwaad had gekeken.

Wat hij daarmee bedoelde, hadden ze gevraagd, en hij had gezegd dat de man heel zorgelijk had gekeken, alsof hem iets dwarszat. Had de man iets tegen hem gezegd? Nee. In feite had de kerel, toen Fielding een blik op hem had geworpen, zijn ogen afgewend. Denise had hem amper opgemerkt; ze was in beslag genomen door hun verblijf daar, door de wandeling over het strand en ze had naar de grijze zee gekeken. Voor haar was het een avontuur, een nieuwe ervaring en ze was opgewonden, op zichzelf gericht; de onbekende voorbijganger maakte geen deel uit van wat haar die middag bezighield. Maar Fielding was lichtelijk verontrust geweest door het onverzettelijke, sombere uiterlijk van de man en zijn vreemde, gehaaste gang. Hij had de man gade-geslagen toen die met neergeslagen ogen over het verlaten strand hun kant op kwam. Hij had met woeste passen ge-lopen. En wanneer, vroegen ze, had hij deze man op het strand gezien? Fielding wist het niet precies, halfvier, vier uur misschien. Had hij de man daarna nog gezien? Nee.

Hij had het vernederend gevonden om hun over de seks in de auto te vertellen. De hoofdagent had nauwelijks een grijns kunnen verhullen, maar agente Warren had met haar vol-lemaansgezicht grimmig aandachtig geluisterd. Vanaf het moment dat ze op het parkeerterrein met haar zaklantaarn in zijn gezicht had geschenen, was ze achterdochtig geweest. Toen ze naast hem in de auto zat en hij naar Glynmouth reed, had ze haar mond alleen opengedaan om de weg naar het politiebureau te wijzen, en haar stilzwijgende afkeuring van zijn gedrag had hem vaag een vies gevoel gegeven. In het achteruitkijkspiegeltje had hij de lampen van de surveillan-cewagen, bestuurd door de hoofdagent, in de gaten gehou-den en een immens gevoel van wanhoop had hem bekropen. Hij voorzag dat zijn leven een volkomen andere, ongewisse wending zou nemen en dat het vanaf nu opgesplitst zou zijn in voor en na wat er op deze zaterdagavond in oktober plaats-vond.

Het liep nu tegen tienen en door het raam kon hij de lichten van het grote hotel zien dat uitkeek op de boulevard. In het regenachtige donker leek het op een cruiseschip op zee. Tien uur geleden hadden hij en Denise over de prome-nade gelopen, grapjes gemaakt over de oudere toeristen en naar een restaurant gezocht om te lunchen. Later zouden ze naar Lyme Regis gaan. Denise wilde de stad zien waar *The French Lieutenant's Woman* was opgenomen. Fielding was er jaren geleden geweest en de stad had toen geen bijzondere indruk gemaakt. Hij wilde in Glynmouth-on-Sea blijven, omdat het slaperige stadje hem beviel. Er waren veel mooiere dorpen aan de zuidkust van Devon, maar Glynmouth was vertrouwd en comfortabel. Claire en hij waren er een tiental jaren eerder geweest, tijdens hun eerste vakantie samen sinds de geboorte van Heather, en het had Claire zorgen gebaard dat ze zo ver van het kind vandaan was; iedere dag had ze de Burtons gebeld. Bovendien was het winderig en bewolkt en het zou bijna zeker over niet al te lange tijd gaan regenen. Denise en hij konden een kamer nemen in het grote, witte hotel met het blauw geschilderde houtwerk. Hij had zich een middag in bed voorgesteld, waarna ze voor het avondmaal naar de eetzaal zouden gaan, vanwaar ze naar buiten, het natte donker in zouden kijken. Maar Denise wilde eerst Lyme Regis zien.

Ze had hem geplaagd met Glynmouth en al die oude mensen. Ze hadden gegeten in een pub in de binnenstad en ze had gelijk gehad wat de bejaarde dagjesmensen betrof. Aan een tafeltje voor het raam, dat uitkeek op een plein met kinderkopjes, hadden ze de toeristen op leeftijd, met hun plattegronden en camera's stevig onder hun arm geklemd, de tearooms en souvenirwinkels in en uit zien lopen. Denise zat aan haar tweede pint bier.

'Heb je ooit zoveel oudjes bij elkaar gezien?' fluisterde ze. 'Ze moeten een fortuin verdienen in die... hoe noemen ze een drugstore hier? Apotheek? Die moeten een fortuin verdienen met de verkoop van viagra aan die oude knakkers.' Vergenoegd over haar ondeugende toon had ze tegen hem gelachen en ze had er, hij moest het toegeven, geweldig aantrekkelijk uitgezien in haar spijkerbroek, witte kabeltrui, bruin suède jasje en het kekke petje op haar hoofd.

'Ik zie jou over een paar jaar al', zei ze. 'Sjokkend op je nieuwe wandelschoenen in een stadje als dit. Met zo'n platte, witte pet op je hoofd. Een sjaal om je nek tegen de wind. Bang

9

dat je op weg naar de touringcar kou zult vatten.'

Toen had ze over het tafeltje heen in zijn hand geknepen. 'Ik maak maar een grapje, Daniel.'

Maar er zat wat in. Over tien jaar zou hij vijfenzestig zijn, zowat dezelfde leeftijd als veel van de mensen hier in de pub, die pillen uit flesjes schudden of een gestage rij naar het toilet in stand hielden. Denises plagerij was goedaardig, maar het stak toch een beetje en uiteraard was Claire niet ter sprake gekomen. Haar naam was de hele week niet één keer gevallen. Het was alsof hij niet eens getrouwd was. Geen vrouw en tienerdochter thuis in Toronto had. Het was vreemd, maar Fielding wist eigenlijk nog steeds niet hoe hij het had kunnen laten gebeuren. Maar dat had hij natuurlijk wel.

Twee uur later, op de terugweg uit Lyme Regis, had Denise het bord gezien met 'Parkeerterrein en uitzichtpunt, 1,5 km'. En ze had gevraagd of ze konden stoppen. Ze wilde een paar foto's van de zee nemen. Fielding wilde terug naar Glynmouth om een slaapplaats te zoeken. Tegen die tijd was het halverwege de middag en hoewel de regen nog was uitgebleven, zag de sombere, dreigende lucht eruit alsof hij wat er ook in mocht zitten ieder moment kon lozen. Een schuilplaats was wat Fielding in gedachten had, maar Denise zei alleen maar: 'Je piekert te veel, Daniel. We vinden wel wat in dat miezerige stadje van jou. Het is verdorie oktober. Al die gepensioneerden zijn intussen al met de bus op weg naar huis om iets warms te drinken. Waarom zou je moeilijk doen over een kamer? Er is altijd wel ergens een kamer en vroeg of laat vind je die.'

Dat 'moeilijk doen' had hem een beetje geërgerd. Hij zag zichzelf niet graag als iemand die moeilijk deed, maar misschien had ze gelijk; misschien had hij die neiging inderdaad nu. Wanneer ze in een bepaalde stemming was, kon

Denise meedogenloos zijn. Tijdens redactievergaderingen pleitte ze met felle vastberadenheid voor haar auteurs en haar projecten. In zekere zin was het bewonderenswaardig, hoewel het ook vervelend kon zijn. Ze kon je afmatten, waardoor je naar redenen ging zoeken om haar niet te mogen. Sinds haar komst in juni bij Houghton & Street had er tussen hen een bestudeerde vormelijkheid bestaan, een soort dans waarbij de een de ander ontweek en ingrijpende schermutselingen werden vermeden. Ze was redelijk vriendelijk tegen hem, maar hij had het gevoel dat ze hem met zijn flanellen broek en blazer, zijn grijzende, hoffelijke manier van doen en ouderwetse verlegenheid vermakelijk vond. Hij was verrast toen hij er de afgelopen paar dagen achter kwam dat dit precies was wat haar aantrok.

Die ochtend in Paddington had ze hem bij zijn arm vastgehouden en hem dichter tegen zich aan getrokken.

'Kijk niet zo bedrukt, Daniel', had ze gezegd. 'We hebben het gewoon leuk samen. Het is het einde van de wereld niet.'

Maar toen de trein door de grauwe ochtend naar het zuiden snelde, bleef Fielding afstandelijk. Eigenlijk had hij niet gewild dat Denise dit weekend met hem meeging naar Devon. Devon was speciaal. Het was van Claire en hem, en het leek of hij vooral verraad pleegde door deze jonge vrouw ermee naartoe te nemen. Dat was eigenlijk wel een beetje raar wanneer je je vrouw gedurende de week al in hotels in Frankfurt en Londen ontrouw was geweest. Deze gedachten maakten hem berouwvol en terneergeslagen terwijl hij door het raampje naar het bruine landschap keek, naar mannen die zaten te vissen op kanaaloevers en naar de voorbijflitsende dorpen. Denise was leunend tegen zijn schouder in slaap gevallen en een man van Fieldings leeftijd had af en toe over zijn krant heen naar hen gekeken. Zijn afgunstige blik had geholpen, maar niet veel.

Nu, terwijl hij in het donker naar het grote, verlichte hotel keek, kwam bij Fielding opnieuw hetzelfde gevoel van paniek op dat hij op het parkeerterrein had ondervonden toen Denise niet terugkwam. Over zulke dingen las je in de krant of je zag ze op de televisie, en je had medelijden met degenen in wier leven de ontreddering plotseling toesloeg: de kogel van een sluipschutter, het huis in lichterlaaie, het ontvoerde kind. Binnen een paar minuten werden levens onherstelbaar beschadigd. Hij had zich vaak afgevraagd hoe mensen zoiets doorstonden en toch doorgingen. Hij nam aan dat sommigen permanent verslagen waren. Het verlies van een kind kon een leven ongetwijfeld ruïneren.

Hij herinnerde zich dat die gedachten door hem heen waren gegaan toen hij op het parkeerterrein stond, het geluid van de zee beneden hoorde en de regen op zijn hoofd kletterde. Hij had Denises naam geroepen. Maar terwijl hij daar zo in de regen stond en het donker in schreeuwde, had hij aangevoeld dat zijn leven nu voorgoed veranderde, dat hij een deelnemer was geworden aan een van die rampen. Hij herinnerde zich de nors kijkende man op het strand en wist meteen dat die ook een deelnemer was. En Denise uiteraard. Gedrieën waren ze nu verbonden in de chaos en weldra zouden er anderen bij komen, gezinsleden en vrienden, kennissen en familie, op de een of andere manier zouden de gebeurtenissen van deze avond hen allemaal treffen.

Even had hij zich afgevraagd of ze misschien gewoon verdwaald en gevallen was. Dat was erg genoeg, natuurlijk, maar niet zo erg als de andere mogelijkheid. Hij probeerde zich voor te stellen dat ze achter de struiken was gehurkt, dat ze de afstand verkeerd had ingeschat, een tak had gegrepen die was afgebroken; hij zag haar achterover van de klip vallen en op de stenen op het strand neerkomen. Maar dat leek niet erg waarschijnlijk. Daarvoor was Denise veel te capabel en stond ze te stevig op haar benen. Bovendien waren er in de hoek van het parkeerterrein twee mobiele toiletcabines geplaatst. Ze zou ongetwijfeld naar een ervan zijn gegaan. Maar toch was hij de trap af gerend en terwijl hij zich vasthield aan de leuningen en het ruwe, natte hout onder zijn handen voelde, was hij verbaasd en ontzet dat zijn leven zo snel kon desintegreren. Hij keek het strand af, maar kon niets anders onderscheiden dan brokken zandsteen die door de jaren heen van de klippen waren losgeraakt. Die middag hadden ze het bord gelezen waarop werd gewaarschuwd voor vallend gesteente.

Hij was terug de trap op gehold, buiten adem boven aangekomen en had hijgend op het houten platform gestaan dat over zee uitkeek. Toen hij haar naam een laatste keer had geroepen, was hij naar de auto teruggegaan. Hij trilde zo erg dat hij moeite had het sleuteltje in het contact te krijgen. Terwijl hij wachtte tot de auto hem verwarmde, probeerde hij zich de loop der gebeurtenissen voor de geest te halen. De politie zou een samenhangende volgorde verlangen en dit was nu toch zeker een zaak voor de politie. De vrouw met wie hij reisde, was verdwenen. Ze zouden willen weten wat Denise en hij op dat uur van de dag op het parkeerterrein deden.

Huiverend probeerde hij het op een rijtje te zetten. Toen ze laat in de middag het parkeerterrein waren opgereden, had er maar één andere auto gestaan, een stokoude Morris Minor. Denise had iets gezegd over het grappig uitziende wagentje. Fielding wist zich te herinneren dat er in de jaren vijftig, toen hij nog een kind was, in Toronto dergelijke auto's hadden rondgereden. Een paar minuten later op het houten platform zagen ze de eigenaars, een ouder echtpaar, de trap op komen zwoegen. Ze zagen er even komisch ouderwets uit als hun auto: de oude man, lang en mager, had een jasje en plusfour, gebreide kousen en wandelschoenen aangehad en een tweedpet op zijn hoofd; zijn kleine, stevige vrouw was gekleed in een lange broek en een geelbruin safari-jasje met talrijke zakken. Zo te zien waren het vogelaars en toen ze dichterbij kwamen, zag Fielding de verrekijkers om hun nek hangen. Ze waren langs hen gelopen en de man had niet meer gezegd dan: 'Dat was een hele klim', en zijn vrouw had alleen maar geknikt.

Fielding had hen nagekeken toen ze naar hun autootje liepen. Welke kleur had het gehad? Hij wist het niet meer, hoewel de politie het waarschijnlijk zou willen weten. Denise was klaar met haar foto's en had gezegd dat ze een strandwandeling zouden moeten maken voordat het begon te regenen.

'Kom op, Daniel', zei ze. 'Het zal ons goed doen. We zitten al de hele dag op onze krent.'

Ze begon de trap af te lopen, lichtvoetig op haar nieuwe Reebok sportschoenen, hij was haar gevolgd en zag het petje verdwijnen en weer opduiken tussen de taaie struiken die zich aan de rotswand vastklampten naast de trap, die omlaag zigzagde naar het strand waar ze hem opwachtte. Ze had er zo leuk uitgezien terwijl ze daar stond, dat hij het tegen haar had gezegd en haar meteen had gekust. Ze leunde tegen hem aan en zei iets over het beest dat weer tot leven kwam. Precies wist hij het niet meer, maar wel dat hij toen had gedacht dat dit een moment van pure verrukking was. Het schuldgevoel dat hem die week had achtervolgd, was op de een of andere manier opgeschort en voor hen lagen de rest van de middag en de avond; op de hele wereld wist niemand dat ze hier waren. Na de wandeling zouden ze ergens in Glynmouth een kamer nemen. Denise had gelijk, over zulke onbelangrijke zaken moest je je niet druk maken. Dat was dwaasheid. Hij kuste haar nog eens, en als een stel op huwelijksreis waren ze arm in arm over het strand gewandeld. Bij het bord over vallend gesteente waren ze even blijven staan.

Voor het eerst sinds Frankfurt hadden ze het over het werk gehad. Ze was een manuscript aan het lezen van een van haar jonge romanschrijvers. Het was goed, maar het had een vreselijke titel. Zoiets als *All for Tomorrow* of *All our Tomorrows*.

'Gek, hè,' zei ze, 'dat verder intelligente schrijvers zulke waardeloze titels voor hun boeken kunnen bedenken. Weet je hoe Fitzgerald *The Great Gatsby* had willen noemen?'

Fielding had geen idee.

'Op een bepaald moment overwoog hij om het *The High Bouncing Lover* te noemen. Kun je je dat voorstellen? *The High Bouncing Lover*. Maxwell Perkins heeft uiteindelijk vastgehouden aan *The Great Gatsby*, godzijdank.'

Ze vond het spannend om daar te zijn, om over het strand te wandelen en over zee de richting van Frankrijk op te kijken. Even later zei ze: 'Ik wou dat ik een tijd naar Frankrijk was gegaan. Dat ik daar had gewoond, bedoel ik. Ik had er een paar jaar moeten gaan wonen op een bepaald moment in mijn leven. Dat is tot dusver het enige waar ik spijt van heb.'

Ze vertelde hem dat haar moeder Frans-Canadees was. Ze had als kokkin gewerkt op een vrachtschip dat over de meren voer en daar had ze Denises vader ontmoet, die machinist was. Jaren later hadden Denise, haar broer, Ray, en haar moeder iedere zomer twee weken aan boord doorgebracht. Daar had ze heel gelukkige herinneringen aan en langs het water wandelen, zei ze, zelfs dit kille, grijze spul, deed haar aan de zomers van vroeger denken. Op dat moment hadden ze de gedaante in de verte gezien, die gejaagd de afstand tussen hen verkleinde en liep alsof hij verteerd werd door weerbarstige gedachten die hem razend van ongeduld maakten. Toen hij hen passeerde, had de man slechts een vluchtige blik op hen geworpen en vervolgens zijn ogen weer neergeslagen. Denise had nauwelijks aandacht aan hem besteed, en als ze hem al had opgemerkt, zei ze er niets over. Ze had het over haar jongere broer en het verdriet dat hij hun ouders door de jaren heen had gedaan. Maar Fielding had zich verwonderd over de man met het staartje en een ouderwetse uitdrukking van zijn moeder was bij hem opgekomen: 'Die heeft een beet van het hondje.'

Niet lang daarna hadden ze de eerste regendruppels gevoeld en waren ze omgekeerd. Tegen de tijd dat ze bij de auto waren, miezerde het gestaag en waren hun kleren vochtig. Fielding startte de motor om hen op te warmen en Denise stelde voor om de halve liter Ballantine's te openen die hij in een slijterij in Lyme Regis had gekocht. Ze hadden kartonnen bekertjes en flessenwater en zij maakte de borrels voor hen klaar.

'Doet me denken aan mijn verdorven jeugd in Bayport', zei ze. 'Zaterdagavond bij de grindgroeve buiten de stad. In die tijd was het citroenjenever met Seven-Up. Of Southern Comfort met Pepsi. Goeie genade!'

Hij dacht haar voor zich te kunnen zien op de achterbank van een gezinsauto, met een jongen die pogingen deed haar beha uit te trekken, een ander stelletje vrijend op de voorbank en muziek uit een gettoblaster die vlakbij op een rots was gezet. Waarschijnlijk stond er op zaterdagavond een aantal auto's bij die grindgroeve.

Maar vanmiddag zat ze met hem in een auto in het zuiden van Engeland whisky met water te drinken. Tegen die tijd regende het veel harder; de namiddaglucht leek vol water en het stroomde langs de raampjes. Ze besloten te wachten tot het minder werd voordat ze naar Glynmouth doorreden.

'Is dit niet knus?' had Denise gezegd en ze had zich tegen hem aan genesteld. Hij wist nog hoe opgewonden hij was toen ze hem aanraakte. 'Nou, zeg, stoute jongen', had ze gefluisterd.

Ze hadden elkaar gekust en hij had de parfum achter haar oren en in haar hals geroken.

'Kom, we maken een vluggertje, Daniel', zei ze.

Met een paar behendige bewegingen had ze de dikke, witte trui uitgetrokken en haar beha losgemaakt. Haar seksuele vrijpostigheid en vaardigheid! Wat was ze kundig en wat sprong ze luchtig met haar erotische gaven om. Seks was een komisch intermezzo in een verder zwaarwichtig drama. Het moest nooit serieus genomen worden. De auto was van Britse makelij, een middenklasser van het een of andere merk. Hij zette de stoel achterover en nadat Denise zich uit haar spijkerbroek had gewurmd, ging ze schrijlings op hem zitten.

'Gewoon een vluggertje, Daniel', herhaalde ze.

Wanneer hij er nu aan terugdacht, kwam de hele episode hem belachelijk voor: op een zaterdagmiddag neuken in een auto tijdens een zware regenbui; ze moesten aan een soort seksueel delirium hebben geleden.

Een week geleden, bijna op hetzelfde tijdstip, hadden hij, Claire en zijn schoonvader Heather op St. Hilda zien hockeyen. Een zonovergoten herfstdag in Toronto, de grijze stenen van de school tekenden zich af tegen de blauwe hemel en de bladeren begonnen te verkleuren. Hij had zich gelukkig gevoeld terwijl hij daar naast Claire naar hun dochter stond te kijken. Het was een soort toernooi en verscheidene teams waren op verschillende velden aan het spelen. Overal om hen heen had het opgewonden geroep geklonken van pubermeisjes en hun ouders. Fielding deed zelf niet aan sport, maar hij was blij dat Heather op haar moeder leek, lichamelijk gracieus en volkomen op haar gemak bij het spelen van wedstrijden. Claire was dertig jaar geleden op

St. Hilda goed geweest in sport, en in een hoekje van hun souterrain stonden de trofeeën uit de tijd dat ze mee had gedaan aan volleybal-, hockey- en atletiekwedstrijden. Zonder dat hij precies wist waarom was Fielding trots op de sportiviteit van zijn vrouw. Claire was een enthousiaste toeschouwster en ze moedigde hun dochter en haar teamgenoten luidkeels aan. Lichtelijk blozend van de opwinding, met haar blonde haar in een paardenstaart, vond Fielding dat ze eerder zevenendertig dan zevenenveertig leek en hij wist nog dat hij had gedacht wat een bofkont hij was dat hij met haar was getrouwd. Naast haar hield dokter Moffat iedere beweging van zijn kleindochter in de gaten. Een volmaakt familietafereeltje te midden van andere bevoorrechte Torontonianen.

En maar een week later zat hij op een parkeerterrein in Devon, met Denises korte donkere haar tussen zijn vingers en achter haar blote schouders een gordijn van regen. Vervolgens waren ze in slaap gevallen. Hij had de motor afgezet, wist hij nog; het was warm toen en het rook naar seks. Ze waren allebei moe. In het vliegtuig naar Frankfurt had Denise hem verteld dat ze aan slapeloosheid leed. Hij had op het punt gestaan haar zijn kussen aan te bieden, maar ze had gezegd dat ze nooit goed sliep, laat staan in een vliegtuig. Waarschijnlijk had ze het van haar vader geërfd, zei ze, die bleef tot diep in de nacht op wanneer hij tijdens de wintermaanden thuis was. Als kind had ze vaak gehoord dat hij beneden rondliep, iets te drinken maakte en dan onder de leeslamp ging zitten met het zoveelste boek over de Tweede Wereldoorlog. Fielding had tijdens de vlucht kort geslapen en toen hij wakker werd van de aankondiging voor het ontbijt, zat Denise nog steeds haar manuscript te lezen met een strenge, donkere leesbril op waardoor ze er nogal nuffig uitzag.

Maar die middag was ze in zijn armen snel in slaap gevallen en hij was kort na haar vertrokken. Sinds donderdagavond, toen hij Claire had gebeld, had hij ook onrustig geslapen. Jaren geleden hadden ze afgesproken dat hij om de andere avond zou bellen wanneer hij op zakenreis was. En dus had hij dinsdag gebeld. Maar dat was voordat er tussen hem en Denise Crowder iets was voorgevallen. Donderdagavond waren ze minnaars en toen hij belde, was hij net terug van Denises kamer. Haar geur zat nog aan zijn vingers en toen hij in zijn hotelkamer naar de lichten van de stad had staan kijken en op Claires stem had gewacht, had hij zich vreemd onevenwichtig gevoeld. In Frankfurt liep het tegen middernacht. Zes uur in Toronto en ze zou, met een glas wijn voor het avondeten, op zijn telefoontje zitten wachten. Overspel was iets nieuws voor Fielding. In zeventien jaar was hij niet van het rechte pad afgeweken en hij wist nog dat hij zich had afgevraagd of Claire een hint van verraad in zijn stem zou kunnen bespeuren. Hij had zich ook afgevraagd of hij niet enkel naïef was. De meeste mannen en veel van de vrouwen die hij kende, hadden iets dergelijks van tijd tot tijd gedaan. Was het niet langer de gewoonte dan? Wellicht. Misschien. Misschien ook niet. Toen hoorde hij Claires stem. Ze had in de kamer ernaast kunnen zijn.

'Hé, hallo. Jij bent het toch, hè? Ik heb zitten wachten. Hoe gaat het?'

'Het gaat prima', zei Fielding. 'Een paar veelbelovende dingen. Een roman van een jonge Australische in het bijzonder. Ze is heel goed. Het kan zijn dat ik je al over haar heb verteld. Ik heb een bod gedaan.'

'Goed zo, lieverd.'

'Helaas heb ik nog niets verkocht.'

'Nou, dat komt nog wel. Wie kan jou nou weerstaan?'

'Tallozen, zou ik denken.'

Ze lachte. 'Dat geloof ik niet.'

Toen was er een pijnlijke stilte gevallen en hij was lichtelijk in paniek geraakt.

'De beurs is zo groot geworden', zei hij. 'In zekere zin is hij niet meer te behappen. Je krijgt het gevoel, ik in ieder geval, dat je er geen controle meer over hebt. Dat je iets belangrijks misloopt. Dat het allemaal net ergens anders gebeurt.'

Hij kletste maar wat, maar hij kon het niet helpen. Toen vroeg Claire: 'Hoe gaat het met mevrouw Crowder?'

Ze benadrukte bewust het 'mevrouw'. Claire mocht Denise niet erg en ze had de indruk dat dit ook voor Fielding gold. Toen Denise pas bij H & S was begonnen, had hij vaak tijdens het avondeten geklaagd over haar agressieve New Yorkse manier van doen, haar onbehouwen discussiemethodes tijdens redactievergaderingen. Achteraf zag hij in dat hij die eerste weken had overdreven. In feite was Denise nooit zo moeilijk en strijdlustig geweest als hij haar had afgeschilderd. Maar Claire was bereid geweest om op het eerste gezicht een hekel aan haar te krijgen en dat gebeurde ook tijdens hun eerste en enige ontmoeting. Een cocktailparty in de Windsor Arms voor een Amerikaanse auteur die op een publiciteitstournee de stad aandeed. Het was druk in de zaal en de grote man was omringd door bewonderaars. Denise, die Fielding eerder die dag had toevertrouwd dat ze de man kende en dat hij een griezel was, stond naast hem in een zwart cocktailjurkje. Aan de ander kant van de ruimte had Claire in Fieldings oor gefluisterd: 'Ze heeft er geen moeite mee om met haar tieten te pronken, hè?'

Toen hij hen aan elkaar voorstelde, glimlachte Claire ijzig en in Fieldings ogen scheen Denises spottende lachje te zeggen: best hoor, dame. Je ziet maar.

Dus had hij donderdagavond in antwoord op Claires vraag enkel gezegd dat sinds hun aankomst de gangen van hem en

Denise Crowder zo goed als gescheiden waren geweest. Ze hadden verschillende agenda's, verschillende bijeenkomsten en eigenlijk waren ze elkaar nauwelijks tegengekomen. Wat waren de leugens luchtig van zijn tong gerold, ook al lag dubbelhartigheid hem niet en zou hij er in de komende dagen en nachten over tobben. Claire had het over een diner op St. Hilda. Ergens in november. Ze was voorzitster van het alumnicomité voor de dienst nieuwbouw en het diner was bedoeld om fondsen te werven. Het duurde even voor hij zich realiseerde dat ze vroeg of hij mee wilde. Ten slotte vroeg ze: 'Dan, ben je er nog?'

'Ja. Sorry. Ik ben er nog.'

'Nou, wat denk je? Komt die zaterdag je uit?'

'Ja, natuurlijk. Prima, Claire.' Hij had geen idee over welke zaterdag ze het had; dat deel was hem ontgaan. Hij werd gered door de stem van zijn dochter op de achtergrond.

'Is dat papa?' Vervolgens sprak hij met haar, of liever, hij luisterde naar haar verhaal over een blessure aan haar knie en hoe ze die had opgelopen tijdens een wedstrijd op woensdag en heel even vergat hij de nieuwe ordening in zijn leven. Toch sliep hij die nacht niet goed, noch de nacht erna.

Geen wonder dus dat ook hij vanmiddag in de auto zo snel onder zeil was geweest. Hoe lang hadden ze in elkaars armen geslapen? Hij kon zich herinneren dat Denise zich naast hem bewoog en zich in haar kleren wurmde. En dat ze zijn wang kuste en fluisterde: 'Ik moet plassen, Daniel.' Haar laatste woorden tegen hem. Hij was amper wakker geworden en had iets gemompeld. De regen was opgehouden en het was donker en mistig. Toen Denise het portier opende, kon hij de mist zien, die als grijze rook krulde in het licht van de auto. Toen sloot ze het portier en hij viel weer in slaap. Dat was schandalig. Hij had wakker moeten blijven tot ze terug was. Maar hij was zo moe geweest. Na de whisky en de seks, na de onderbroken nachten was zijn vermoeidheid extreem geweest en hij had door de beproeving die ze had ondergaan heen geslapen.

Toen hij eindelijk wakker werd, wist hij niet precies hoe lang hij had geslapen. Misschien waren het maar een paar minuten en dus had hij de stoel rechtop gezet en had op haar gewacht. Het regende weer, het was koud en hij had de auto gestart. Bij het schijnsel van het dashboard kon hij op zijn horloge kijken en tot zijn verrassing was het bijna halfacht. Toen hij naar buiten, naar de regen keek, besefte hij dat er iets vreselijk fout was gegaan. Een vrouw met wie hij voor zijn huwelijk acht jaar had samengewoond, had hem ooit gezegd dat hij de meest pessimistische verbeelding had die ze ooit had meegemaakt. Dat kon wel zo zijn, maar in de auto had hij meteen aan de man op het strand gedacht. Zich voorgesteld hoe hij in de regen stond en door het druipende glas het vrijende stel begluurde. Turend door het beslagen raampje had hij een vrouw met witte borsten gezien, die zich over een man boog. Twee gedaantes bewegend in de ge-slachtsdaad. Het was afschuwelijk om te bedenken dat de man in de regen zo naar hen had gekeken, maar in de eerste minuten nadat hij wakker was geworden, kon Fielding niet anders. Diep vanbinnen wist hij dat de man er de hele tijd had gestaan; zich niet bewust van zijn kletsnatte kleren en het sluike haar dat tegen zijn schedel plakte, had hij gekeken en gewacht. En vervolgens gebeurde er voor hem een soort wonder, een duistere gift. Het portier was opengegaan, de vrouw stapte uit en ze was alleen. Het volgende wat Fielding zich herinnerde was dat hij in de regen Denises naam stond te schreeuwen.

Hij hoorde stemmen in het aangrenzende vertrek en er was een nieuwe bij, de stem van een man. Fielding keek op zijn horloge. Over een uur zou hij Claire moeten bellen. In

Toronto zou het etenstijd zijn. Misschien dat Heather naar de bioscoop ging met Allison Harvey of dat meisje van Khan, van wie hij de voornaam niet kon onthouden. Ze zouden in Heathers kamer naar muziek zitten luisteren of zitten kletsen over jongens, docenten en hockeywedstrijden. Claire zou waarschijnlijk een omelet en een salade voor zichzelf maken. Een paar glazen wijn drinken. Op zijn telefoontje wachten.

Toen hij opkeek, stond er een man in een grijs pak met een lichte jas over zijn arm in de deuropening. Hij was in de dertig, gespierd, met een Iers gezicht en een bebop, zoals dat in Fieldings jonge jaren werd genoemd.

'Meneer Fielding?'

'Ja', zei Fielding en hij stond op.

'Inspecteur Kennedy van de recherche. Ik ben overgekomen uit Exeter', zei hij en hij gooide zijn jas op tafel. Hij was niet zo lang als Fielding, maar zwaarder gebouwd en zijn pak zat strak. Een voormalige rugbyspeler, dacht Fielding, een van die kerels in de scrum met een leren helm op, die kennelijk is bedoeld om te voorkomen dat zijn oren eraf worden gerukt.

'Gaat u zitten', zei Kennedy.

De jonge agente was achter Kennedy aan het vertrek in gekomen en nam met haar aantekenboekje aan de andere kant van de tafel plaats.

'Agente Warren hebt u al ontmoet', zei Kennedy, die zijn eigen aantekenboekje en pen tevoorschijn had gehaald en een envelop op tafel legde.

'Ja', zei Fielding.

'Meneer Fielding', zei Kennedy. 'Voorlopig gaan we ervan uit dat het om een vermissing gaat. De agenten hebben me op de hoogte gebracht van wat u hun hebt verteld, maar misschien kunnen we een aantal punten nog een keer doornemen om te kijken of we er niet uit kunnen komen.'

Hij zweeg om aan zijn kin te krabben en zijn aantekeningen te raadplegen.

'Er wordt een juffrouw Denise Crowder vermist. Ze woont in Bloor Street West 3233, in Toronto in Ontario, Canada. Ze is tweeëndertig en blank. Werkt als redactrice bij een uitgeverij. Klopt die informatie?' vroeg hij en hij keek op naar Fielding.

'Ja.'

Kennedy bleef hem aankijken. Dat zal wel onderdeel van hun opleiding zijn, dacht Fielding. Mensen aanstaren. Om te kijken of ze dan tics krijgen of ineenkrimpen.

Een ogenblik later haalde de rechercheur het paspoort van Denise uit de envelop en bekeek de foto. Fielding had het paspoort in haar handtas gevonden en het aan een van de agenten gegeven. Toen keek Kennedy Fielding weer aan.

'En wat houdt uw relatie met juffrouw Crowder precies in?'

'We zijn collega's', zei Fielding. 'We waren deze week voor zaken in Frankfurt in Duitsland. Iedere herfst is daar een grote boekenbeurs.'

Kennedy keek weer in zijn aantekenboekje.

'Ik heb van de boekenbeurs in Frankfurt gehoord, meneer Fielding', zei hij droog. 'En u hebt beiden de Canadese nationaliteit?'

'Ja.'

'Dus juffrouw Crowder en u vierden een beetje vakantie hier na de boekenbeurs?'

'Ja', zei Fielding. 'We zijn de hele week in Frankfurt geweest en zijn gistermiddag naar Londen gevlogen. Ik ben vaak in Devon geweest...' Bijna voegde hij eraan toe: 'met mijn vrouw', maar hij besefte hoe absurd dat zou klinken. 'Ik hou van deze streek. Ik had gedacht hier een paar dagen door te brengen en dan zondag naar Londen terug te gaan. Ik heb... wij hadden maandag een afspraak daar. Denise besloot dat ze mee wilde. Ze was nog nooit in dit deel van Engeland geweest. We waren van plan dinsdag het vliegtuig terug naar huis te nemen. Ik maak deze reis ieder jaar.'

Kennedy leunde achterover in zijn stoel. 'Bent u getrouwd, meneer Fielding?'

'Ja. Al zeventien jaar. Ik heb een dochter van vijftien.' Hij zweeg. Waarom draafde hij zo door? Wat kon het hun nu schelen of hij één of zes dochters had? Hij gaf altijd te veel informatie wanneer hem een simpele vraag werd gesteld. Hij wilde zich te gretig verzekeren van de goedkeuring van anderen. Het was een zwak punt. Zijn vader was ook zo geweest.

'Dus ik neem aan', zei Kennedy, 'dat juffrouw Crowder en u een verhouding hadden?'

'Ja', zei Fielding. 'We hadden een affaire. Het is heel plotseling in Frankfurt begonnen. Toen we uit Canada vertrokken, was er nog niets tussen ons. Toen is het gewoon gebeurd.'

De jonge agente was opgehouden met aantekeningen maken om hem gade te slaan.

Als Kennedy, die eruitzag als een man die voor het leven met zijn jeugdliefde was getrouwd, Fieldings gedrag afkeurde, dan liet hij daar niets van blijken.

'Laten we eens kijken of we uw dag nog een keer kunnen doornemen en de dingen op een rijtje kunnen zetten. Wilt u nog wat meer van wat u aan het drinken bent? Wat is het? Koffie of thee?'

'Het is koffie, maar nee, dank u.'

'Nou, ik wil wel iets drinken', zei Kennedy. 'Agente Warren? Zou u een kop thee voor me kunnen halen? Melk en twee klontjes, graag.'

'Zeker, meneer', zei de jonge agente en ze stond op. Fielding had het gevoel dat hij midden in het soort Engelse misdaadserie zat waar Claire en hij soms op zondagavond naar keken.

Terwijl Kennedy zijn thee dronk, deed Fielding verslag van de gebeurtenissen van die dag: de trein naar Exeter, het huren van de auto, de lunch in de pub, de rit naar Lyme Regis, de onderbreking op het parkeerterrein, de strandwandeling, de man die hen passeerde. Kennedy luisterde en de agente maakte aantekeningen.

'En toen u op het parkeerterrein aankwam,' vroeg Kennedy, 'stonden er toen ook andere auto's?'

Fielding vertelde over de Morris Minor en de bejaarde vogelaars.

'Dus toen gingen juffrouw Crowder en u wandelen en u zag die man. Hoe zag hij eruit, meneer Fielding? Beschrijft u hem eens voor mij.'

'Achter in de dertig of begin veertig. Armoedig gekleed. Afgetrapte gympen. Ik neem aan dat het hier sportschoenen heten. Hij zag eruit als iemand die dakloos is. En hij liep op een rare manier. Heel snel met zijn hoofd gebogen. Maar wat me het meest opviel was zijn gezicht!'

Kennedy keek op van zijn aantekeningen.

'Wat was er met zijn gezicht?'

'Hij keek kwaad, bijna razend. Hij keek gewoon heel kwaad, furieus. Zijn gezicht was ook...' Fielding koos zijn woorden met zorg. 'Zijn gezicht had ook een soort beangstigende leegte.'

'Een beangstigende leegte', zei Kennedy met een flauwe glimlach. 'U bedoelt dat hij een beet van het hondje had.'

'Ja. Precies.' De oude uitdrukking van zijn moeder!

'Keek hij u of juffrouw Crowder aan toen hij u passeerde? Heeft hij iets gezegd? U bedreigd? Uitgescholden?'

'Nee, niets. Hij keek ons even aan, maar wendde toen zijn hoofd af, bijna alsof hij bang was voor oogcontact. Daarna liep hij verder over het strand in dat snelle tempo.'

'Dus hij liep terug naar de trap die naar het parkeerterrein leidt?'

'Ja.'

'Hebt u hem de trap op zien gaan?'

'Nee. Tegen die tijd waren we al een eind verder op het strand. Denise en ik hadden het over ons werk. Zij had die man nauwelijks opgemerkt.'

Kennedy dronk zijn kopje in één teug leeg. 'Dus toen bent u beiden naar de auto teruggegaan. Hoe laat zal dat geweest zijn?'

'Dat weet ik niet precies, maar ik zou zeggen tegen vijf uur.'

'Was het nog licht toen?'

'Ja, maar het was een sombere middag en het regende. Daarom gingen we terug. Het was gaan regenen en toen we bij de auto kwamen, goot het, dus het licht was grijs. Een ander woord kan ik er niet voor bedenken.'

'Grijs is goed', zei Kennedy schrijvend in zijn aantekenboekje en Fielding begon zich af te vragen of Kennedy hem eigenlijk wel geloofde. Voor het eerst kwam bij hem op dat ze zouden kunnen denken dat hij loog. Het was een schok, maar waarom niet? Vanuit hun standpunt moest hij als verdachte worden beschouwd bij de verdwijning van Denise. Politieagenten waren van nature achterdochtig: praktisch iedere dag hadden ze te maken met de onvolmaaktheden van hun medemensen, met hun oplichterij, diefstal en moord en met hun vernuftige misleidingen om aan ontdekking te ontkomen. Wat hun betrof had hij zijn vriendin evengoed van de klip af kunnen duwen en deed hij nu zijn best om het ofwel als een ongeluk ofwel als een ontvoering voor te doen.

Ze kenden de details van zijn relatie met de vermiste vrouw niet. Ze wisten alleen dat hij een oudere, getrouwde man was, die er met een jongere vrouw een weekendje tussenuit was geknepen. Misschien was de verhouding al een tijdje aan de gang en was die nu gespannen en veeleisend geworden. Er was iemand te veel geworden. Dat was een motief voor moord. Het gebeurde voortdurend. Een van de oudste verhalen ter wereld. Zijn rol van onschuldige toeschouwer, met zijn eigenlijk te nauwkeurige beschrijvingen, zou hun een tikje buitenissig in de oren kunnen klinken. *Beangstigende leegte. Grijs licht.* Ze zouden het idee kunnen hebben dat de uitdrukkingen speciaal voor die gelegenheid bedacht waren. Hoe belachelijk het ook leek, het was mogelijk dat ze hem aanzagen voor een moordenaar. Als je zo dacht, was het vervelende natuurlijk dat het je nog nerveuzer maakte dan je al was.

Kennedy vroeg hem over de Morris Minor en of die er nog stond toen ze na hun wandeling op het parkeerterrein terugkwamen.

'Nee', zei Fielding. 'Hij was weg. Er stonden geen andere auto's.'

'Kunt u er zeker van zijn dat de Morris van dat oudere echtpaar was?' vroeg Kennedy.

'Ja. We hadden hen eerder de portieren zien openen om hun spullen erin te zetten. Ze maakten zich klaar om te vertrekken.'

'Goed. Wat gebeurde er vervolgens?'

Nu zou hij de seks moeten vermelden. Waarom was hij zo terughoudend? Die dingen gebeurden voortdurend. Politieagenten hoorden allerlei verhalen, verhalen die heel wat schunniger waren dan alles wat hij te vertellen had. Hij leefde in het tijdperk van de pornografie, dus waarom die preutse weerstand? Eerder had hij zich bij de andere agenten ook al zo gevoeld. Misschien kwam het door de jonge agente. Kennedy zat met gefronste wenkbrauwen, een man die iets zat uit te knobbelen.

'U hebt seks in de auto gehad?'

'Ja.'

Aan de andere kant van de tafel keek het ronde, onaantrekkelijke gezicht van agente Warren vluchtig naar hem op. Waarna ze weer verder schreef. Kennedy scheen na te denken over het tafereel op het parkeerterrein. Fielding hoorde het gesnerp van een radio in de ruimte ernaast en zag een licht achter een van ramen in het hotel uitgaan. Een bofkont die zijn hoofd op een kussen legde of een hand die uitgestoken werd naar een andere hand. Plannen die voor morgen werden gemaakt. Kennedy keek zijn aantekeningen door alsof hij ongelukkig was met wat hij zag.

'Goed. En toen?'

'Toen vielen we in slaap', zei Fielding. 'Het regende hard en we besloten te wachten tot de bui over was. Het volgende wat ik me herinner is dat Denise wakker werd. Ze zei dat ze moest plassen en dus stapte ze uit en ik viel weer in slaap. Toen ik wakker werd, dacht ik dat ik maar een paar minuten had geslapen en dat ze gauw weer terug zou zijn. Maar toen ik op mijn horloge keek, zag ik dat het bijna halfacht was. Dat maakte me ongerust. Ik heb nog even gewacht en ben toen uitgestapt om rond te kijken. Ik heb haar naam een paar keer geroepen. Ik denk dat ik een beetje in paniek was. Ik ben de trap af gerend naar het strand, want ik dacht dat ze haar evenwicht misschien in het donker had verloren of gewoon was gestruikeld en gevallen. Maar ik dacht ook aan die man op het strand.'

'Hoe komt u erbij om te denken dat ze gevallen was? Had ze veel gedronken? Was ze dronken toen ze uitstapte?'

'Nee, nee... helemaal niet. Ik dacht... Nou ja, eerlijk gezegd weet ik niet wat ik dacht.' Fielding deed zijn best om redelijk te klinken. 'Ik stelde me voor dat ze hurkte om te plassen en ik weet niet, misschien haar evenwicht had verloren en achterover van de klip was gevallen. Ik... weet het niet.'

Kennedy scheen niet te luisteren. Hij had zich omgedraaid en vroeg over zijn schouder: 'Staan er geen mobiele toilet-cabines op die parkeerterreinen?'

'Ja, meneer', zei agente Warren. 'Op die bewuste locatie staan er twee.'

Kennedy wendde zich weer tot Fielding.

'Waarom zou ze er niet een daarvan gebruiken?'

'Dat weet ik niet', zei Fielding.

'U keek dus rond naar juffrouw Crowder', zei Kennedy. 'U riep haar naam. Ging de trap af naar het strand en weer op naar het parkeerterrein. Wat dacht u dat er met haar was gebeurd?'

'Ik dacht dat die man haar op de een of andere manier had ontvoerd. Ik vroeg me af of hij ons de hele tijd in de gaten had gehouden. Dat hij had gezien... wat er in de auto gebeurde en had gewacht.' Fielding aarzelde. 'Ik weet nog dat ik dacht dat, als die man geprobeerd had haar kwaad te doen, hij haar van achteren had moeten neerslaan. Denise was...' Hij was zich ervan bewust dat hij haar al aan de vergetelheid had prijs-gegeven. 'Denise is een sterke, jonge vrouw. Ze is heel fit. Als ze iets van een waarschuwing had gehad, zou ze terugge-vochten hebben. Daarom moet hij haar wel van achteren hebben aangevallen. Haar bewusteloos hebben geslagen of zoiets.' Hij schudde zijn hoofd bij het ellendige beeld dat het zich allemaal vlakbij had voorgedaan terwijl hij lag te slapen.

'En u hebt niets gehoord?' vroeg Kennedy. 'Geen gegil? Geen geluid van een auto?'

'Nee, helemaal niets.'

'Dus toen hebt u ons gebeld?'

'Ja. Ik ben in de auto gaan zitten en heb mijn mobieltje geprobeerd, maar die deed het niet. De batterij was leeg. Dus heb ik in Denises handtas naar haar mobieltje gezocht. Ik belde steeds 911, voordat ik me realiseerde dat jullie hier natuurlijk een ander alarmnummer hebben en uiteindelijk vond ik de informatie in het handschoenenkastje. Dus toen heb ik 999 gebeld.'

Zou hij die momenten ooit vergeten? Zijn droge keel terwijl hij zijn bril schoonmaakte met de verfrommelde papieren zakdoekjes die Denise na de seks had gebruikt. Ze lagen op de vloer van de auto. Daarna had hij met onvaste hand op de piepkleine knopjes van haar mobieltje gedrukt. Geluisterd naar de regen op het dak van de auto. Zijn wereld in duigen zien vallen.

Kennedy raadpleegde opnieuw zijn aantekeningen.

'Uw telefoontje kwam om 7.42 uur en hoofdagent Dickens en agente Warren arriveerden om 8.03 uur op het parkeerterrein. Bent u de hele tijd in de auto blijven zitten?'

'Ja.'

Kennedy bleef uit zijn aantekeningen voorlezen alsof hij een getuigenis voor de rechtbank aflegde.

'Hoofdagent Dickens liep vervolgens de trap af naar het strand. Keek even rond. Volgens hem was het te donker om iets te zien. Daarna bent u met agente Warren hierheen gereden, terwijl Dickens u volgde. Vervolgens hebt u een korte verklaring afgelegd.'

'Ja.'

'U weet zeker dat u geen ruzie hebt gehad met juffrouw Crowder en dat ze niet gewoon uit de auto is weggelopen.'

'Nee, zo was het helemaal niet. Alles was goed met haar toen ze uitstapte. Ze gaf me een kus', voegde hij eraan toe.

Kennedy monsterde hem met een kalme, strakke blik, ongetwijfeld bedoeld om te intimideren. Hij daagde hem uit om met zijn ogen te knipperen.

'U hebt niets weggelaten, meneer Fielding?'

'Nee, niets.'

Kennedy keek op zijn horloge, een groot zilveren geval, het grootste polshorloge dat Fielding ooit had gezien.

'Goed, het wordt laat', zei hij. 'We hebben een kamer in het Royal Hotel voor u geregeld. Dat is hier tegenover', voegde hij eraan toe en hij knikte naar het raam. 'Uiteraard zult u ervoor moeten betalen. Het is een beetje prijzig, maar ik neem aan dat u de onkosten kunt declareren. We hadden u in een pension kunnen onderbrengen, maar die pension-houdsters kunnen iets te nieuwsgierig zijn. In het Royal Hotel wordt u door niemand lastiggevallen en u zit er comfortabel. Het heeft vier sterren. Dan kunt u die vochtige kleren uittrekken en een glas van die whisky nemen die u in de auto hebt liggen.'

Het was een tikkeltje hatelijk, maar Fielding nam aan dat dit samenhing met hun achterdocht ten opzichte van mensen als hij, die hier verschenen met hun vreemde, verwarde verhalen. Het enige wat hij nu nog voor zich zag was een hotelkamer, de anonimiteit en afzondering ervan. Een warm bad en ja, ook een borrel, verdomme.

'Wat gebeurt er nu?' vroeg hij.

Kennedy stopte zijn aantekenboekje in de zak van zijn colbert.

'Vanavond kunnen we niet veel doen. Morgen zullen we het gebied uitkammen. Met de honden erbij. Hebt u trouwens iets wat van juffrouw Crowder is?'

'Ja, haar spullen liggen in de auto.'

'Mooi. Dan kom ik dat morgen oppikken, een trui of hand-schoenen. Ik zou ook graag willen dat u morgenochtend naar Exeter komt om een paar foto's te bekijken. We weten eigenlijk nog niet wat er is gebeurd. Zoals ik eerder al zei, is juffrouw Crowder nog steeds alleen maar vermist, maar als de man die u hebt gezien erbij betrokken is, nou ja, dan zou het iets anders kunnen zijn.'

Hij stond op en pakte zijn jas. 'Ik loop met u mee naar uw auto.'

Agente Warren had haar aantekeningen bijeengeraapt en was de kamer ernaast in gegaan. Kennedy's regenjas zat zo strak als pakpapier om hem heen en Fielding liep achter zijn brede, olijfkleurige rug aan de andere ruimte door naar een zijdeur, die naar het parkeerterrein leidde. Toen hij langskwam, hielden de agenten op met praten om naar hem te kijken.

Het motregende nu enkel nog, maar er stond een stevige wind die hun in het gezicht sloeg toen ze naar een groepje auto's liepen. Met zijn kraag omhoog, zijn handen in de zakken van zijn regenjas en zijn borstelige hoofd gebogen tegen het weer zette Kennedy er flink de pas in. Bij de auto bleef hij staan.

'Deze is van u, niet?'

'Ja.'

Fielding maakte de kofferbak open en haalde er zijn kledingzak uit, terwijl hij probeerde niet in de hoek te kijken naar de weekendtas van Denise. Ze hadden de rest van haar spullen in de bagagekluis van het hotel in Londen gelaten. Hij wilde ook haar handtas die op de achterbank stond meenemen, want hij dacht aan adressen en telefoonnummers in Canada. Met ieder uur dat verstreek, was het moeilijker om de overtuiging weg te wuiven dat hij binnen korte tijd onbeschrijfelijk nieuws zou moeten overbrengen. Hij keek in de auto en zei tegen Kennedy: 'Ik neem aan dat de plaatselijke media hierop af zullen komen.'

Kennedy haalde zijn schouders op. 'Waarschijnlijk wel. We hoeven niet veel te zeggen tot we erachter zijn wat er echt is gebeurd. Maar ze zullen wel rondsnuffelen. Daar kunt u op rekenen.'

Hij wendde zijn hoofd af en kneep zijn ogen halfdicht tegen de regen en de wind.

'Ik denk niet dat de Londense pers er al in geïnteresseerd zal zijn, maar je kunt nooit weten. Het feit dat u Canadees bent en dat u in de auto zat toen juffrouw Crowder verdween...' Hij haalde zijn schouders weer op en keek Fielding aan. 'Het is het soort invalshoek waar ze dol op zijn. Ze hebben hier correspondenten zitten, dus als ze langskomen, let dan op wat u zegt. Niets zeggen is waarschijnlijk het beste, tot we weten wat er echt met juffrouw Crowder is gebeurd.'

'Juist. Dat kan ik begrijpen', zei Fielding.

'Mooi', zei Kennedy en hij draaide zich om naar het hotel. 'Nou, daar is het. U steekt hier de straat over en dan het parkeerterrein. Je kunt het nauwelijks missen. Ik zal u rond tien uur morgenvroeg bellen. Dan hebben we de zaak wel op gang. Als we haar niet vinden, heb ik een kledingstuk nodig, een trui, een blouse, iets wat ze gedragen heeft. Iets wat we voor de honden kunnen gebruiken. Als het zover komt. En daarna gaan we naar Exeter om de foto's te bekijken.'

'Prima. Ik zal klaarstaan.'

'Mooi. Ik zal de sleutels van uw auto meenemen, meneer Fielding. U kunt ze morgen op het bureau ophalen.'

Fielding overhandigde hem de sleutels en Kennedy knikte en liep snel terug naar het bureau. Alles bij elkaar genomen, dacht Fielding, was hij zo kwaad nog niet. Bot, dat wel. Een beetje een rouwdouwer. Maar hij deed gewoon zijn werk. En het bood een zekere opluchting dat er iets in gang was gezet, dat mensen als Kennedy, die voor dit werk waren opgeleid, nu bezig waren uit te zoeken wat Denise was overkomen. Er was geen enkele reden om hun kwalijk te nemen dat ze hem verdachten. Ze moesten iedereen verdenken. Te zijner tijd zouden ze het oplossen.

Hij vouwde de kledingzak over een arm, stak de weg over

naar het parkeerterrein en zag een pad van plavuizen dat naar de veranda van het hotel leidde. Op het brede gazon klapperde een Union Jack aan een reusachtige vlaggenmast in de wind. Hij bleef even staan bij de treden en keek naar de boulevard waar een auto langsreed. Een andere keer zou hij graag een wandeling in dit weer hebben gemaakt. Claire en hij deden dat soort dingen vroeger. Ze genoten allebei van het donker en het mysterie van een onbekend dorp laat op de avond, of het nu in Engeland, Italië, Ierland of Spanje was. Onder het lopen vroegen ze zich af wat voor soort leven er achter de muren en gesloten luiken werd geleid. En dan dachten ze aan hun eigen kamer en de erotische aantrek-kingskracht van een hotelbed. Zouden dit soort ervaringen nu voorgoed voorbij zijn? Zouden Claire en hij ooit nog naar dorpen als Glynmouth reizen zonder aan dit weekend te denken? Zouden Claire en hij überhaupt nog ergens samen heen reizen?

Aan de balie was een jonge vrouw in een witte blouse en donkere rok mobiel aan het bellen. Ze knikte tegen Fielding toen hij naderbij kwam en schoof rustig een inschrijfkaart naar hem toe. Ze haastte zich om een einde aan het gesprek te maken.

'Ja, ja. Ik zal er tegen twaalf uur zijn. Maak je geen zorgen. Dag, hoor.'

Ze glimlachte tegen hem. 'U moet meneer Fielding zijn. We verwachtten u al.'

Fielding knikte. 'Mooi.'

Leunend tegen de balie vulde hij de vragen in met de goudgepunte pen die op de witte kaart lag. Een echte vulpen! Die had hij in jaren niet gebruikt. Rondom hem zag hij een grote hoeveelheid geboend without, een enorme vaas met verse bloemen en aan de muur een schilderij van een schip dat in een storm vergaat. Achter de balie tikte een klok kalm de seconden weg. Het maakte een rustgevende, luxueuze indruk en waarschijnlijk kostte het een vermogen. Sy Hollis zou deze extravagantie zeker niet ongemerkt voorbij laten gaan, maar op dit moment was Sy Hollis de laatste om wie hij zich zorgen maakte. Hij had het gevoel dat de jonge vrouw in haar kraakheldere, witte blouse het ongepast zou vinden als hij naar de prijzen informeerde. En wat had het trouwens voor zin? De politie wilde hem hier hebben en waar moest hij op dit tijdstip anders heen? Nadat hij het formulier had ingevuld, gaf de jonge vrouw hem zijn creditcard terug en Fielding nam de lift naar de derde en hoogste verdieping.

Het kwam niet als een verrassing dat de kamer ruim en comfortabel was, en dat het raam uitzicht bood op het parkeerterrein vond hij niet erg. Hij kon het politiebureau met het blauwe lampje en de huurauto zien. Toen hij het raam een stukje omhoogschoof, rook hij de zee en hoorde zwak het klapperen van de vlag. Het was twintig voor twaalf. Hij zou Claire binnen een uur moeten bellen, anders zou ze ongerust worden. Hij was al veertig minuten te laat, maar wanneer hij eraan dacht dat hij haar moest vertellen wat er was gebeurd en wat hij de afgelopen paar dagen had uitgevoerd, werd hij vervuld van een bijna duizelingwekkend gevoel van onwerkelijkheid en ontzetting. Hij dacht aan zijn bloeddruk en door welke gevarenzone die nu aan het stijgen was. En hoe moest het met Denises familie? Haar vader was overleden, maar haar moeder en broer woonden nog in het stadje in Ontario. Bayview? Bayport? Die zouden het natuurlijk moeten weten, maar het had weinig nut om het hun te vertellen tot hij zekerheid had over wat er was gebeurd.

Hij zat op de rand van het bed en had zin om te huilen. Voelde weer een paniekaanval opkomen. Wat een puinhoop was het en wat was haar in godsnaam overkomen? Toch kon hij het voor zich zien. De man die daar vol woede in het donker stond, die achter een boom vandaan kwam toen Denise over het parkeerterrein naar de toiletten liep. Een wurggreep van achteren of een stuk touw om haar keel. De afgrijselijke schok toen hij haar meesleurde zoals een dier zijn prooi. Fielding wist, hij wist het al een hele tijd, dat menselijke verdorvenheid totaal geen grenzen kent. Stel je het ergste voor wat iemand een ander kan aandoen, vermenigvuldig het met honderd en je kunt concluderen dat het al gedaan is en weer gedaan zal worden en nog eens en nog eens. In feite kwam het neer op gelegenheid, op een onfortuinlijke keuze, op toeval. Maar zittend op het bed sidderde hij bij de gedachte dat ze ergens gekneusd, naakt en verlaten op een landweggetje lag.

In de badkamer boog hij zich over de grote kuip en draaide de kranen open. Schonk een flink glas in en liet zich in het bad zakken. Na een paar slokken whisky trok hij het papier van een geurig rond stukje zeep en ging achteroverliggen. Minder dan een week geleden had hij voor deze reis gepakt. Zijn sokken en ondergoed netjes in de koffer gelegd en zich afgevraagd hoe het weer in Frankfurt zou zijn. Claire had haar hoofd om de deur van hun slaapkamer gestoken en hem eraan herinnerd dat hij zijn plaspillen niet moest vergeten, en zonder op te kijken had hij haar bedankt, want die was hij inderdaad bijna vergeten. Zijn licht verhoogde bloeddruk was pas twee weken daarvoor, tijdens zijn jaarlijkse medische controle, vastgesteld door Janet Lieberman. Hij was er nog niet aan gewend om iedere dag zo'n pilletje te nemen.

Verleden week was een affaire met Denise Crowder het laatste waaraan hij zou hebben gedacht. 'Een affaire'! Zelfs het woord klonk ouderwets. Een term uit de jaren vijftig. Hij herinnerde zich dat hij als kind zijn ouders in een aangrenzende kamer had horen praten over een affaire die iemand had. Een andere verpleegster in het ziekenhuis waar zijn moeder werkte. Hij had zich afgevraagd wat het woord betekende. Had het opgezocht in het woordenboek. Maar in alle jaren van zijn huwelijk had hij nooit behoefte gehad aan een terloopse romance. Hij had nooit aan de vlagen van verveling en verlangen geleden waaraan mannen van middelbare leeftijd soms onderhevig waren en die hen in razende vaart het hachelijke pad naar ontwrichting en hartzeer op joegen. Hij had niet het gevoel dat hij de boot had gemist en was er redelijk zeker van dat Claire dat evenmin had. Bovendien was hij drieëntwintig jaar ouder dan Denise Crowder. Nog steeds presentabel, dat wel, maar nauwelijks iemand die de aandacht van jonge vrouwen trok.

Fielding had zich vaak afgevraagd hoe vrouwen hem zagen. Een lange, slanke man in een colbert waarin de omtrek van zijn schouderbladen nog te zien was. Stijf krullend, grijzend haar. Een bril zonder montuur. Een ernstig gezicht. Op straat stelde hij zich vaak voor dat een intelligente vrouw hem in het voorbijgaan zou kunnen aanzien voor een academicus, een hoogleraar geschiedenis, bijvoorbeeld, of misschien een klassiek musicus, een man die klarinet speelde in een symfonieorkest en op zaterdagochtend lesgaf. Met één woord, ongevaarlijk. Op een feestje een paar jaar geleden had een knappe vrouw van in de dertig, een beetje aangeschoten en strijdlustig, hem tegen de muur van een overvolle kamer gedrukt.

'Ben jij getrouwd?'

'Ja', had hij geantwoord. 'Ik ben getrouwd.'

'Nou, je ziet er anders niet getrouwd uit', had ze gezegd en ze was weggeslenterd om zich onder de andere gasten te mengen. Het klonk alsof het zijn schuld was dat hij er zo uitzag en hij bleef achter met de vraag of ze hem onwillekeurig een soort compliment had gegeven.

Vrienden merkten vaak op hoe goed Claire en hij er samen uitzagen. Afgelopen december op Elena Burtons zevenenveertigste verjaardag, had Elena van iedereen een foto gemaakt; haar man, Garth, had haar een dure, nieuwe camera gegeven en die was ze aan het uitproberen. Op zaterdag, een paar dagen later, had ze de foto's afgegeven, toen Fielding op kantoor was om tot vroeg in de middag te werken. Toen hij thuiskwam, was Elena al weg en zat Claire aan de eettafel. Ze was kaarten aan het schrijven en luisterde onderwijl naar Bachs *Weihnachtsoratorium*. Voor haar op tafel, tegen een schaal sinaasappels, stond een foto waarop Claire ironisch lachte, geamuseerd door iets wat Elena had gezegd. Fielding naast haar keek vriendelijk en ernstig, maar zo keek hij altijd op foto's.

Hij had zich van achteren over haar heen gebogen terwijl ze doorwerkte aan de kaarten en had zijn kin op haar schouder laten rusten.

'Waarom staat die foto daar?' had hij gevraagd en hij had met zijn vinger langs haar oog naar de foto gewezen.

Ze rilde even. 'Je gezicht is koud.'

'Sorry.' Maar hij had zich niet verroerd.

'Ik keek gewoon naar ons', zei ze. 'Verdraaid, Dan, we zijn nog steeds een knap stel, hè?'

'Dat zijn we zeker', zei hij en hij had haar borsten aangeraakt. 'Hoe laat komt Heather terug?'

'Pas tegen etenstijd', zei ze lachend. 'En hou op met me te betasten als ik naar Bach aan het luisteren ben. Het is oneerbiedig.'

'We zijn de mooiste burgers van het hele land', mompelde Fielding en hij kuste haar haar.

Ze trachtte hem van zich af te schudden. 'Wat bezielt jou ineens?'

'Een betovering. Je hebt me betoverd, Claire. Hier, op deze zaterdagmiddag, terwijl Heather nog uren wegblijft. Terwijl je bij die ouwe Bach kerstkaarten aan het schrijven bent. Ik wed dat die het tussen de cantates door voortdurend met zijn vrouw deed. Hoeveel kinderen hadden ze trouwens? Twintig? Eenentwintig?'

'Dan, je brengt me helemaal van de wijs. Nou heb ik de kaart aan de Ellisons verpest. Kijk dan. Nou schrijf ik "Deste mensen", in plaats van "De beste wensen".' Ze lachte. 'Hou je d'r nou eens mee op?'

'Nee.'

'Zaterdagmiddagseks. Wat zal hij straks weer bedenken?'

'Wie denkt er hier nou?'

'Ik dacht dat het dan moest regenen of rotweer moest zijn. Het is een zonnige, koude dag.'

'Dat geeft niet.'

Ze lachte weer. 'Misschien moet je me maar naar boven dragen.'

'Dat kan ik niet meer. Je bent te groot geworden.'

'Je heb me nooit kunnen dragen, Dan, dat weet je best.'

'Dat is waar, helaas.'

Claire zag er nog steeds fantastisch uit. En ze hield haar conditie op peil. Ze was dol op squashen en tennissen met vriendinnen van vroeger op de banen van St. Hilda. Zo nu en dan deed ze mee aan een toernooi voor oudere vrouwen en dan ging hij op zaterdagochtend in de zomer kijken. Van de andere echtgenoten die ook kwamen kijken zaten de meeste in zaken, ze waren effectenmakelaar, financieel adviseur, portefeuillebeheerder. Terwijl ze verstrooid het spel van hun vrouw volgden, waren hun gesprekken doorspekt met vakjargon: hefboomeffecten, marktvluchtigheid, negatieve economische omgeving. De meeste tijd hield Fielding zich afzijdig van hen en bewonderde de boog van Claires blote arm als ze die omhoogstak om te serveren. Hij hield ook van de manier waarop ze haar knieën spande als ze wachtte tot de set begon. Na afloop van een wedstrijd kwam ze altijd naar hem toe en gaf hem een kus voordat ze ging douchen.

Ze scheen het niet erg te vinden dat Fielding, afgezien van wandelen, helemaal niets aan sport deed. Hij was niet dik, zei ze, en dat was het enige wat telde.

'Ik wil geen vet varken als man, Dan. Je hebt geboft met jouw stofwisseling.'

Dat was waar. Afgezien van het stijve, ongemakkelijke haar en een zekere grimmigheid in zijn lach, die hij beide van zijn overleden moeder, Jean Muir, de felle, kleine, Schotse verpleegster, had geërfd, zou zijn lichaam dat van Ted Fielding kunnen zijn. Toen zijn vader stierf, had hij nog steeds honderdvijftig pond gewogen en voor die tijd was hij lang geweest, een meter tachtig, met een licht gebogen rug. Aan zijn grauwe, binnenskamerse gelaatskleur was te zien dat hij het niet zo had op wandelingen in de natuur of zonnebaden in de canvas ligstoelen van toen.

Fielding had maar één jaar bij zijn vader in de klas gezeten, want het was hem gelukt zijn vader als docent te ontlopen tot zijn eindexamenjaar, toen hij geen keuze had. Dat jaar was zijn vader de enige die geschiedenis gaf in de hoogste klas en dus had Fielding achter in het lokaal gezeten. Hij was verlegen en zijn loyaliteit was vreemd verdeeld tussen de magere, melancholieke gedaante voor het bord, die in een gebreid jasje en grijze flanellen broek het ontstaan van de Amerikaanse Revolutie schetste, en zijn klasgenoten met hun gefluisterde grapjes over de roos op het gebreide jasje (meisjes) en de totale afwezigheid van billen in meneer Fieldings broek (jongens). Wat had Fielding een hekel gehad aan dat gebreide jasje en die grijze slobberbroek die van zijn vaders heupen afhing, terwijl hij hen voorbereidde op het examen van 1965 en de warme junilucht door de open-staande ramen naar binnen stroomde. Het hele jaar had Fielding geen woord gezegd en had zijn vader hem geen enkele vraag over de zegelwet gesteld. Misschien hadden ze onbewust een verbond gesloten, waarbij ze beiden zouden trachten de gêne die ze voelden bij het delen van het klaslokaal niet nog erger te maken. Wanneer ze na school naar huis reden in de kleine, van achteren opbollende Dodge die zijn vader al vijftien jaar had, voelden ze zich volkomen op hun gemak en bespraken ze veel dingen, waarvan hij er zich nu niet één meer wist te herinneren.

Nu, in deze badkuip in het kuststadje in het zuiden van Engeland, zag Fielding zijn vader terug in zijn eigen weinig spectaculaire, maar dienstbare lichaam. Hij zag hem ook in de manier waarop hij een deuropening benaderde, door zijn hoofd licht opzij te kantelen. In de manier waarop hij voortdurend een slecht passende bril tegen de brug van zijn neus duwde. En in het afwezige geneurie waarmee hij klusjes vergezeld liet gaan. Vroeger dreef het hem tot stille razernij als hij in de buurt van zijn vader was, terwijl die tape om een lekkende tuinslang wikkelde of de lampjes in de kerstboom hing. Altijd met dat monotone, zwakke gebrom op de achtergrond. Nu deed hij hetzelfde. Nog maar een week geleden, toen hij de riem van Silas ontwarde, die om een boom in de tuin verstrikt geraakt was, had hij net zo staan brommen tot Heather uiteindelijk zei: 'Papa, waarom maak je dat geluid? Het is zó irritant.'

Het is vreemd, mysterieus, wat we meekrijgen van hen die ons verwekt of gebaard hebben.

Terwijl hij zich afdroogde met de dikke, zachte handdoek, dacht hij na over wat hij tegen Claire zou zeggen. Wat kon hij zeggen? Dat hij echt niet had gewild dat dit gebeurde? Dat was zwak en bovendien was het wel gebeurd. Maar hoe was het zo gekomen? Het leek zo snel en moeiteloos te zijn gegaan. Toen Sy Hollis hem zes weken geleden zei dat Denise Crowder hem naar Frankfurt zou vergezellen, was hij niet bepaald verbaasd geweest. Toen ze in New York werkte, was ze vandaar heel vaak naar de boekenbeurs gegaan. Zoals Hollis hem zei: 'Denise heeft belangrijke contacten en je zult veel aan haar hebben. Je kunt zien dat mensen haar aardig vinden.'

Wat wellicht een andere manier van zeggen was dat mensen Fielding niet aardig vonden, noch dat je bijzonder veel aan hem had. Toen hij die avond in bed lag, kwam hij tot de slotsom dat Hollis iets in zijn schild voerde en dat dit misschien een teken was dat zijn dagen bij Houghton & Street geteld waren. Maar als hij erover nadacht, kon hem dat dan echt iets schelen?

Na tweeëndertig jaar in het uitgeversbedrijf was hij het hele gedoe zat en misschien was dat wel merkbaar. Hij was het meedogenloze tempo moe, de voortdurende druk om nieuwe boeken te vinden, de inspanning om schrijvers tevreden te houden. Om de waarheid te zeggen was hij schrijvers beu, punt uit: hij was hun emotionele behoeftigheid beu, hun gezeur over geld, hun kinderachtige ijdelheid. J.J. Balsam schoot hem te binnen met zijn dronken telefoontjes om twee uur 's nachts. Ja, hij was het allemaal zat en hij betwijfelde serieus of hij nu nog de energie en het enthousiasme kon opbrengen om een deugdelijke redacteur te zijn. Dit manuscript, A History of Water, dat hij Europa rondzeulde, bijvoorbeeld. Zonder twijfel een belangrijk boek. Volgens Tom Lundgren raakte de watervoorraad op grote delen van de planeet zoetjesaan uitgeput. De voornaamste conflicten in de volgende honderd jaar zouden allemaal over water of het tekort eraan gaan. Professor Lundgren had alles in 348 bladzijden gedocumenteerd. Toch was Fielding na verschillende pogingen nog niet verder gekomen dan bladzijde 32, en het wanbeheer van irrigatie en de afnemende waterhoudende grondlagen tolden door zijn hersenpan. Het idee om iemand anders op te zadelen met *A History of Water* was geruststellend. Waarom niet?

De afgelopen paar jaar had Claire erop aangedrongen pensionering in overweging te nemen. Eruit stappen nu ze allebei nog jong genoeg waren om van vrije tijd en reizen te genieten. Zoals zij het verwoordde: 'Voor de eerste hartaanval of het kankeralarm.'

Claires ervaring met de studie medicijnen had een hardnekkige realiste van haar gemaakt. Als hij het leuk vond, zei ze, zou hij wat freelance redactiewerk kunnen doen. Een stel visitekaartjes laten drukken. 'Dan Fielding. Redactioneel adviseur'. Hij zou thuis in zijn eigen werkkamer kunnen werken en in zijn eigen tijd. Ze zouden kunnen reizen wanneer ze daar zin in hadden. Zes maanden doorbrengen in Italië of Griekenland. Heather zou een poos intern kunnen worden op St. Hilda; misschien dat ze zich aanvankelijk tegen het idee zou verzetten, maar ze kon overgehaald worden. Er was zoveel in het leven om van te genieten, nu ze nog de tijd hadden en gezond waren. Vaak haalden ze hun hart op aan deze verrukkelijke plannen wanneer ze zondags bij het avondmaal aan het derde glas wijn zaten, vooral als Heather naar een vriendin toe was. Het beste was nog dat geld geen rol speelde. Claires grootvader van haar moederskant, een uroloog die in de jaren vijftig van de twintigste eeuw in Toronto een fortuin aan onroerend goed had verdiend, had haar een aanzienlijke erfenis nagelaten, en er zou nog meer geld loskomen voor haar en Heather wanneer Claires vader, de geduchte dokter Moffat, naar de andere wereld verhuisde.

'Ik zou willen dat je dat puriteinse complex over geld nou eens achter je liet, Dan', had Claire een keer tegen hem gezegd. 'We hebben genoeg. Zodra je het beu bent om voor Hollis te werken, neem je ontslag. Zo simpel is het.'

Hij had het bijna gedaan ook, een paar maanden nadat Hollis door de bejaarde, ziekelijke Jim Houghton als directeur was binnengehaald. Maar toen was Fielding van mening geweest dat hij op zijn tweeënvijftigste veel te jong was om met pensioen te gaan. Het was vreemd dat nu, maar drie jaar later, de aantrekkelijkheid ervan exponentieel was gegroeid.

Dus had Fielding afgelopen zaterdagavond in het vliegtuig een zekere luchthartigheid gevoeld; hij beschouwde deze reis naar Frankfurt als waarschijnlijk zijn laatste. In een wellicht niet al te ver verschiet lag een aangename wending in zijn leven. Denise Crowder naast hem zag er met haar manuscript en ouderwetse leesbril zo kuis uit als een leerling van een nonnenschool. Hoe was hij dan toch met haar in een hotelbed beland?

Achteraf kon hij zien dat er voortekenen waren geweest. Hij nam aan dat er, als je ernaar zocht, in dit soort situaties altijd voortekenen zijn. Maar op welke avond hadden ze voor het eerst seks gehad? Dinsdag? Nee, op woensdagavond.

Ze hadden zich zondagochtend laat ingeschreven in het InterContinental Hotel aan de Wilhelm-Leuschner Strasse en Fielding was meteen naar zijn kamer gegaan om zijn schoenen uit te doen. Dat was een oude gewoonte van hem. Claire en hij begonnen een bezoek aan Europa steevast met een paar uur rust. Het was nog te vroeg om haar te bellen, dus had hij de gordijnen dichtgetrokken voor de glazen wand van zijn kamer, twaalf verdiepingen boven de grijze straat, en was in het donker op bed gaan liggen. Hij hield het manuscript van *A History of Water* onder de leeslamp en wachtte tot hij overmand werd door slaap. Hij werd wakker van het gerinkel van de telefoon en was verrast toen hij Denise hoorde vragen waar hij wilde gaan eten. Had hij zin om naar de rosse buurt te gaan? Ze klonk levendig en opgewekt, terwijl hij nog op de Toronto-tijd zat en versuft was van de slaap.

Hij had helemaal geen zin om te douchen, andere kleren aan te trekken en een buitenlands menu te bestuderen. Het enige wat hij wilde was een glas wijn en een sandwich op zijn kamer en dus verontschuldigde hij zich. Bestelde een licht maal bij de roomservice en sprak onder het wachten met Claire. Omdat hij zich de volgende ochtend een beetje schuldig voelde, had hij Denise vroeg gebeld voor het ontbijt, maar hij kwam er algauw achter dat ze helemaal niet ontstemd was over het eten op zondagavond. Op maandag ging ze eten met vrienden uit New York, terwijl hij een ontmoeting had met Tony Anderson om zijn aanstaande bezoek aan Londen na afloop van de boekenbeurs te bespreken. En dinsdag? Dinsdag was op het nippertje geweest. Dat was hem nu wel duidelijk.

Ze hadden gegeten in een rumoerig kelderrestaurant, met een Amerikaanse agente die Leah Barry heette. Leah was een lange, grappige vrouw met het paardengezicht van een televisiecomédienne uit de jaren zeventig, wier naam Fielding was ontschoten. Zij en Denise kenden elkaar uit New York en ze praatten over zaken of roddelden over bekenden uit de uitgeverswereld die weer eens van baan veranderd of de laan uit gestuurd waren. Van tijd tot tijd knikte Fielding glimlachend, verbijsterd door de gedachte dat niets hiervan er waarschijnlijk nog toe deed. Binnenkort zou hij het misschien achter zich kunnen laten en het gelukkig kunnen vergeten.

Onder het eten op die dinsdagavond had hij een tijd lang een Amerikaanse schrijver gadegeslagen, die aan de andere kant van het vertrek aan de bar zat, naast een blonde vrouw die Fielding ooit een keer had ontmoet. Ze was redactrice bij een Zweedse uitgeverij. De schrijver was een knappe man van in de veertig, met donker haar en een hoog, gewelfd voorhoofd. Hij was min of meer een literaire beroemdheid; hij had de Pulitzerprijs gewonnen voor zijn pienter in elkaar gezette verhalen over de teleurstelling in het leven van de Amerikaanse hoofdarbeider, en volgens Denise had hij voor zijn nieuwe roman een hoog voorschot van zes cijfers gekregen. De blonde vrouw had zich op haar kruk naar hem toe gedraaid, zodat hun knieën elkaar nu raakten. Met zijn corduroy jasje en bij de hals openstaande overhemd, zijn sportieve broek en instappers zag de schrijver er ontspannen uit, vergenoegd over dit soort vrouwelijke adoratie waarvan hij misschien nu wel vond dat die hem vanzelfsprekend toekwam. Fielding stelde zich zo voor dat de Amerikaanse schrijver en de blonde Zweedse vrouw weldra in een nabije hotelkamer, kreunend van genot, op een stevige Duitse matras zouden rollebollen.

Rondom hem deed de herrie in de Rathskeller een niet-aflatende aanval op zijn oren, met accordeonmuziek en een hoop geklets en gelach. Er werd zoveel en zo hard gelachen. Jezus, wat konden die Duitsers een kabaal maken als ze een paar glazen op hadden. Alles bij elkaar was het er veel te onrustig, hoewel hij zijn best deed om zich er niet aan te storen. Zo nu en dan haalde Denise hem uit zijn gemijmer als een plichtsgetrouwe echtgenote die niet wilde dat hij zich veronachtzaamd voelde of dat hij een slome indruk op de gasten maakte. Er ging een soort bezitterige genegenheid van uit. Hij herinnerde zich dat ze op een bepaald moment glimlachend had gezegd: 'Daniel, Leah heeft je nu diezelfde vraag vanavond al twee keer gesteld.'

Dus draaide hij zich om, leunde tegen het geruite tafelkleed en vouwde zijn handen expres op een koddige manier.

47

'Mijn excuses, dames. Ik heb inderdaad tijdens deze nacht-merrie zitten dagdromen.'

Het was niet zijn bedoeling geweest dat de woorden er zo uit kwamen; het was een overhaaste reactie. Maar in plaats van het als geringschatting van hun gezelschap op te vatten, waren ze allebei meteen in de lach geschoten. Hij schok-schouderde verontschuldigend, maar ze bleven hoofdschud-dend om hem lachen. Beide vrouwen mochten hem, dat kon hij merken. Zijn zichzelf wegcijferende, ouderwetse hoffe-lijkheid had een zekere aantrekkingskracht. Niet lang daarna stapte Leah Barry op; ze had de volgende dag al vroeg een afspraak en dus bleven hij en Denise samen achter om de wijn op te maken. Maar dat duurde niet lang.

Een zwaargebouwde man met een kaalgeschoren hoofd, een worstelaar in een pak, dook op bij hun tafeltje en bukte zich om Denise te omhelzen.

'Mijn kleine Denise', gromde hij in haar oor. Hij schudde Fielding verrassend voorzichtig de hand. Alexi en nog wat – hij verstond de ingewikkelde achternaam niet en de man was geen Duitser, zoals Fielding veronderstelde, maar een Rus die een kleine uitgeverij bezat. Denise en hij waren oude vrienden die samen zaken hadden gedaan. Zijn grote, kale hoofd was als een soort wapen en het deed Fielding denken aan de molenaar van Chaucer, die 'iedere deur uit zijn schar-nieren kon lichten/Of inbeuken met zijn hoofd'.

'En ik heb gehoord dat je weer in Canada zit', zei Alexi, met zijn hand op haar schouder. 'Nou, dat is goed gedaan, beste kind. Ik weet zeker dat het daar veel veiliger voor je is.'

Hij scheen te wachten op een uitnodiging om te gaan zitten, maar Denise glimlachte alleen maar tegen hem, een tikje zedig, vond Fielding. Wat ging er door haar heen? Schaamde ze zich ervoor dat ze de Rus kende? Na een poosje pikte Alexi de hint op, hij omhelsde Denise nog een keer en zei: 'Nou, ik moet weer eens naar mijn vrienden. Leuk je gezien te hebben, Denise, en prettig kennisgemaakt te hebben, meneer.'

Dat 'meneer' bezorgde hem een ouwelijk gevoel, hoewel hij niet het idee had dat de Rus veel jonger was. Toen de ober een fles champagne in de gebruikelijke ijsemmer bracht, hadden ze allebei naar het tafeltje gekeken waar Alexi met een stel andere mannen zat. In hun foeilelijke pakken zagen ze eruit als gangsters. Alexi had naar hen gewuifd en terwijl de ober druk deed over het etiket en de kurk, vroeg Fielding: 'Wat doen we hiermee?'

'Die laten we staan', zei ze.

'Je vriend zal beledigd zijn.'

'Hij kan de boom in', zei ze. 'Het is een windbuil. Laten we gaan.'

Toen ze in het hotel terugkwamen, was het bijna middernacht en terwijl ze door de gang liepen en hun sleutelkaart uit hun tas en zak opdiepten, vroeg Denise of hij zin had in een slaapmutsje. Ze had een fles belastingvrije Glenlivet op haar kamer.

'Zin in een neutje voor het slapengaan, Daniel?' Ze stonden voor haar deur en ze had met een olijk lachje naar hem opgekeken.

Hij vroeg zich nu af of dat lachje een reactie was geweest op zijn gezichtsuitdrukking. Hoe had hij er afgelopen dinsdagavond voor haar uitgezien daar in de gang voor haar deur? Verward? Aarzelend? Angstig? Misschien had hij er helemaal niet zo uitgezien. Hij kon zich wel herinneren dat hij had gedacht dat ze, als hij met haar de kamer in ging, de nacht samen zouden doorbrengen. Hoe had hij zijn antwoord verwoord? 'Bedankt, maar het is al laat' of 'Beter van niet, het is al laat'. Ja, zoiets had hij gezegd en het zinnetje 'Beter van niet' zou haar het lachje ontlokt kunnen hebben.

'Het was maar een ideetje', zei ze en ze had hem op zijn wang gekust. 'Je bent een echte heer, Daniel', zei ze. 'Ik denk dat ik je daarom zo aardig vind. Je bent serieus, maar je bent op jouw manier ook heel grappig. Hopelijk heb je er geen bezwaar tegen om Daniel genoemd te worden. Je komt op mij niet over als een Dan of een Danny.'

Hij zei dat hij het niet erg vond en ook dat hij haar gebruik van de lijdende vorm bewonderde. Tegenwoordig hoorde je dat niet veel meer. Ze had gelachen en hem nog eens op zijn wang gekust. Ze waren net teenagers die de eerste week op school met elkaar flirtten.

'Welterusten, Daniel.'

In zijn kamer was hij voor de glazen wand gaan staan om naar de lichten van de stad te kijken en zijn gedrag achteraf te bekritiseren. Maar toen hij de hoorn oppakte om Claire te bellen, met haar sprak en luisterde naar haar stem, had hij enkel opluchting gevoeld.

Maar dan nog weifelde hij en dat had hij misschien wel de hele tijd gedaan. Er was iets tussen hen en dat moest de suggestie van seks zijn. Ze voelden zich tot elkaar aange-trokken en ze waren drieduizend mijl van huis. Niemand in de Duitse stad had een idee of kon het iets schelen wat zij deden; bovendien zou hij over een paar maanden hoogst-waarschijnlijk een heel ander leven leiden en zou Denise Crowder niet meer dan een herinnering zijn, een vrouw die hij kort had gekend in de uitgeverswereld. En ze was ook het type niet om uit de school te klappen – hij had het gevoel dat hij haar wel zo goed kende. Had hij er zo tegenaan gekeken? Waarschijnlijk, of in ieder geval kwam het in de buurt, want tijdens het ontbijt op woensdagochtend wist hij dat hij er, als ze hem nog eens op haar kamer uitnodigde, op in zou gaan.

Die avond aten ze samen in een café vlak bij het hotel. Denise was spraakzaam, uitgelaten van de wijn, en ze vertelde hem over haar familie in het stadje op de oever van Lake Huron: haar moeder, Lucille, die altijd meer een grote zus had geleken dan een moeder; haar jongere broer, Ray, die met zijn auto's en drank, zijn ongelukken en de keren dat hij in aanraking kwam met de politie, zijn moeder tien jaar lang hoofdpijn had bezorgd, hoewel hij nu eindelijk tot rust leek te zijn gekomen. Hij had een nieuwe vriendin, een voormalige stripper nota bene, maar met een goed hart en op haar manier verstandig. De vrouw bracht in haar eentje een dochter van acht groot. Denise had het ook over haar overleden vader gehad en zijn leven op de grote meren als machinist, zijn winteravonden thuis, wanneer hij tot laat opbleef, Canadian Club dronk en historische verhalen over de Tweede Wereldoorlog en biografieën van Churchill en Stalin las. Ze vertelde hoe het was om in dat stadje op te groeien en dat ze niet wist hoe gauw ze er weg moest komen, hoe ze opging in boeken, en literatuur was gaan waarderen vanwege de waarheden die erin werden onthuld over de menselijke ervaring. Toen de ober hun koffie bracht, kon Fielding nauwelijks het geduld opbrengen om op de rekening te wachten en tegen tien uur lag hij bij haar in bed.

Nu, in een andere hotelkamer, pakte hij de kledingzak uit. Legde zijn vochtige spijkerbroek over de roomkleurige radiator en hing zijn broek en colbert op voor de volgende dag. Trok zijn pyjama aan. De pyjama die hij bij Denise niet had gedragen. Ze had ernaar gekeken en was in de lach geschoten. Was dat donderdagavond?

'Een pyjamaatje, Daniel! Wat schattig!'

Zelf droeg ze enkel een T-shirt van de New York Yankees in bed.

Zittend naast de telefoon nipte Fielding van zijn tweede glas. Hij moest Claire nu bellen. Het was tien voor een. Bijna acht uur in Toronto. Ze zou zitten wachten, bevreemd waarom hij zo laat was. Het regende weer. Hij kon het tegen de ramen horen tikken en ook het klapperen van de vlag voor het hotel. Hij probeerde niet te denken aan de man met het staartje die Denises lichaam over een veld naar het bos droeg. Haar op haar buik onder het natte struikgewas achterliet. Zich weg haastte met die rare, robotachtige manier van lopen.

Hij drukte de knopjes in en wachtte, luisterend naar de stilte en vervolgens naar het gestage gerinkel van zijn thuisnummer, terwijl hij zich de druk van zijn wild kloppende hart probeerde voor te stellen, het tumult in het donker van zijn lichaam. Hij nam een grote slok whisky, wachtte en hoorde toen Claires: 'Hallo.' Steevast met die lichte opwaartse krul van de laatste lettergreep.

'Hoi.'

Hij vond dat zijn stem niet meer dan gekras was, een amper gefluisterde erkenning van zijn aanwezigheid aan de telefoon. Claire verhief haar stem enigszins.

'Dan? Ben jij dat?'

'Ja.'

'Nou, het werd tijd. Wat heb je uitgevoerd? Zit je nu in Devon?'

'Ja. In Glynmouth. Hoe gaat het met je, Claire? Hoe gaat het met Heather?'

Ze lachte. Lichtelijk geamuseerd door de intensiteit in zijn stem.

'Goed, hoor. Het is prima met ons. Wat had je dan verwacht, Dan? Een uitbraak van tyfus?'

'Nee, natuurlijk niet.'

'Heather is naar de bioscoop. Ze is net de deur uit met Allison Harvey en Nadina Khan. Ik moest natuurlijk de groeten doen. Ze hebben hier gegeten. God, wat kunnen die praten! Drie vijftienjarigen bij elkaar. De rust in huis lijkt hemels nu. Ik lig onderuitgezakt. Silas is hier om me te beschermen. Er is een van jouw oude lievelingsfilms op de tv vanavond. *Double Indemnity*. Ik zou willen dat je hier was om samen met mij te kijken.'

'Dat zou ik ook willen, geloof me.'

'Ik heb naar het weerbericht in de *Globe* gekeken. Het regent overal in West-Europa.'

'Ja, het is rotweer hier, helaas.'

'Arme schat. Dan zul je wel niet veel gewandeld hebben?'

'Niet echt, nee.'

'Je zit zeker de hele dag in de pub. Waar logeer je trouwens?'

'In het Royal Hotel.'

'Dat grote, witte gebouw dat uitkijkt over de promenade langs zee?'

'Ja.'

Ze lachte weer. 'Doe maar duur, hè? Toen wij in Glynmouth waren, heb je ons daar niet ondergebracht. Ik moest genoegen nemen met mevrouw Irons en de pot aan het einde van de gang. Je verwent jezelf als je in je eentje bent.'

'Ik kon niets anders krijgen, Claire. Ik kwam hier pas laat aan, snap je, en bijna alles was vol.' Hij raakte van zijn stuk. Wanneer zou hij ter zake komen?

'Geeft niet, ik maakte maar een grapje. Geniet ervan, goeie genade. D'r is niemand die het je misgunt. Dat baden in weelde. Ik zie je al voor me in zo'n gigantisch bad met klauwpoten, een glas in je hand. En een bed dat groot genoeg is voor vier. Het regent pijpenstelen en jij zit lekker knus binnen. Dat is een kolfje naar jouw hand, hè? Je bent zo dol op regenachtige avonden in bed. Nou, geniet ervan, schat. Ik zou alleen willen dat ik bij je was.'

'Dat zou ik ook willen, Claire.' Klonk zijn stem echt zo

zwak en gekweld? Hij huilde niet; dat zou verachtelijk zijn, maar hij voelde de tranen branden, en nu bespeurde ze iets in zijn stem.

'Wat is er, Dan? Je klinkt niet goed. Is er iets mis?'

Hij zag haar voor zich op de bank in de hobbykamer, ze ging overeind zitten nu, gealarmeerd en vol aandacht, met rechte rug en haar voeten op de grond naast de hond.

'Ja', zei hij. 'Er is iets heel erg mis.'

'Dan, wat is er aan de hand? Is alles goed met je? Heb je een ongeluk gehad? Een auto-ongeluk?'

Hij was niet in staat te antwoorden. Het leek of hij verstomd was door de enormiteit van wat hij haar te vertellen had.

'Heb je iemand in een andere auto gewond?' vroeg ze. 'Is het dat? Was het een auto-ongeluk?'

'Nee, zoiets is het helemaal niet', zei hij. 'Maar, Claire, er is iets vreselijks gebeurd en ik smeek je, probeer het te begrijpen.'

'Je smeekt me?'

'Ik vraag echt om je begrip, Claire.'

'Vertel me nou gewoon wat er is gebeurd, Dan, alsjeblieft.'

Er klonk nu een zweem van ergernis door in haar stem, alsof ze zich wapende tegen een speciaal soort onwelkom nieuws. Fielding wou dat hij het flesje whisky mee naar het nachtkastje had genomen. Er zat nog een behoorlijke borrel in.

'Goed, Claire', zei hij. 'Het zit zo. Ik ben hier met Denise Crowder.'

Hij wachtte, telde zwijgend tot vier en toen zei ze: 'Je bent in Glynmouth met Denise Crowder? Wat bedoel je daar eigenlijk mee? Dat je met die vrouw slaapt? Probeer je me dat te vertellen? Dat je in dat dure hotel hokt met die vrouw die je volgens jouw eigen zeggen niet kunt uitstaan? Jezus!

Dit is godverdomme een rare tijd om je vrouw te bellen en haar te vertellen dat je met een andere vrouw neukt. En wat is daar zo vreselijk aan trouwens? Ben je soms zat?'

'Nee, ik ben niet zat. Luister nou, Claire, het is veel erger dan je denkt. Denise is verdwenen.'

'Verdwenen? Bedoel je dat ze je heeft laten zitten? Vond ze de seks niet goed of zo? Kon je hem niet omhoog krijgen?'

Hij moest er rekening mee houden dat ze woedend was. Ze was heel erg van streek. Waarom zou ze dat niet zijn? 'Claire, het is heel ernstig. Denise is misschien wel dood.'

'Waar heb je het in godsnaam over?'

'Luister nou, Claire. Alsjeblieft. Ik weet dat het afschuwelijk is, maar je moet luisteren. Vanmiddag hadden we de auto bij een uitzichtpunt geparkeerd, ongeveer vijftien kilometer hiervandaan. We hebben een strandwandeling gemaakt, maar het begon te regenen en toen zijn we terug naar de auto gegaan. Het regende toen heel hard, dus besloten we te wachten tot het minder werd. We zijn in slaap gevallen.' Hij kon haar niet over de seks vertellen. Dan zou ze ophangen. 'Op een gegeven moment werd Denise wakker en is ze uitgestapt. Om haar behoefte te doen.' Hij onderbrak zichzelf, op de een of andere manier stoorde zijn preutse eufemisme hem. Hij stelde zich Claires frons voor terwijl ze luisterde en wijs probeerde te worden uit wat hij haar vertelde. 'Ze is niet teruggekomen', zei hij. 'Er was een man in de buurt. We hadden hem eerder op het strand gezien. Hij zag er een beetje vreemd uit, op een bepaalde manier gestoord. Ik denk dat hij Denise heeft ontvoerd. Toen ze uit de auto stapte...'

'Ben je hiermee naar de politie gegaan?' Ze klonk ongeduldig nu, geïrriteerd.

'Ja', zei hij. 'Ik heb drie uur op het politiebureau gezeten. Ze hebben een rechercheur uit Exeter over laten komen en die heb ik alles verteld. Hij wil dat ik daar morgen naartoe ga om foto's te bekijken. Er is haar iets verschrikkelijks overkomen, Claire.'

Hij wachtte en toen zei ze: 'Ja. Misschien wel. En jij hebt je nogal in de nesten gewerkt, hè?'

'Ja', gaf hij toe. 'Het spijt me. Had ik maar...'

'Ja, ja', zei ze snel. 'Had ik maar enzovoort, enzovoort. Het aloude "had ik maar".'

In de stilte die volgde, begreep hij dat het nooit meer hetzelfde zou zijn tussen hen. Er had zich een breuklijn geopend onder hun huwelijk en daar zou hoe dan ook altijd rekening mee gehouden moeten worden. Het kwam niet als een verrassing voor hem; vanaf het moment dat Denise was verdwenen, wist hij dat dit eraan zat te komen. Hoe kon het anders? Toch schrok hij van de onvermijdelijkheid ervan.

'Dus wat ga je nu doen?' vroeg ze.

'Dat weet ik niet', zei hij. 'Afwachten wat er morgen gebeurt. Meer kan ik niet doen. Ze gaan het gebied afzoeken zodra het licht is. Het kan zijn dat ze van de klip af gevallen is, hoewel me dat onwaarschijnlijk lijkt.'

'Dan,' zei ze, 'ik ga zo meteen ophangen, want ik moet nadenken over wat je me hebt verteld. Maar laat me eens kijken wat ik er tot nu toe van begrepen heb. Je bent naar Devon gegaan met Denise Crowder, dus dat zal wel betekenen dat je al de hele week met haar neukt. Voorzover ik weet misschien zelfs voor deze week al.'

'Claire, nee.'

'Vervolgens maak je een wandeling en zij verdwijnt. En jij denkt dat een vent die je op het strand hebt gezien haar heeft ontvoerd.'

'Ja, maar na de wandeling. Het begon te regenen en toen zijn we teruggegaan naar de auto.'

Claires stem schoot schril omhoog. 'Nou, wat was jij in

godsnaam al die tijd aan het doen? Hoe heb je zoiets kunnen laten gebeuren?'

'Ik sliep, Claire.'

'Je sliep? 's Avonds, op een parkeerterrein op het platteland?'

'Ja. We zijn allebei in slaap gevallen terwijl we wachtten tot de regen minder werd. En toen is zij wakker geworden. Het was donker. Ze moest plassen. Ze is uitgestapt en ik ben weer in slaap gevallen. En toen ik een paar uur later wakker werd, was ze weg. Gewoon verdwenen.'

Hij kon haar ongeduldig horen inademen. 'Het klinkt ongeloofwaardig. Gelooft de politie je?'

'Volgens mij wel. Ik hoop het, want het is de waarheid. Waarom zou ik liegen? Ze hebben me in ieder geval niet opgesloten. Ze hebben zelfs deze hotelkamer voor me geregeld. Ik heb ze alles verteld. Die man heeft haar te pakken gekregen en meegenomen. Daar ben ik van overtuigd.'

'Ik hang nu op, Dan', zei ze. 'Ik moet hierover nadenken. Jezus, wat heb je er een puinzooi van gemaakt met je weekendje rollebollen! En wat kan ik tegen Heather zeggen? Wat moet ik je dochter vertellen als ze thuiskomt van de bioscoop en naar je vraagt? Wat moet ik tegen haar zeggen?'

'Je zult het haar moeten vertellen, Claire.'

'En wat gaat er gebeuren als de kranten erachter komen? Je naam en foto zullen in ieder rottig roddelblaadje in Engeland staan. Dat zal hier ook gebeuren. We zullen de journalisten aan de deur krijgen. Bij Heather op school. Jezus, dit is zo afgrijselijk. Mij bedriegen met dat kutwijf. Je vond haar niet eens aardig. Dat heb je me zelf gezegd.' Ze huilde nu.

'Claire, alsjeblieft', zei hij.

Maar ze had opgehangen.

Even bleef hij zitten met de dode hoorn in zijn hand. Het was een afschuwelijk gesprek geweest, maar in ieder geval was het achter de rug. Nu was Claire op de hoogte en ze zou het allemaal moeten verwerken in een andere realiteit, in een nieuwe kijk op hun leven samen. Of apart, afhankelijk van de situatie. Plotseling zou alles er voor haar heel verwrongen uitzien, buitensporig en chaotisch, gecompliceerd. Ze zou tijd nodig hebben om het op een rijtje te krijgen. Maar de woede en teleurstelling in haar stem waren beangstigend geweest. Hij stelde zich voor dat ze een glas wijn inschonk en Elena Burton belde, of misschien haar vader, hoewel dat telefoontje waarschijnlijk tot de ochtend kon wachten. Ze zou vanavond niet in de stemming zijn om aan te horen dat haar keuze van echtgenoot opnieuw in twijfel werd getrokken.

Wanneer Heather thuiskwam van de bioscoop, zou Claire in de huiskamer op haar zitten wachten. Terwijl Heather haar schoenen uitschopte en haar jas onder de ganglamp losknoopte, zou Claire haar roepen en Heather zou de kamer binnen gaan met die sceptische blik van haar, een tikje geschrokken van de toon in haar moeders stem. Net als hij was Heather een pessimist.

'Wat is er? Is er iets gebeurd? Is alles goed met papa?'

Toen hij zich dit voorstelde, kostte het Fielding moeite tegen de wanhoop te vechten die hem vervulde.

Maar hoe moest het nu met Denises moeder, de weduwe in Bayport, Ontario? Die nu genoot van een zaterdagavond thuis. Zich misschien verheugde op de bereiding van een zondagsmaal voor haar zondigende zoon en zijn vriendin, die haar dochtertje met haar beren en poppen zou meebrengen. Hoe kon hij Lucille Crowder bereiken? Staand naast het bed leegde hij de inhoud van Denises handtas: portefeuille, tissues, een condoom, lippenstift, pepermuntjes, poederdoos, adresboekje, bril, tampons, een slipje bezaaid met sterretjes, maantjes en visjes – niet meer dan een handjevol stof dat een kind zou passen; haar mobieltje, met nog een zweem van parfum rond het mondstuk. Een pocketuitgave van *The Wings of the Dove*, met de boekenlegger halverwege. Ze had hem verteld dat ze Henry James aan het herlezen was. 'Waarom?' had hij gevraagd. 'Is één keer niet genoeg?' Maar ze had hem enkel zogenaamd streng aankeken. 'Nou, doe niet zo barbaars, Daniel. Eigenlijk had ik meer van jou verwacht.'

Fielding keek het adresboekje door, turend naar nummers en initialen. Zou ze de moeite genomen hebben het nummer van haar moeder op te schrijven? Dat zou ze toch zeker wel uit haar hoofd kennen? Maar er stond een L.C. in, met het netnummer 519. Dat was West-Ontario en L.C. was waarschijnlijk Lucille Crowder. Maar hij besloot te wachten met bellen. Het had geen zin haar zaterdagavond te bederven. Hij zou haar morgenochtend bellen, wanneer hij definitiever nieuws had.

Hij opende de portefeuille, negeerde het geld en de bankpasjes en keek naar een mapje met foto's. Bestudeerde een foto van Denise met haar armen om twee vrouwen, van wie er een beslist Lucille Crowder moest zijn, een oudere versie van Denise, nog steeds knap met kort, donker haar en een slank figuur. Ze leek inderdaad eerder Denises oudere zus dan haar moeder. De derde vrouw was ook in de vijftig, stevig, met een aardig, open gezicht. Alle drie droegen ze een plastron en een korte broek en lachten op die zomerse dag naar de camera. Achter hen waren bomen, een picknicktafel, een glimp van water zichtbaar. De foto zou bij een vakantiehuisje of in de achtertuin van iemands huis aan een meer genomen kunnen zijn. Er zat ook een foto in van Denise en haar broer, die een grijns op zijn knappe gezicht had. Opnieuw lachte Denise en ze keek triomfantelijk op naar haar broer, alsof ze hem eindelijk een lachje had weten te ontlokken. Fielding stopte alles terug in de handtas, deed het licht uit en stapte in bed. Zijn lichaam voelde plotseling loodzwaar, overvraagd en de whisky bezorgde hem maagzuur. Hij lag te luisteren naar de regen tegen het raam en het zwakke geluid van de vlag die klapperde in de wind.

In de eetzaal van het Royal Hotel nipte Fielding van zijn tweede kop koffie en keek op zijn horloge. Het was vijf over negen en het was verrassend druk, de zaal zat bijna vol met mensen van zijn leeftijd of ouder, welvarend ogende, gepensioneerde echtparen, die even hun zorgen over diëten en cholesterol aan de kant hadden gezet en zaten te smullen van hun eieren met spek. De aantrekkelijke, jonge gastvrouw in haar donkere rok en witte blouse had geglimlacht toen ze hem de laatste plaats bij het raam gaf, zodat hij naar buiten kon kijken naar de schoongespoelde promenade, waar een man met zijn hand aan zijn hoed een terriër uitliet. Het regende niet meer en het was helder, zonnig weer. Langs de blauwe hemel joeg een krachtige westenwind wolkenflarden naar de zee toe. Het was een mooie herfstochtend en Fielding stelde zich vluchtig voor hoe het zou zijn om hier met Denise te zitten en de dag te plannen: de auto terugbrengen naar het verhuurkantoor, de trein nemen naar Londen, eten in het hotel en nog een nacht samen doorbrengen.

Tijdens het ontbijt had hij naar een stel aan een hoektafel aan de andere kant van de zaal zitten kijken. De forse man was van Fieldings leeftijd, misschien zelfs een paar jaar ouder. In zijn marineblauwe blazer en grijze broek zag hij eruit als de welgestelde eigenaar van een jacht. Zijn gezicht was gebruind en hij had een overvloedige bos zilverkleurig haar. De jonge, blonde vrouw glimlachte van tijd tot tijd naar hem en raakte over de tafel heen zijn arm aan. Was ze zijn nieuwe, jonge echtgenote of een maîtresse, vroeg Fielding zich af. Waarschijnlijk het laatste, dacht hij. Allebei hadden ze een uitdrukking van listige zelfgenoegzaamheid en voldoening op hun gezicht; ze hadden dit weekend samen gepland en ze kwamen er ongestraft mee weg. Hij besefte dat deze gedachten ongepast waren, minderwaardig zelfs. Wat maakte hun avontuurtje hem nu uit? Denise was waarschijnlijk een paar uur geleden op een afschuwelijk manier aan haar einde gekomen en dat zou hij binnenkort aan haar moeder moeten vertellen. Toen de serveerster vroeg of hij nog meer koffie wilde, schudde hij zijn hoofd en bedacht dat ze morgen of overmorgen haar vrienden en familie zijn foto in een plaatselijke krant zou laten zien. 'Goh, hij zat zondagochtend in de eetzaal. Ik heb hem zijn ontbijt geserveerd.' Ongetwijfeld was het allemaal onafwendbaar.

Toen hij terug in zijn kamer kwam, zag hij meteen dat het rode lampje van de telefoon op het nachtkastje knipperde, er spoelde een golf van adrenaline door hem heen en zijn keel zat dichtgeschroefd. De volgende stap was gezet en hij bereidde zich voor op het ergste. In de badkamer slikte hij de plaspil door met een glas water. Toen hij de hoorn opnam en het berichtenknopje indrukte, luisterde hij naar de onstoffelijke stem die zei: 'Goedemorgen. U hebt twee berichten. Om de berichten af te luisteren, toets één.' Hij toetste één. 'Meneer Fielding? Met Mark Kennedy van de recherche in Exeter. Het is nu tien over halfnegen.' Er viel een stilte en Fielding wachtte. 'We hebben haar gevonden, meneer Fielding. Het spijt me heel erg, maar ik ben bang dat ze dood is. Dit is het slechtste nieuws dat ik u kan brengen, en het spijt me.' Weer viel er een stilte. 'Als het iets van troost is, er is in ieder geval ook beter nieuws. We hebben de verantwoordelijke man in hechtenis genomen. Ik zou het op prijs stellen als u me zo spoedig mogelijk kunt bellen. Ik geloof dat u mijn nummer hebt, maar als u het kwijt bent, het is 008452 777 444. Toestel 215.' Opnieuw hoorde hij de onstoffelijke stem. 'Tweede bericht.' En toen kwam Claire aan de lijn.

'Dan. Met mij. Ik lijk maar niet in slaap te kunnen komen. Het is hier ongeveer vier uur. Bel als je even tijd hebt.' Hij had haar net gemist.

Hij hing op en ging op de rand van het bed zitten. Claire klonk nog steeds boos en op haar hoede, maar ze had in ieder geval teruggebeld. Denise was dus nu officieel dood. Het verbaasde hem niet; hij had het de hele tijd gevoeld. Maar het feit onder ogen zien was weer een heel andere zaak. Nu zou hij het aan haar moeder, die sliep in haar dorp in Ontario, moeten vertellen. De man die Denise had vermoord, was al gepakt. Hij was benieuwd hoe ze hem zo snel te pakken hadden gekregen. Fielding toetste het nummer in dat Kennedy hem had gegeven.

'Met Mark Kennedy.'

'Met Dan Fielding, inspecteur. Ik zat beneden aan het ontbijt toen u belde.'

'Meneer Fielding. Ja. Nou, zoals ik in mijn boodschap al zei, spijt het me dat het zo gelopen is, maar in ieder geval hebben we de verantwoordelijke man.'

'Hoe kunt u daar zo zeker van zijn?' vroeg Fielding. 'Is het daar niet een beetje te vroeg voor?'

'O, de man heeft een bekentenis afgelegd. Hij heeft ons verteld dat hij het heeft gedaan. Hij heeft ons naar haar lichaam gebracht.'

Kennedy klonk bijna opgewekt. Maar waarom zou hij niet zo klinken, dacht Fielding. Er was een Canadese vermoord, maar de moordenaar was ingerekend en hij had het misdrijf bekend. De media zouden hem niet meer lastigvallen. Beter kon waarschijnlijk niet in het leven van een politieagent.

'Zijn zwager heeft hem vanochtend om vijf uur naar het

bureau gebracht. De man, hij heet Woodley, George Allan Woodley, is bij ons bekend. Hij heeft al eens gezeten.'

'Was hij voorwaardelijk vrij of zo? Wordt er dan geen toezicht gehouden op die lui?'

Kennedy pikte zijn verbolgen toon op; hij was gewend aan de verontwaardigde geluiden van de burgerij.

'Woodley', zei hij kalm, 'had zijn straf uitgezeten. Acht jaar in Dartmoor en hij heeft er iedere minuut van uitgezeten. Hij is afgelopen december, rond de kerst, vrijgelaten. Natuurlijk waren we op de hoogte van zijn verblijfplaats, maar we konden er niet veel aan doen. De man had zijn straf uitgezeten. We konden hem niet vierentwintig uur per dag bewaken. Hij verbleef bij zijn zus en werkte voor zijn zwager, die een klein stukadoors- en schildersbedrijf heeft. Woodley leek al die maanden uit de problemen te blijven, maar toen...'

Kennedy aarzelde. 'Zijn zus en zwager zijn het weekend weggeweest. Naar vrienden in Brighton. Toen ze gisteravond laat terugkwamen, nou ja, eigenlijk vanochtend, rond halftwee, zagen ze dat het bestelbusje weg was. De zwager wist helemaal niet dat Woodley kon rijden. Hij is enigszins geestelijk gehandicapt, ziet u, hij heeft geen rijbewijs. De zwager heeft zich de afgelopen paar weken zorgen over hem gemaakt. Hij zei dat hij nogal rusteloos en humeurig was, maar zijn vrouw bleef volhouden dat het allemaal wel goed zou komen. Hij zei dat hij van plan was ons te bellen om de diefstal van het bestelbusje aan te geven. Hij en zijn vrouw hadden daar een beetje ruzie over toen Woodley rond drie uur terugkwam. De zwager had het gevoel dat er iets mis was en na een poosje is hij naar het busje gegaan en daar heeft hij een aantal spullen van juffrouw Crowder gevonden. Wat ondergoed, een pet en een trui. Hij heeft ten slotte de waarheid uit Woodley gekregen en ons gebeld. Rond vijf uur zijn ze samen naar het bureau gekomen en hij heeft ons naar de plek gebracht waar hij juffrouw Crowder had achtergelaten.'

'Waar hebt u haar gevonden?'

'Ongeveer anderhalve kilometer van waar u geparkeerd stond. In een stuk bos vlak bij de hoofdweg. Hij vertelde dat hij bij uw auto had staan wachten. Dat hij u en juffrouw Crowder gemeenschap zag hebben. Toen zij uitstapte, heeft hij haar gegrepen. Haar neergeslagen. Naar het busje gedragen dat langs een zijweg stond. Vanaf het parkeerterrein kon u het niet zien.'

'En toen hij klaar met haar was,' zei Fielding, 'heeft hij haar er aan de kant van de weg gewoon uit gegooid.'

Kennedy klonk een beetje mat. 'Ja, zo zou u het kunnen stellen.'

'Jezus. En hij heeft haar natuurlijk verkracht.'

'Ik denk dat we daarvan uit kunnen gaan, meneer Fielding. Ze was naakt. Hij is een veroordeelde zedenmisdadiger. Maar we zullen het lijkschouwingsrapport moeten afwachten. En we hebben een onomstotelijke identificatie nodig. Ik besef dat dit moeilijk is voor u, maar zou u langs kunnen komen en het lichaam officieel identificeren? Het is eigenlijk een formaliteit, maar het moet wel gebeuren. Ze ligt in het Royal Devon Ziekenhuis in een zijstraat van Wonford Road, maar een van de agenten van Glynmouth zal met u meegaan.'

'Ja, dat kan ik wel doen. Wanneer?'

'Hoe eerder hoe beter. De lijkschouwingsdienst heeft graag dat dit zo snel mogelijk in gang wordt gezet en identificatie van het slachtoffer is de eerste stap.'

'Ik moet een paar mensen bellen, maar ik zal er binnen een uur zijn.'

'Mooi. We kunnen de naaste familie bellen, als u wilt, hoewel het beter van iemand kan komen die haar kende. Minder pijnlijk voor de andere kant, bedoel ik.'

'Ik doe het wel.'

'Goed, maar laten we eerst de identificatie afhandelen. Ik bedoel, we zijn er vrijwel zeker van dat zij het is, maar je weet nooit. Het beste is absoluut zeker te zijn.'

'Uiteraard.'

'Goed dan, meneer Fielding. Ik zie u straks.' Hij zweeg even. 'O, en tussen twee haakjes, op het moment zeggen we weinig tegen de pers. Het hoeft eigenlijk niet en we geven zeker geen informatie over het slachtoffer tot de naaste familie op de hoogte is gesteld. De plaatselijke pers zal u op de hielen zitten. Als ik u was, zou ik zo weinig mogelijk zeggen. U hoeft eigenlijk helemaal niets te zeggen. U hebt geen enkele verplichting aan hen, geloof me.'

'Oké.'

'Tot straks dan.'

Fielding hing op en liep naar het raam. Op het parkeerterrein van het hotel recht onder hem was het stel uit de eetzaal bezig hun bagage in de kofferbak van een roodbruine Jaguar te laden. Het was winderig en de jonge vrouw droeg een chique, geelbruine jas met ceintuur. Zo nu en dan stopte ze lokken blond haar, die steeds van onder haar hoofddoek ontsnapten, terug. Ze keek naar de man die de koffers in de auto laadde en hij zei iets waar ze om moest lachen. Zijn zilverkleurige haar was verwaaid door de wind en het maakte hem jonger. Achter het raam stond Fielding hen om hun geluk te benijden, terwijl hij intussen trachtte na te gaan wat er nu allemaal afgehandeld zou moeten worden. Hij waarschuwde zichzelf niet in paniek te raken, hoewel het onmogelijk gecompliceerd leek: de telefoontjes, de verklaringen, het gedram van die lui van de media. En hoe moest hij haar lichaam terug naar Canada krijgen? Het vanaf de andere kant regelen? Hij nam aan dat de mensen van de luchtvaartmaatschappij de bijzonderheden hierover wisten. Tony Anderson in Londen kon misschien helpen; hij zou meeleven, zonder direct met een oordeel klaar te staan. Ze hadden in Frankfurt een afspraak voor morgen twee uur gemaakt. Hij zou Tony later op de dag het nieuws moeten doorbellen. Als hij zijn privé-nummer ergens kon vinden. Hij kreeg het plotseling warm en voelde zich zweterig onder zijn oksels.

Na een paar keer diep ademgehaald te hebben liep hij de kamer door, pakte de hoorn van de telefoon op en toetste zijn eigen nummer in. Claires 'Hallo' klonk schor en krassend, alsof het gerinkel haar had gewekt.

'Met mij. Ik zat te ontbijten toen je eerder belde.'

'Ja.'

'Claire, ik heb het allerslechtste nieuws. Denise is vermoord. Ze hebben haar lichaam vanochtend gevonden.'

'Jezus christus, Dan.' Ze schraapte haar keel.

'Het is afschuwelijk, geloof me. Maar het is gebeurd en ik moet het afhandelen.'

'Ja, natuurlijk.'

'Ik moet Denises moeder bellen. Ze woont in een stadje ergens aan Lake Huron. Maar nu moet ik eerst naar Exeter rijden om het lichaam te identificeren.'

'Weten ze wie het heeft gedaan?' vroeg ze. 'Was het die man die je op het strand hebt gezien?'

'Ja. Ik geloof van wel. Dat moet wel. Ze hebben hem gearresteerd. Het is een of andere halvegare die verleden jaar uit de gevangenis is ontslagen. Heb je het er gisteravond over gehad met Heather?'

'Nee', zei ze. 'Ik vond dat het beter even kon wachten. Ik dacht dat het misschien wel anders zou uitpakken en dan zou ze het niet hoeven weten.'

'Je zult het haar nu wel moeten vertellen.'

'Natuurlijk doe ik dat.'

'Het zal vervelend zijn, Claire, en dat spijt me.'

66

Er kwam geen reactie en hij ging haastig verder: 'Ik moet die arme vrouw vandaag laten weten dat haar dochter dood is.'

'Doe wat je moet doen', zei ze.

'Ik zal je straks nog bellen. Probeer wat te slapen.'

Ze gaf geen antwoord. Hij zag voor zich hoe ze in bed lag en in de ochtendschemering haar wenkbrauwen fronste. Kennelijk viel er nu niets meer te zeggen en dus hing hij maar op.

Maar een paar tellen later schrok hij op van het gerinkel. 'Meneer Fielding? Met agente Warren. Inspecteur Kennedy heeft me zojuist gebeld. Hij wil dat ik met u meega naar het Royal Devon Ziekenhuis. Wanneer u klaar bent, zie ik u op het parkeerterrein. De inspecteur heeft gezegd dat hij ons in het ziekenhuis zal zien.'

'Goed. Ik ben er over tien minuten.'

'Het spijt me van juffrouw Crowder.'

'Dank u.'

Zijn voetstappen werden gedempt door het tapijt toen hij de trap af liep naar de foyer. Door de deuropening van de eetzaal zag hij dat er nog steeds mensen zaten te ontbijten. De jonge gastvrouw in haar donkere rok en witte blouse was er ook nog, glimlachend hield ze een menu tegen haar borst. Op de veranda knoopten twee oude vrouwen hun jas dicht en bereidden zich voor op een wandeling. Het was kouder dan hij had gedacht, vooral wanneer de wolken voor de zon schoven en de zee verdonkerden.

Agente Warren stond in uniform bij de huurauto. Het keurige hoedje met het geruite lint eromheen gaven haar het vrome uiterlijk van een heilssoldate. Hij vroeg of ze wilde rijden en ze dacht er even over na, maar schudde toen haar hoofd.

'Beter van niet', zei ze. 'Vanwege de verzekering.'

Een verstandige, jonge vrouw die zich aan alle regels hield. Hij kon haar voor zich zien als schoolmeisje, voor in de klas, aandachtig luisterend naar de opmerkingen van de leraar, vooral over scheikunde en wiskunde, misschien een tikje onzeker en ongeduldig wat betreft kunst en poëzie – 'Waar gáát dat over?'

Nog geen vijfentwintig en al een stijf burgertrutje.

Met bondige aanwijzingen loodste ze hen door de smalle straatjes van Glynmouth naar een provinciale weg, die rechtstreeks met de M5 verbonden was. Toen hij over de snelweg in noordelijke richting naar Exeter reed, keek hij naar buiten naar de stralende dag. De zon hing als een enorm geel oog achter de wolken, zo nu en dan kwam hij tevoorschijn en scheen over de heuvels, boerderijen en het traag bewegende vee. Agente Warren zat roerloos uit haar raampje te kijken en Fielding vroeg zich af of ze zich onbehaaglijk voelde in de auto waar nog maar een paar uur tevoren een jonge vrouw, die nu dood was, seks had gehad. Hij zou het afwijzende gezicht van de jonge agente toen hij Kennedy over de seks had verteld niet gemakkelijk vergeten. Hij wist wel dat het niet echt wat uitmaakte. Toch bezorgde het hem een goedkoop gevoel om met zo'n minachting bekeken te worden, ook al was het door een vreemde.

Met zijn overjas strak om zijn compacte gestalte gewikkeld stond Kennedy op het parkeerterrein van het ziekenhuis te wachten. Hij zei agente Warren dat ze in de cafetaria een kop thee kon gaan drinken, schudde Fielding de hand, waarna ze samen het ziekenhuis binnen gingen, de lift naar het souterrain namen en door de schone, lichtgekleurde gangen naar het mortuarium liepen. De assistent, een jonge man met een gezicht dat vreselijk getekend was door acne, was gekleed in een groen uniform en een operatiemutsje. Hij trok een grote lade uit de muur en Fielding keek neer op het gezicht van Denise, terwijl hij bedacht dat doden een geheel eigen bleekheid bezaten. Voordat ze in handen vielen van de uitvaartbusiness, met zijn cosmetische preparaten en smeersels, was er dit: het onweerlegbare einde van het longademende, hartkloppende bestaan, met als gevolg dit asgrauwe vlees. Fielding nam het allemaal in zich op tijdens de paar tellen die het vergde om naar haar gezicht te kijken; er zaten blauwe plekken op haar keel en een schram op haar wang. Een scherpe steen? Toen hij haar tegen de grond had geduwd misschien? Je zou er luidkeels van gaan jammeren en met je vuist schudden. Je zou er zelf een soort waanzinnige van worden.

Hij knikte tegen Kennedy en de assistent schoof de enorme lade terug de muur in. Fielding tekende wat papieren en vervolgens vertrokken Kennedy en hij.

De agente stond op de begane grond bij de receptiebalie op hen te wachten en gedrieën stapten ze naar buiten de heldere herfstochtend in en liepen naar het parkeerterrein. Bij de huurauto bleven ze staan en Fielding vroeg: 'Wat nu?'

Kennedy antwoordde dat het parket van de rechter van instructie de lijkschouwing zo spoedig mogelijk zou laten uitvoeren. Uiteraard was het geheel afhankelijk van hoe druk ze het hadden. Woodley zou waarschijnlijk morgen worden voorgeleid. De hele machinerie van de wet was nu ratelend en log op gang gekomen, dacht Fielding. Een man creëert deze gigantische wanorde en nu moeten er tientallen anderen aan te pas komen om de rotzooi op te ruimen. Hij vroeg over haar vervoer terug naar Canada. Wanneer kon hij dat regelen?

Kennedy boog zich met zijn handen diep in zijn jaszakken naar voren. Fielding kon zijn muffe koffieadem ruiken.

'Wanneer was u van plan terug te gaan?'

Naast hem had de gevoelloze agente Warren zich schrap gezet tegen de wind.

'Ik zou dinsdag teruggaan', zei Fielding. 'We hadden morgen een zakelijke bespreking in Londen, Denise en ik.' Hij zweeg even. 'Ik zou graag zo snel mogelijk naar huis gaan.'

Kennedy knikte. 'Dat is begrijpelijk. Ik denk dat u dinsdag wel kunt vertrekken, meneer Fielding. We hebben uw verklaring. Als u contact opneemt met de luchtvaartmaatschappij en de situatie uitlegt, zullen zij u wel verder helpen. Ze weten wat er gedaan moet worden. Iedere week raken er reizigers naar het buitenland in de problemen. Auto-ongelukken, hartaanvallen, beroertes. Meestal zijn het ouderen. De luchtvaartmaatschappijen weten hoe ze daarvoor moeten zorgen. Zodra het parket zijn werk heeft gedaan, zullen ze het lichaam vrijgeven. U hoeft me dan alleen maar de bijzonderheden te laten weten. We zullen ervoor zorgen dat het stoffelijk overschot van juffrouw Crowder met uw vlucht meegaat. Ik zie niet in waarom u dinsdag niet naar huis zou kunnen.'

'Hoe weet ik wanneer ik dit allemaal moet doen?'

'Ik laat het weten zodra ik iets van het parket heb gehoord. Ik zou u aanraden vandaag naar Londen te gaan en een hotel te boeken. Laat me weten waar u logeert.'

'Ik logeer in het Russell Hotel.'

'Dat is oké dan', zei Kennedy.

'Wat gebeurt er nu met Woodley?'

Kennedy haalde zijn schouders op. 'Het lijkt me een eenvoudige zaak. Een proces zonder jury, waarschijnlijk. Hij heeft de feiten niet aangevochten en ze hadden een advocaat bij zich. Maar we zullen moeten afwachten. Ze kunnen nog van gedachten veranderen. Het zal wel even duren.'

'Ja, dat neem ik aan', zei Fielding.

Kennedy wendde zijn hoofd af en keek naar het halflege parkeerterrein.

'Op het moment vertellen we de pers niet veel', zei hij. 'We vertellen alleen dat er een Canadese vrouw is vermoord en dat we een verdachte in voorarrest hebben.' Hij keek Fielding aan. 'Zodra u de naaste familie van juffrouw Crowder op de hoogte hebt gesteld, zullen we haar naam bekendmaken.'

'Ik zal haar moeder meteen bellen als ik in het hotel terug ben.'

'Goed. Bel me als u dat hebt gedaan. Dan kunnen we een verklaring aan de pers geven. U kunt het verhaal morgen in de krant verwachten. Er zullen correspondenten van de Londense kranten rondhangen, dus ik zou het die uitgeefvrienden van u in Londen vandaag maar laten weten. Het zou weleens een akelige schok kunnen zijn als ze het in de krant van morgen moeten lezen of vanavond op de tv zien.'

De smalle, blauwe ogen van de rechercheur leken Fielding te taxeren. 'Ze zullen ook achter u aan komen, meneer Fielding. Maar zoals ik eerder al aan de telefoon zei, u hoeft zich niet verplicht te voelen om ze iets te vertellen.'

Een mobieltje begon te piepen en alsof hij het de hele tijd al vasthad, trok Kennedy het meteen uit zijn jaszak.

'Dan ga ik er nu vandoor, inspecteur', zei Fielding.

Kennedy knikte en schudde Fielding afwezig de hand; hij luisterde al naar de beller. Agente Warren stapte in en Fielding ging achter het stuur zitten. Toen hij in het achteruitkijkspiegeltje keek, zag hij Kennedy, met het toestel aan zijn oor, langzaam over het parkeerterrein lopen.

Er was weinig verkeer in de straten van Exeter en hij kon zwak het vreemd irrelevante, maar toch troostende gebeier van klokken horen. Per slot van rekening was het zondag en er gingen nog steeds mensen naar de kerk. De jonge agente gidste hem op haar bruuske wijze naar de rand van de stad en de snelweg en een kwartier lang reden ze in stilte in zuidelijke richting. Bij de provinciale weg sloeg hij af naar Glynmouth en een minuut of zo later schrok hij op toen de agente vroeg: 'Waarom rijdt u aan de verkeerde kant van de weg?'

'Jezus', mompelde Fielding en hij stuurde de wagen snel naar de linkerkant.

'Sorry', zei hij. 'Mijn geheugen liet me even in de steek. In Canada rijden we aan de andere kant.'

'Het is maar goed dat er niemand aan kwam.' Ze klonk stuurs en geërgerd. Voor zich uit starend naar de weg en de bomen. Hij wierp een snelle blik op haar en koos zijn woorden langzaam en zorgvuldig.

'Als er iemand aan was gekomen, zou ik hem gezien hebben. Het feit dat de weg leeg is, is de reden dat ik het tijdelijk vergat. Mag ik u nogmaals mijn verontschuldigingen aanbieden?'

Het klonk als het soort onnozele echtelijke ruzie dat een stel op vakantie zou kunnen hebben, maar het verbaasde hem hoe kwaad hij was. De jonge vrouw deed hem denken aan zijn eigen moeder en de heimelijke woede die zij vroeger in hem wekte met haar afkeurende opmerkingen. Het was al zo lang geleden, maar hij zou haar veroordeling van wat hem dierbaar was nooit vergeten. Het draaien van vroege platen van de Beatles op zijn kamer. 'That's All Right', 'Ticket to Ride', 'She Loves You'. En dan zijn moeders stem door zijn deur. 'Waarom moet je naar die rommel luisteren? Het is alleen maar herrie.'

Waarna hij de deur opende zodat ze het echt goed kon horen. 'Tja, ik weet wel dat het Guy Lombardo niet is, moeder.'

'Nee. Guy Lombardo is het zeker niet.' Haar kleine, Schotse gezicht vertrokken van irritatie. 'Het stelt helemaal niets voor. Het is alleen maar kabaal van branieschoppers en ik heb deze week nachtdienst, als je het nog niet wist.'

Dat was een afleidingsmanoeuvre. Het was laat in de middag en ze was al uren op.

'O, ja. Kabaal van branieschoppers. En de wereld gaat naar de knoppen. Waarom zeg je dat niet? Dat heb ik vandaag nog niet gehoord.'

'Ik wil niet dat je zo'n brutale toon tegen mij aanslaat, eigenwijze, kleine snotneus.' Hoewel hij op zijn zestiende al boven haar uittorende.

Het was raar dat deze norse, kleine agente in een ander land zijn moeder en haar verwijtende manier van doen opriep.

'Waar komt u vandaan, agente Warren?' vroeg hij.

Ze keek hem aan. 'Wat?'

'Waar bent u geboren? Waar bent u opgegroeid?'

'In de buurt van Newcastle', antwoordde ze. 'Waarom?'

'Ik was gewoon benieuwd.'

Zijn vraag had haar in verwarring gebracht, dat kon hij zien en hij was er blij om. Hij was er niet trots op dat hij blij was, maar hij was het wel.

Tegen de tijd dat ze in Glynmouth aankwamen, was het weer bewolkt. Toen ze uitstapte, sloeg agente Warren het portier met meer kracht dicht dan strikt noodzakelijk was en beende zonder iets te zeggen weg. Insgelijks, dacht Fielding, en hij keek hoe ze kordaat naar het politiebureau toe liep. Toen hij zich omdraaide naar het hotel zag hij een andere jonge vrouw uit een auto stappen. Ze droeg een lange broek, een coltrui en een licht jack. Hoe noemden ze dat hier? Een anorak? Ja. Merkwaardige naam voor iets wat in Engeland werd gedragen. De jonge vrouw kwam naar hem toe.

'Meneer?'

Van dichtbij leek ze niet veel ouder dan zijn dochter.

'Ja?'

'Janet Russo', zei ze. 'Ik werk voor de *Echo*. Kan ik u even spreken?'

Regendruppels spetterden op de daken van de auto's en

Janet Russo trok haar capuchon over haar hoofd. Met haar bleke, ernstige gezicht in de muts zag ze er eerder uit als een kind van de schoolkrant. Fielding was dankbaar voor de regen. Het was een excuus om van haar af te komen. Hij begon naar het hotel te lopen, overwegend hoeveel parkeerterreinen hij de afgelopen twee dagen wel niet was overgestoken. Hij vroeg zich ook af hoe de pers wist waar hij logeerde. De plaatselijke politie moest hun die informatie hebben verstrekt. Misschien waren agente Warren en deze Janet Russo wel vriendinnen. Misschien meer dan vriendinnen. Het meisje liep op een drafje om Fieldings resolute stappen bij te houden.

'Over wat er is gebeurd, meneer', zei ze.

'Ik heb op het moment niets te vertellen', zei Fielding. Hij volgde een portier die bagage over het voetpad sjouwde.

'Kunt u mij zeggen hoe oud het slachtoffer was?' vroeg ze.

Hij bleef staan bij de veranda en keek hoe de portier, die van middelbare leeftijd was, de treden op worstelde met de zware tassen.

'Waarom?' vroeg hij.

'Ik heb begrepen dat ze een heel stuk jonger was dan u', zei Janet Russo terwijl ze naar hem omhoogkeek.

'Wat heeft dat er nu mee te maken?' vroeg hij.

Het klonk vijandig en zo voelde hij zich ook. Hij reageerde zijn woede af op Janet Russo en haar idiote vragen. Ze leek slecht op haar gemak. Een echtpaar kwam over het pad aan gelopen en glimlachte in het voorbijgaan tegen hen. De man schudde de regen van zijn paraplu en grinnikte om de grilligheid van het weer aan de kust.

'Als u het niet erg vindt,' fluisterde Fielding, 'zou ik nu graag even alleen zijn.'

Janet Russo glimlachte zwak. 'Natuurlijk. Ik begrijp het. Bedankt, meneer.'

Ze draaide zich om en liep naar het parkeerterrein. De kans is groot dat ze voor haar eerste krant werkt, dacht hij. Misschien studeerde ze nog en liep ze stage. Kranten in kleine steden maakten gebruik van zulke mensen om de kosten te drukken. Maar bij het zien van het jeugdige, omhooggeheven gezicht in de anorak met capuchon had hij geweten dat Janet Russo het verkeerde beroep had gekozen. Veel te timide en teerhartig om het in die branche te redden. De professionele journalisten zouden in Londen en Toronto zitten. Achter het echtpaar aan ging hij het hotel binnen.

De lunch werd nu geserveerd, het was druk in de eetzaal en de jonge gastvrouw liep weer rond met de menu's om de gasten naar hun tafeltje te brengen. Alles, dacht Fielding terwijl hij de trap op ging, was normaal voor de mensen om hem heen. Alleen zijn leven leek getroffen door deze nieuwe, beangstigende vreemdheid. Voor anderen waren toeval en chaos louter zwartgallige ideeën, om kort bij stil te staan vlak na het ongeluk op de snelweg, de verschrikkelijke moord op een kind, het vliegtuig vol mensen dat in zee is gestort. Voor hem was het hier en nu, heel dichtbij, en weldra zou hij het leven van een vrouw verwoesten met het ergst denkbare nieuws.

Hij had overwogen om iets te drinken in de bar voordat hij ging bellen, maar had besloten dat het laf was. Het was nu vijf voor halftwaalf. Bijna halfzeven zondagmorgen in Ontario. Heather zou nog slapen, maar Claire was misschien al op en had de hond gevoerd; ze zou nu in de keuken koffie zitten te drinken, met haar ellebogen op tafel en de beker in beide handen. Vermoeid uit het raam starend naar de donkere tuin met de eikenboom en het met bladeren bestrooide gazon. Zich afvragend wat het allemaal zou betekenen voor de komende dagen en maanden. En wat Lucille Crowder aanging?

Fielding wachtte op de verbinding en luisterde naar het gekrijs van de meeuwen voor de ramen. Op een kaartje op het nachtkastje stond dat de kamer om één uur ontruimd moest zijn. Toen hoorde hij een vrouw 'Hallo' zeggen.

'Mevrouw Crowder?'

'Ja.'

'Mijn naam is Dan Fielding. Ik ben een vriend van Denise.'

'Denise is er dit weekend niet. Ze zit op het moment in Duitsland. Ze heeft me verleden week gebeld om te zeggen dat ze naar een of ander boekencongres ging in Duitsland.'

Er klonken sporen van Denise door in de lichte, meisjesachtige stem.

'Ik bel uit Engeland, mevrouw Crowder. Ik ben hier samen met Denise.'

'Ik dacht dat ze in Duitsland zat.'

'Ja, dat was ook zo. We waren allebei op de boekenbeurs in Frankfurt. Daarna moesten we voor zaken naar Engeland.'

'Sorry, maar hoe zei u dat u heette?'

'Fielding. Dan Fielding. Ik werk samen met Denise voor Houghton & Street.'

'O, meneer Fielding, ja. Ze heeft uw naam vaak genoemd. Ik had hem niet goed verstaan. Sorry. Wat kan ik voor u doen, meneer Fielding?'

'Mevrouw Crowder, ik heb heel erg slecht nieuws.'

Het bleef stil en hij verbeeldde zich dat hij Lucille Crowder dwars over duizenden mijlen zeebodem kon horen ademen.

'Is er iets met Dee? Heeft ze een ongeluk gehad?'

'Mevrouw Crowder', zei hij. 'Denise is dood. Ze is vermoord. Het spijt me dat ik u dit moet vertellen.'

Nu werd er ingeademd. Hij hoorde het. 'Vermoord? Mijn god, wat vertelt u me nu? Hoe kon dat gebeuren?'

'Ze is aangevallen door een man en hij heeft haar gedood. De politie heeft de dader gearresteerd.'

Het bleef weer stil, maar toen zei ze: 'Mijn god! Waar vandaan belt u precies, meneer?'

'Ik ben in Devon, mevrouw Crowder. In een stadje dat Glynmouth heet.'

'Wanneer is dit allemaal gebeurd?'

'Gisteravond.'

'Ik dacht dat ze in Duitsland was voor dat congres.'

'Nou, we zijn in Frankfurt geweest, maar we moesten voor zaken naar Londen.'

'Maar u bent nu niet in Londen? Ik probeer er wijs uit te worden, meneer.'

'Nee, ik ben in Devon. In het zuiden van Engeland. We waren hier voor het weekend naartoe gegaan.'

'O', zei ze. 'En hoe is ze gestorven? Waar was u toen het gebeurde?'

Haar stem brak.

'Ik moet haar mee terug nemen, mevrouw Crowder', zei hij. 'Waarschijnlijk op dinsdag.' Hij zweeg. Jezus, dit was zo afschuwelijk. Ze huilde nu. 'Kunt u me de naam geven van iemand bij u in de stad? Een begrafenisondernemer? Die op het vliegveld kan zijn als het vliegtuig aankomt?'

Haar stem klonk heel nietig nu, alsof hij wegstierf. 'Ik zal met iemand van Gladstone praten. Hoe is ze gedood? Ze is toch niet toegetakeld, hè? Ze is niet toch verminkt?'

'Nee, zo is het helemaal niet, mevrouw Crowder.'

'Hebt u haar gezien dan? Weet u zeker dat het Dee is?'

'Ja, dat weet ik zeker.'

'Ik begrijp er niets van. Waar was u toen het gebeurde?'

'Ik sliep, mevrouw Crowder.'

'Is ze alleen op stap gegaan dan?'

'We zaten in de auto op een parkeerterrein. Buiten de stad. Op een bepaald moment is ze uitgestapt en die man heeft haar ontvoerd.' Hij zweeg. Het verhaal was krankzinnig.

Onwerkelijk. Het zou een uur kosten om het uit te leggen.

'Ik denk dat mensen u zullen bellen, mevrouw Crowder. Journalisten. Het zal op het journaal komen. In de krant en op de televisie.'

'Ja', zei ze. 'Dat zal wel.'

'Misschien kunt u uw zoon bellen. Er zou iemand bij u moeten zijn.'

'Ja', zei ze. 'Ik zal Ray bellen. Ray en Kelly zullen wel komen.'

'Ik moet nu ophangen. Het spijt me. Ik moet mijn kamer uit.'

'Mijn god! Dee vermoord. Ik kan het niet geloven.'

'Ik ga vandaag terug naar Londen', zei hij. 'Wilt u het nummer van mijn hotel? Ik zal daar later vanmiddag zijn.'

'Ik wil helemaal geen nummers', zei Lucille Crowder. 'Ik wil helemaal niets. Ik moet Ray en Kelly bellen.'

'Ik logeer in het Russell Hotel als u of uw zoon mij nog willen spreken', zei hij. 'Ik zal daar over een paar uur zijn.'

'Ja. Goed. Dank u, meneer.'

Fielding hoorde de klik, hij hing voorzichtig op en staarde naar een ingelijste reproductie aan de muur. Een tafereel in een taveerne van een Vlaamse schilder. Forse, vrolijke, oester etende, bier drinkende burgers. Diensters met een schort voor en een mutsje op hun hoofd. Fielding wendde zich van het schilderij af en keek naar het stuk grijze lucht omlijst door het raam. Hij dacht zichzelf te kunnen zien, jaren later op een andere zondag in oktober, een man op leeftijd wandelend in een park in Toronto, terugdenkend aan de bijzonderheden van deze zondagochtend: het krijsen van de meeuwen, het stel in de roodbruine Jaguar, de schram op Denises wang, de klank van Lucille Crowders bedeesde, verbijsterde stem toen ze hem bedankte voor het overbrengen van het ellendige nieuws.

78

Twee

Terwijl vlucht 0098 van British Airways steil omhoog door de wolken klom, voelde Fielding de ontzagwekkende stuwkracht van de motoren, en samen met de gelijkgestemde zielen om hem heen leed hij gedurende de ongeveer dertig seconden dat, volgens hem, de kans op mislukken van de uiterst gecompliceerde, onderlinge verbinding van de fysica nodig voor het opstijgen het grootst was. Iedere klinknagel in de cabine leek onder het stijgen los te rammelen. Ergens onder hem in het ruim van het vliegtuig lag Denises lichaam in een kartonnen kist. Dat, had Rosemary Spencer van British Airways hem verteld, was hoe de doden werden getransporteerd. Toen hij naar haar luisterde, moest Fielding wel geloven dat het een kunst was om een stem en een manier van doen te hebben die zo prettig meelevend waren. Hij had verwacht dat het allemaal heel moeizaam zou gaan, dat het vast zou lopen in bureaucratische complicaties, maar in feite was alles met hoffelijke doeltreffendheid afgehandeld en George Gladstone van Gladstone & Zonen zou hen in Toronto opwachten. Gistermorgen had Fielding de telefoon in zijn Londense hotel opgenomen en de kalme, vriendelijke stem van een landgenoot gehoord.

'Meneer Fielding?'

'Ja.'

'Met George Gladstone. Ik bel uit Bayport, Ontario. Mevrouw Crowder heeft ons op de hoogte gesteld van haar verlies en wij zullen op alle regelingen hier toezien.' Vervolgens vroeg hij naar de luchtvaartmaatschappij, het vluchtnummer en de verwachte aankomsttijd. 'Mijn zoon en ik zullen er zijn als het vliegtuig landt, meneer Fielding. We zullen voor alles aan deze kant zorgen.'

Zonlicht glinsterde op de raampjes van de cabine toen het vliegtuig door het wolkendek heen brak naar de blauwe hemel. Algauw zou het bordje van de veiligheidsriemen uitgaan en zou de jonge, homofiele steward bestellingen voor drank opnemen en de lunch serveren. Fielding overwoog vluchtig of het wel verstandig was alcohol te mengen met diazepam. Voordat ze instapten, had hij nog een van de zes gele pilletjes genomen die Fiona Anderson hem de avond tevoren had gegeven toen hij hun huis in Holland Park verliet. Ze had ze gewikkeld in een tissue bij de deur in zijn hand gestopt. De taxi stond bij de stoep te wachten.

'Die zullen je de komende paar nachten helpen slapen, Dan. Ik moet zeggen dat je er echt ontzettend moe uitziet.'

Achter haar stond de ineengedrongen gestalte van Tony, met zijn grote engelachtige gezicht. Hij zag eruit als de geleerde in de mediëvistiek die hij in feite ooit was. Ze kenden elkaar al jaren. En wat een godsgeschenk waren de Andersons gisteren geweest! Ze hadden de pers van hem weggehouden. Hem te eten gevraagd.

In alle Londense roddelbladen stond het verhaal en een grimmige politiefoto van George Allan Woodley, dezelfde foto in alle kranten. Er stonden ook foto's van hem en Denise in; de zijne was bijna tien jaar geleden genomen voor een interview in de *Globe*, over de rol van de redacteur bij het uitgeven van boeken. Die van Denise was veel recenter, hij was eind augustus genomen op de cocktailparty in de Windsor Arms. Toen hij ernaar keek, kwam Claires gefluisterde commentaar van die avond bij hem boven: 'Ze heeft er geen moeite mee om met haar tieten te pronken, hè?' En staand naast de bezoekende schrijver in haar zwarte jurkje, had Denise er inderdaad sexy en charmant uitgezien. De koppen waren voorspelbaar. 'Canadese vrouw vermoord in Devon',

'Romantisch weekend eindigt in tragedie', 'Verkracht en vermoord op parkeerterrein in Devon'. Fielding werd afwisselend beschreven als 'een getrouwde collega van middelbare leeftijd', 'een oudere man, die het slachtoffer naar de boekenbeurs in Frankfurt had vergezeld', 'de vader van een teenager in Toronto'. Tony was zonder meer fantastisch geweest, hij had de telefonische berichten van het Canadese persbureau afgehandeld, de *Globe and Mail*, de *Toronto Star*, de *Sun* en de *National Post*, zelfs terwijl Fielding er gistermiddag in zijn kantoor bij zat. De kranten drongen aan op meer foto's van Denise en hem. Gisteravond onder het eten had Tony hen, rozig van de wijn, hyena's genoemd. Fielding had hen ten slotte weten te ontlopen en op het vliegveld had Rosemary Spencer hem snel de vip-ruimte in geloodst en vandaar naar de business class. Maar terwijl hij van zijn Ballantine's met ijs nipte, besefte Fielding dat het ergste hem nog te wachten stond. Gisteravond had hij naar huis gebeld en Heather had opgenomen. Ze zat samen met haar moeder te eten. Zijn foto, zo had ze hem verteld, was op het televisiejournaal geweest en stond op de voorpagina van de *Star*.

'En een foto van de vrouw waar je mee was.'

Ze hadden maar kort gesproken en hij kon er niet achter komen wat ze dacht. Toen Claire aan de telefoon kwam, vroeg ze hoe het met hem was en vervolgens vroeg ze: 'Wil je dat ik je van het vliegveld afhaal?'

'Beter van niet', zei hij. 'Er zullen journalisten zijn, televisiecamera's. Waarom zou je daarin verzeild raken? Ik neem wel een taxi.'

Ze had niet geprotesteerd. In feite leek ze ongeëmotioneerd. Ze hadden elkaar gisteravond niet veel te zeggen gehad.

Nu, terwijl hij keek hoe de jongeman een kipmaaltijd en een piepklein flesje Bordeaux op zijn blad zette, vroeg hij zich af hoe de media aan hun foto's waren gekomen. Hoogst-waarschijnlijk van Houghton & Street. Daar zou Sy Hollis wel voor gezorgd hebben. Fielding had hem op zondag ge-beld, zijn laatste telefoontje voordat hij uit Glynmouth was vertrokken. Hollis had liggen slapen en hij had versuft en geïrriteerd geklonken. Toen Fielding hem zo beknopt moge-lijk vertelde wat er was gebeurd, had Hollis gezegd: 'Jezus, Dan, wat deed je daar in godsnaam met Denise Crowder?'

Na zijn eerste uitbarsting was hij gekalmeerd, maar zijn toon bleef verongelijkt en hij voer een beetje uit tegen Fiel-ding. Wat had hem bezield om zo'n stunt uit te halen? Was het niet bij hem opgekomen hoe onprofessioneel het was? Wat voor effect het zou hebben in de media? Geen woord over Denise van die schijnheilige zak, die als rokkenjager al jarenlang onderwerp van roddel was in de branche. Hij had zelfs geprobeerd Denise te versieren. Dat had ze Fielding verteld tijdens een van hun nachten samen. Hollis had een reisje naar New York voorgesteld. 'Een zakenreis, natuurlijk', had hij er met een grijns aan toegevoegd. Ze wist wat hij in gedachten had. Ach, het vormde enkel nog een complicatie. De afgelopen twee jaar hadden Fielding en Hollis een soort van functionele collegialiteit voorgewend, maar wanneer puntje bij paaltje kwam, dacht hij niet dat ze elkaar echt mochten.

Het vliegtuig was op deze dinsdagmiddag om twaalf uur niet vol en de stoel naast hem was onbezet. Fielding wilde geloven (en misschien was het waar) dat de mensen van British Airways, met zijn toestand in gedachten en zijn behoefte om niet door een praatzieke buurman lastig te worden gevallen, de stoel leeg hadden gelaten. Uiteraard zou het anders zijn geweest als de vlucht volgeboekt was. Hij stak het stekkertje van zijn koptelefoon in het bedie-ningspaneel in zijn armleuning en stemde af op de klassieke zender. Oude, bekende riedels, maar beter dan de dreunende motoren, die een constant, afmattend achtergrondgeluid produceerden voor hen die er gevoelig voor waren. Terwijl hij at, luisterde hij naar de delen van het Larghetto van Beethovens vioolconcert. Een van zijn vaders favorieten. In de uitvoering van Isaac Stern. Een oude plaat van Columbia met het ronde gezicht van de violist op de hoes. Hij had de lp in de stapel platen in de voorkamer duizenden keren gezien en dergelijke muziek zou hem altijd doen denken aan zondagmiddag, met zijn vader liggend op de bank. Ted Fielding luisterde het liefst naar de overvloedig aanzwellende romantische gevoelens die je bij Beethoven vond of naar de aangrijpende weemoedigheid van de pianostukken van Mendelssohn en Chopin. Hij hield de deur gesloten omdat Fieldings moeder even weinig ophad met dit soort muziek als met de Beatles. Ze gaf de voorkeur aan de showdeuntjes van Rodgers en Hammerstein. 'If I loved You', 'Some Enchanted Evening', 'The Surrey with the Fringe on Top'. Wanneer Ted Fielding zijn besloten, kleinschalige zondagmiddagconcerten hield, koos zij er vaak voor om een dienst te draaien in het ziekenhuis. De twaalfjarige Fielding bereidde het avondeten dat bestond opgewarmde soep uit blik, tosti of roerei. Zijn vader en hij aten meestal samen in de voorkamer terwijl ze naar *The Wonderful World of Disney* keken.

Het leven van zijn ouders had een onuitgesproken treurnis, een naargeestigheid die de kleine bungalow in Leaside vulde. Beethoven of Schubert op zondagmiddag kwam meestal na een of ander onbeduidend meningsverschil dat lange periodes voortbracht waarin Ted en Jean Fielding niet met elkaar spraken. De normale huishoudelijke gang van zaken verliep zonder woorden: maaltijden werden in stilte genuttigd en zijn ouders liepen op hun tenen om elkaar heen, behoedzaam en beleefd, maar woordeloos, tot zijn vader op een dag, misschien een paar weken later, een vraag stelde die een antwoord vereiste.

'Wil je morgenavond bij de Hamiltons gaan kaarten? Doris vroeg het vanmiddag in de bibliotheek.'

Dat was genoeg. Nu kon ze antwoorden. Wat was hij als kind opgelucht wanneer ze weer met elkaar spraken. Hij gaf zijn moeder de schuld voor die mistroostige intervallen. Het zat in haar aard om wrok te koesteren en ze was van nature niet in staat om ergens haar verontschuldigingen voor aan te bieden. Het ijs moest altijd door zijn vader of hemzelf worden gebroken. Maar toch, wanneer hij er nu aan terugdacht, wat waren mensen in de jaren vijftig emotioneel ingehouden geweest.

Hij kon zich nog een gezin herinneren, de Websters, die een huis aan de overkant van de straat hadden gehuurd, waarin ze zowat een jaar hadden gewoond. Als huurders werden ze nogal argwanend bekeken door de buren. Mevrouw Webster had er jong uitgezien, bijna als een teenager. Ze was bleek en blond, net als haar kinderen, twee meisjes en een jongen, die alle drie onder de zes waren. Ze waren te klein om naar school te gaan en het gezin leek uitsluitend binnenshuis te leven. Dag en nacht was de felle gloed van de televisie in de voorkamer te zien. Wanneer ze tevoorschijn kwamen om op vrijdagavond naar het winkelcentrum te gaan, zagen ze eruit als wezentjes die onder de grond leefden. Afgezien van meneer Webster dan, die lichamelijk een totaal ander type was, donkerharig, gedrongen en verscheidene jaren ouder dan zijn vrouw.

'Hij is niet de echte vader van die kinderen', had Fieldings moeder een keer gezegd. 'Dat is duidelijk te zien.' Het klonk als een verwijt, iets wat tegen het karakter van de man pleitte. Fieldings vader wilde weten waarom dat wat uitmaakte: hij zorgde toch voor hen allemaal, of niet soms? Dat had een van hun ruzies in gang gezet.

Maar wat de twaalfjarige Fielding boeide, was de ochtendlijke routine. Van alle echtgenoten in de straat die iedere dag naar hun werk togen, omhelsde alleen meneer Webster zijn vrouw op de drempel. Iedere doordeweekse morgen liep mevrouw Webster achter hem aan naar buiten het cementen stoepje op, slonzig en flets in haar ochtendjas, met muilen aan haar witte voeten. Daar kuste ze haar man alsof hij op het punt stond een lange reis te ondernemen. In die tijd zag je dat niet zo vaak. Fielding had maar één keer gezien dat zijn ouders, afgezien van wat er zich in hun slaapkamer voordeed, elkaar iets van lichamelijke genegenheid toonden.

Een winterse zaterdag aan het einde van een van hun langdurige, zwijgende periodes. Zijn moeder stond in iets op het fornuis te roeren en zonder aanwijsbare reden was Fieldings vader van achter naar haar toe gelopen, had zijn arm om haar schouders geslagen en zich gebukt om haar een kus boven op haar hoofd te geven. Toen hij later in zijn leven aan dat voorval terugdacht, had Fielding zich afgevraagd wat er die dag was gebeurd. Hadden ze zichzelf verrast door die middag, toen hij met vrienden op stap was, de liefde te bedrijven?

Wat zouden mensen als zijn ouders verbaasd zijn over de wereld van tegenwoordig, waarin persoonlijke gevoelens voortdurend uitgestald werden. Waar tranen van berouw onderdeel waren van het amusementspakket. Van degenen die door de mand vielen, werd nu in wezen verwacht dat ze zich gedroegen als kleine kinderen. Hoe verfoeilijk de wandaad ook was, de dader werd verondersteld zich te presenteren als een lijdende medemens die het publiek smeekte om begrip en vergeving: de politicus die miljoenen aan belastinggeld had verkwanseld; de sportman die in het motel met een veertienjarige was betrapt; de topmanager die het spaargeld van tallozen had verduisterd. Allemaal hadden ze de behoefte om met tranen in hun ogen voor de televisiecamera te gaan staan. Misschien, dacht Fielding, was dit het moderne equivalent van de middeleeuwse schandpaal. In plaats van op het dorpsplein voor het oog van je buren vernederd te worden, zette je jezelf voor miljoenen te kijk.

Hijzelf zou bijvoorbeeld in dit verhaal ongetwijfeld als het onsympathieke personage worden gezien. Hij was de oudere man, die op een zakenreis misbruik maakte van een jongere vrouw door haar over te halen mee te gaan naar het Engelse platteland voor een weekendje seks. Wellicht had hij zelfs zijn hogere positie bij het bedrijf ingezet om haar zover te krijgen. De Britse roddelpers ging er al min of meer van uit dat hij schuldig was. Hij was 'een getrouwde collega van middelbare leeftijd', 'de vader van een teenager in Toronto'. Allemaal waar, uiteraard, maar de invalshoek suggereerde morele verantwoordelijkheid. Om maar te zwijgen van het feit dat hij zijn vrouw bedroog. Dat was niets nieuws; dat gebeurde toch de hele tijd, niet dan? Maar hij was tegen de lamp gelopen door dat vreselijke incident en dus moest er een oordeel worden geveld. Hij had haar daar voor zijn eigen plezier mee naartoe genomen. Wat voerden ze in vredesnaam uit in het donker in een auto op een parkeerterrein buiten de stad? Je hoefde niet lang na te denken om daar het antwoord op te weten. Nee, hij was geen misdadiger. Kennelijk hadden ze de misdadiger te pakken. Maar de man was een stomme idioot. Een ouwe bok. Om er zo met een jonge vrouw tussenuit te knijpen. Hij zou zich moeten schamen.

Als antwoord op dat soort oordelen zou hij iets van emotie moeten tonen voor de camera's en de journalisten. Gewone droefheid om de vreemde wendingen die het leven kan nemen, was niet langer voldoende. Er zou een hartgrondiger reactie worden verwacht. Tranen zouden het bewijs zijn voor een berouwvol gemoed. Maar wat voelde hij eigenlijk? Een jonge vrouw die hij niet eens zo goed had gekend, was dood. Wie zou het niet verdrietig vinden dat iemands leven zo wreed was beëindigd? Wie zou niet meeleven met Lucille Crowder en haar zoon, die nu Denises dood in hun eigen leven moesten inpassen?

Uiteraard waren er ook nog de gevoelens omtrent zijn huwelijk. Misschien was het, zoals de weekendkranten vaak beweerden, allemaal aan het veranderen en maakten mensen zich tegenwoordig niet meer druk om overspel. Zo ging het vandaag de dag nu eenmaal. Wen er maar aan. Toch vermoedde Fielding dat de meeste mensen, ongeacht hun leeftijd, moeite hebben met het idee om iemand van wie ze houden met een ander te delen. En wanneer het toch gebeurt, moet het wel pijn doen. Gisteravond had hij, toen hij in bed lag te wachten tot een van de gele pilletjes begon te werken, geluisterd naar het komen en gaan beneden op straat van taxi's voor de hotelingang. Hij had zich afgevraagd hoe híj zich gevoeld zou hebben als het Claire was geweest en niet hij.

Waarom zou het niet kunnen? Drie of vier keer per jaar woonde ze conferenties bij over het werven van fondsen voor onafhankelijke scholen. Afgelopen juni nog was ze naar Boston geweest. Later vertelde ze hem hoe leuk ze het had gevonden om mensen van Amerikaanse scholen te ontmoeten. Dat de sprekers die waren uitgenodigd om de afgevaardigden te adviseren inspirerend waren geweest. Dat ze zoveel waardevolle ideeën had uitgewisseld met anderen. Stel nu, had hij gisteravond in zijn Londense hotelkamer gedacht, dat ze een man had ontmoet op een van die conferenties. Een lange, knappe man van begin veertig, vader van een jongen die al op zijn eigen oude school zat. Net als Claire was de man heel trots op zijn school; hij was vrijwilliger in het comité voor fondsenwerving voor een nieuwe gymzaal. Het was een project dat hem na aan het hart lag, want hij had in het schoolbasketbalteam gezeten. Dat interesseerde Claire, want zij had op St. Hilda ook gebasketbald. Zij en de man, die zich voorstelt als dokter David Forsberg, ontdekken dat ze heel veel gemeen hebben. Beiden hebben in hun jeugd veel aan sport gedaan en zijn het tot op middelbare leeftijd, zij het in gematigder vorm, blijven doen. Beiden zijn geïnteresseerd in medicijnen, hoewel ze hem nog niet heeft verteld dat ze bijna twee jaar van voorbereidende studie heeft gedaan, voordat ze haar ambitie om arts te worden opgaf. Ze komen het een en ander over elkaar te weten terwijl ze een praatje maken op de eerste ochtend tijdens de koffiepauze tussen de zittingen in. Hij is in de zomer zelfs op bezoek bij vrienden in Muskoka geweest, aan hetzelfde meer waar haar beste vriendin, Elena Burton, en haar man een huisje bezitten. Wat is de wereld toch klein!

's Middags, tijdens de forumdiscussie in de aula, zitten ze naast elkaar aantekeningen te maken. Hij oppert om die avond samen te gaan eten. Een vriend uit Boston heeft een Thais restaurantje aanbevolen, op slechts tien minuten lopen van het hotel. Houdt ze van Thais eten? Ja, daar houdt ze van, maar ze bedankt en voert een andere afspraak aan, hoewel dat maar gedeeltelijk klopt. Ze zit er niet echt aan vast. Die ochtend heeft ze ontbeten met twee vrouwen van haar leeftijd uit Memphis, joviale types, die ondanks hun spraakzaamheid heel leuk waren. Ze zeiden dat ze, als ze geen andere plannen had, met hen zou kunnen gaan eten. Ze zouden elkaar om zes uur in de Skyroom Bar van het hotel ontmoeten voor een aperitiefje. Maar het was geen verplichting.

'Alleen als je geen beter aanbod krijgt', had een van hen

gelachen. En David Forsberg is zeer beslist een beter aanbod. Maar eerlijk gezegd is ze bang om alleen te zijn met deze aantrekkelijke man die haar zo graag schijnt te mogen. Die avond heeft ze geen zin in het gezelschap van de dames uit Tennessee en dus kijkt ze televisie, eet een clubsandwich en drinkt een glas chardonnay in haar kamer. Naderhand belt ze naar Toronto.

De volgende dag is de laatste van de conferentie en er is een diner in het hotel voor de afgevaardigden. Ze heeft het gevoel dat ze verlost is van de verzoeking, maar David Forsberg besluit om naast haar te komen zitten en ze maakt geen bezwaar; in feite zou ze teleurgesteld zijn geweest als hij het niet had gedaan. Na de koffie en het dessert, als mensen naar de toiletten koersen voordat de toespraken worden gehouden, stelt hij zacht voor een wandeling langs de rivier te maken. Het is onbeleefd om voor de toespraken te vertrekken en het tart haar plichtsbesef, maar ze geeft ten slotte toe en ze verlaten de eetzaal met zijn witte tafellakens, lege wijnflessen, de bordjes met half opgegeten broodjes die verzameld worden door de obers.

Een vroege zomeravond in een andere stad en ze voelt zich gelukkig, terwijl ze met David Forsberg langs de rivier wandelt. Andere stellen, de meesten jonger, slenteren arm in arm. De meisjes zien er aantrekkelijk uit in hun zomerjurken. Ze voelt zich ook jonger en zegt er niets van wanneer hij haar hand pakt. Als het duister de lucht doordringt, kijkt ze naar de in het water weerspiegelde lichten van de stad en ze vraagt zich af of er iets radicaal anders staat te gebeuren in haar leven. Het is tamelijk opwindend om dat te denken, maar wil ze het echt? En als het gebeurt, zal iemand anders dan zijzelf en deze man er dan ooit van weten?

Het is gemakkelijk om met David Forsberg te praten en ze vertelt over haar vader, die zo graag wilde dat ze arts werd. Ze vertelt dat ze bijna twee jaar voorbereidende studie heeft gedaan, voordat ze er de brui aan gaf. De hele onderneming leek te veel voor haar; ze was niet langer geïnteresseerd, misschien was ze het wel nooit geweest. Wat was haar vader teleurgesteld. David Forsberg, een lange, donkere gedaante naast haar, knikt terwijl hij haar relaas aandachtig aanhoort.

Wanneer hij haar voor een slaapmutsje in zijn hotelsuite uitnodigt, aarzelt ze en ze kijkt over de rivier naar de lichten. Dan glimlacht ze tegen hem en ze zegt: goed. Het zal natuurlijk meer worden dan alleen een borrel en dat beseffen ze nu allebei. Ze kan de lichte druk van zijn vingers in haar hand voelen. Een paar minuten later liggen ze in de slaapkamer van zijn suite naakt op het bed, waarvan de dekens zijn teruggeslagen. De extatische overgave ervan. Fielding kon zich herinneren dat hij gisteravond in bed lag, eindelijk doezelig door het slaapmiddel in zijn bloedstroom, maar nog steeds trachtend zich voor te stellen hoe die heimelijke momenten in een hotelkamer in Boston algemeen bekend zouden kunnen worden.

Hij zag het beeld voor zich van een twintigjarige man, een Amerikaanse versie van Woodley. Gekleed in de overall van een onderhoudsman, suizebollend van de crack, sluipt hij door de gangen. Hij heeft een vriendin waar een steekje aan los is, een studente aan de hotelschool, haar derde of vierde poging om iets van haar leven te maken. Ze werkt deze zomer als receptioniste en heeft hem duplicaten gegeven van verscheidene plastic kamersleutels. De jongeman is van plan te pakken wat hij kan in die kamers, waarvan de gasten beneden in de eetzaal naar een saaie toespraak zitten te luisteren. In een schede die aan zijn riem is gegespt, zit een jachtmes met een lemmet van tien centimeter breed, dat ooit van zijn stiefvader was, een man die hij in zijn dromen vaak met hetzelfde mes heeft omgebracht.

De jongeman heeft al verscheidene kamers doorzocht, wat snuisterijen gevonden, een paar ringen, een ketting en vijfhonderd dollar in briefjes van twintig, verstopt in een la met damesondergoed. Een of ander stom, oud wijf dat denkt dat dit een goeie, geheime bergplaats is. Dit zal zijn laatste kamer worden, daarna gaan hij en zijn vriendin ervandoor. Ze jatten een auto en smeren 'm uit deze kutstad. Ze hebben het erover gehad. Ze gaan naar het noorden, naar Canada. Of misschien naar het zuiden, naar Louisiana of Arizona. Mexico. Maakt niet uit. Hij steekt het plastic kaartje in de gleuf van David Forsbergs deur en een paar tellen later wordt hij verrast door de bleke gedaante die in het donker op hem af komt.

Verstijfd van angst luistert ze in de slaapkamer. Ze wilde niet dat hij de slaapkamer uit ging. Had tegen zijn rug gefluisterd toen hij zittend op het bed zijn onderbroek aantrok.

'Bel de receptie.' Maar hij had volhard. Hij had een goede conditie en was niet bang. Op zijn eigen rustige manier was hij woedend over deze indringing. Ze hoort de geluiden van een worsteling, het gesmoorde gegrom van twee mannen die in een donkere kamer vechten en dan valt er iets om, misschien een staande schemerlamp. Met bevende handen belt ze de receptie. Uiteraard kan ze het stervende gekerm van David Forsberg niet horen als het jachtmes steeds opnieuw door spieren en organen snijdt, door aderen en slagaderen hakt. In de krant worden de gruwelijke mise-en-scène, de met bloed bespatte muren enzovoort, breed uitgemeten. En de jonge moordenaar uiteraard, die met wilde blik en besmeurd met geronnen bloed, klem komt te zitten in het trappenhuis en wordt neergeschoten door iemand van de hotelbewaking.

Stel dat Claire zoiets was overkomen, had hij gisteravond

gedacht, voordat hij in slaap sukkelde. En stel dat hij, terwijl zich dat allemaal voordeed, in Kendal Avenue televisie had zitten kijken – naar een oude film uit de jaren veertig met Ida Lupino, een van zijn favoriete actrices. Een stuk pizza etend dat was overgebleven van het avondeten met Heather. Wachtend op het telefoontje van Claire. Maar vreemd genoeg komt het pas als hij al slaapt en hij schrikt wakker van het geluid en tuurt naar de wekker op het nachtkastje. Hoe zou hij zich voelen als hij om twee uur in de nacht naar haar onwaarschijnlijke verhaal luistert? Hoe groot zou zijn teleurstelling of verontwaardiging zijn? En terwijl de hele smerige zaak wordt geopenbaard, waar zou dan tussen de brokstukken – de schandalige publiciteit, de afgewende ogen van vrienden, de schaamte van de tienerdochter, de vernedering van de bedrogen echtgenoot – de vergeving liggen en hoe zou die opgedolven kunnen worden?

Beethoven was afgelopen en iemand leuterde over de volgende ontwikkeling in de geschiedenis van het concert als muzikale vorm. 'Neem nou Tsjaikovski.'

Fielding zette de koptelefoon af en keek naar de handen van een jonge vrouw aan de andere kant van het gangpad, die op haar notebook zat te werken. Haar nagels waren felrood gelakt. Hij kon nog net de grotere letters van de paginakop onderscheiden. *Projectresultaten.* Rondom hem waren anderen even druk in de weer. Het geklik van computertoetsen was nu een gewoon geluid tijdens vliegreizen. Vroeger, dacht hij, ontspanden mensen zich een beetje op deze transatlantische vluchten. Hij kon zich nog zijn eerste zakenreis herinneren, twintig jaar geleden, toen hij met Jim Houghton naar Engeland was gevlogen. Ze praatten en dronken. Aten een paar maaltijden en flirtten met de stewardessen. Sliepen een paar uur en werden wakker, klaar voor de strijd.

Nu leek iedereen non-stop te werken. Geen minuut te verliezen. Zoveel van die jongeren maakten zo'n gedreven indruk. De vrouw aan de andere kant van het gangpad leek ongeveer vijfentwintig. Terwijl ze werkte, fronste ze geconcentreerd haar wenkbrauwen en haar rode nagels flitsten over het toetsenbord. Zijn eigen aktetas, die boven zijn hoofd in het bagagerek lag, zat vol werk dat nog af moest: nog niet getekende contracten, nog niet gelezen drukproeven, nog niet opgetelde onkostennota's. Naast hem op de stoel lag *A History of Water*, maar hij betwijfelde of hij de moed had zich eraan te zetten.

Op de televisiemonitors bewoog een petieterige afbeelding van hun vliegtuig zich langzaam voort ten westen van Ierland. Digitale letters op het scherm deelden hem mee dat ze nu met een snelheid van 532 mijl of 856 kilometer per uur vlogen. Fielding probeerde de fundamentele absurditeit te bevatten van je in zo'n hoog tempo voortbewegen. Het was eigenlijk helemaal geen vliegen, eerder door de ruimte geschoten worden. Hij keek uit het raampje naar die ruimte en dacht aan een liedje dat zijn moeder vroeger zong toen hij nog een kind was. 'Beyond the Blue Horizon'. Maar die was natuurlijk niet blauw. De ruimte was zwart in zijn leegte. En ergens onder hem lag Denise nu in haar kartonnen verpakking. 'Gekoelde luchtvracht' was de term die Rosemary Spencer gebruikte toen hij ernaar had gevraagd.

'Ik weet dat het vreselijk klinkt, meneer Fielding,' had ze eraan toegevoegd, 'maar het is nodig, dat zult u toch wel begrijpen.'

'Natuurlijk.'

Zou hij nog een whisky moeten nemen, vroeg hij zich af. Nog een glas en misschien dat hij dan twee of drie uur zou kunnen slapen. Vandaag hoefde deze uitspatting bij de lunch niet gerechtvaardigd worden. De bloedhonden van de media zouden op het vliegveld op de uitkijk staan; Claire zou thuis op hem wachten. De roodharige steward liep haastig door het gangpad en Fielding hield zijn lege glas op.

'Nog een? Zeker, meneer.'

Was het gewoon een broodjeaapverhaal dat luchthavens het zo regelden dat drie of vier jumbojets binnen een paar minuten na elkaar landden? Het was altijd de indruk van Fielding geweest wanneer hij weer eens in de rij voor de douane voortschuifelde. Voor hem mopperde een oudere man over de onbemande loketten. Nog een voorbeeld, verklaarde de man, van onbekwame dienstverlening. Hij keek recht vooruit toen hij zijn mening uitte en zag de blik van afkeer van zijn vrouw niet. Fielding stelde zich zo voor dat die haar wens weergaf dat hij zijn mond nou eens hield, dat ze haar hele leven al dit soort gemekker aanhoorde.

Maar het was makkelijk om chagrijnig en zeurderig te worden wanneer je na een lange vlucht omringd wordt door honderden andere vermoeide, kribbige reizigers, hoewel Fielding het nu eens niet erg vond. Hij had geen haast om door de deur naar de aankomsthal te lopen en hij beschouwde deze rij als nog een stap in de richting van wat er ook voor hem in het verschiet lag. In de komende paar dagen zouden hem nog vele stappen wachten. Wanneer je voor een gecompliceerde situatie stond, splitste je de dingen uit in stappen. Die hadden een naam. Een of andere jargonuitdrukking. Hanteerbare onderdelen. Dat was het. Samen met al die mensen wachten was gewoon een hanteerbaar onderdeel van een veel complexer probleem.

Wat een onzin kraamden die sprekers uit, ook al stak er soms een greintje waarheid in. Het was natuurlijk grotendeels gezond verstand omkleed met mooie woorden. Oude wijn in nieuwe zakken, zoals zijn moeder het had kunnen zeggen. Toen Sy Hollis het heft in handen had gekregen, was hij een paar jaar gespitst geweest op motivatieseminars. Op maandagochtend in hotels in de buurt van deze luchthaven. Het geluid van de grote vliegtuigen was zwak te horen door het spiegelglas van de hotelramen. Koffie in ruimtes met groene kleedjes op de tafels. Er stonden metalen klapstoelen en voorin, naast de microfoon, hingen er grote vellen papier op een ezel waarop woorden als 'inzet' en 'planning' dik met viltstift waren geschreven. De spreker was meestal een Patty of een Polly, een kleine blondine uit Californië of een van de zuidelijke staten. Vol pit en praats en de gladde bazigheid van iemand die de touwtjes in handen had.

'Dat bedoel ik nu met doelen halen, mensen, knoop dat in je oren.'

Linda McNulty en hij staken er meestal de draak mee. Als schoolkinderen zaten ze achter in de zaal en tekenden gezichten op hun gele blocnote. Vertelden elkaar moppen, terwijl ze keken naar de anderen, voor het merendeel jongere mensen van de afdeling Verkoop en Marketing, die aantekeningen maakten en sleutelpassages met markeerstiften kleurden. Een vrouw in een feloranje broekpak had gesproken over gecompliceerde problemen en de noodzaak die uit te splitsen in hanteerbare onderdelen.

Fielding zag dat de vrouw met de felrode nagels zich voor hem naar het loket toe boog en haar toegangsbewijs tot het land aanbood. Hij betastte zijn eigen paspoort en het douaneformulier en luisterde afwezig naar het gemopper van de oude man die voor hem stond, zich intussen afvragend of de Gladstones zich nu van hun taak kweten. Of vader en zoon de kartonnen kist optilden en hem naar de lijkwagen droegen, waarna de vader de ontvangstpapieren tekende en de zoon de zware achterdeur sloot. Hij zou tijdens de rit naar Bayport achter het stuur zitten en weldra zouden ze langs buitenwijken en industrieterreinen de snelweg naar het westen nemen, de langwerpige, donkere vorm van de Cadillac zou met hoge snelheid op de linkerbaan rijden, waar iedereen voor hen opzij ging, want zij hadden een gewichtige taak en hadden recht op respect en privileges. Na een uur of zo zouden ze over smallere wegen rijden en dorpen, stadjes en kale, bruine velden passeren. Bladeren van bospercelen zouden op de weg vallen en George Gladstone zou de lichten van de grote wagen aandoen. Tegen de avond zouden ze in Bayport aankomen, waar Lucille Crowder het lichaam van haar dochter opwachtte. Vrienden en buren, verwanten, de dominee of de priester, allemaal zouden ze nu op de hoogte zijn gesteld. Algauw zou alles op zijn plaats staan zodat het rouwen kon beginnen.

Toen de deur naar de aankomsthal openging, was hij verrast door de vertrouwdheid ervan, hij had het al zo vaak op de televisie gezien: de camera's op de schouders van mannen in geruit overhemd en spijkerbroek, de verzameling microfoons in de uitgestrekte handen, de mensen achter het hek die wachtten op vrienden en dierbaren, maar die nu naar de onbekende man staarden. Vervolgens de flits van het toestel van een fotograaf en een microfoon die een jonge vrouw, vastbesloten om het geduw van de anderen te negeren, naar hem uitstak.

'Meneer Fielding? Kunt u ons iets vertellen over wat er afgelopen zaterdagavond is gebeurd? Waar was u toen mevrouw Crowder werd aangevallen?' Ze schreeuwde bijna en de woorden klonken hem grillig en los van iedere context in de oren. Ze waren er gewoon, als lawaai in de galmende gang van de luchthaven. Hij probeerde langs hen te komen, zich met zijn bagage een weg te banen, zonder iets te zeggen, met de woorden van Mark Kennedy in gedachten: 'U bent niet verplicht hun iets te zeggen.'

Hij herkende een vrouw in het midden van de meute; hij had haar gezicht ontelbare keren op het late journaal gezien. Ook zij schreeuwde haar vraag.

'Was het lichaam van juffrouw Crowder aan boord van uw vlucht, meneer Fielding?'

Hij liep snel, maar ze drongen tegen hem aan en hij nam aan dat zijn gezicht bars en afwijzend stond, terwijl hij op de glazen deuren naar de taxistandplaats afstevende. Wat een krankzinnige toestand! Van bovenaf gezien moet het een kronkelend organisme hebben geleken dat zich over de vloer van de luchthaven uitspreidde.

Een van de cameramannen liep hard achteruit in een poging Fielding in focus te houden. De man was niet jong meer; er zat grijs in het haar rond de rode bandana en hij transpireerde. Hij zag er compleet afgeleefd uit, afgetakeld als een oude rockster, en Fielding was benieuwd hoe zwaar de camera op zijn schouder was. De automatische deuren gleden open en de verslaggevers met hun omslachtige uitrusting volgden hem naar buiten, waar de lucht opgebruikt leek, verstikt door de gassen van stationair draaiende taximotoren. Hij wenkte de eerste in de rij en de wagen reed naar voren, bestuurd door een jonge, gebaarde, fel kijkende sikh. Fielding negeerde de vragen, propte zijn tassen op de achterbank en stapte in. Nadat hij zijn adres had gegeven, keek hij door het raampje naar de oudere cameraman, naar zijn bezwete voorhoofd en de belachelijke hoofdband. Het rode lampje op de camera brandde nog toen de sikh de auto in de eerste versnelling zette en Fielding achteroverleunde. Weer een stap gezet.

Ze verlieten de luchthaven en voegden in op Highway 427, waar het verkeer zuidwaarts in de richting van het meer reed. Ze passeerden flatgebouwen, kleine fabrieken en winkelpromenades; als je het toeliet kon de zielloosheid ervan je bij de keel grijpen. De tulband van de sikh, die leek op een grote, zwarte bijenkorf, belemmerde gedeeltelijk Fieldings zicht op de weg, en zo nu en dan kruisten hun blikken elkaar wanneer de man in het achteruitkijkspiegeltje keek. Hij vroeg zich ongetwijfeld af wat zijn passagier had uitgespookt dat hij dergelijke publieke aandacht verdiende. Niettemin was hij ernstig en beleefd en zonder iets te zeggen manoeuvreerde hij de auto vakkundig door het verkeer, in oostelijke richting over de Queen Elizabeth Way naar de Gardiner Expressway. Fielding staarde naar buiten naar Lake Ontario, een uitgestrekte vlakte van grijs water onder een vervuilde lucht op een zachte, bewolkte dag. Voor hem zag hij door de vieze voorruit de torens en kantoorgebouwen van Toronto. Algauw reden ze over Spadina Avenue naar het noorden, langs Chinese restaurants en markten, en namen ze de lange bocht van College Street naar het noorden, bij het oude zuivelbedrijf van Borden (hij kon zich nog herinneren dat ze aan huis bezorgden) en naar Bloor Street. Vervolgens links Kendal Avenue op en toen stonden ze voor zijn huis.

Hij klom de verandatreden op, zette zijn bagage neer en bleef even staan. Hij wist dat Claire op hem zat te wachten, maar hij wenste bijna dat ze er niet was, dat ze met Elena Burton aan het squashen was of een alumnivergadering bijwoonde. Eigenlijk wilde hij het huis een uur voor zich alleen hebben. Voordat hij met haar kon bespreken wat er was gebeurd, wilde hij alleen aan de keukentafel een boterham eten. Of langzaam, terwijl hij door het slaapkamerraam naar de tuin keek, zijn kleren uitpakken. Maar hij wist dat ze thuis was, want hij kon pianomuziek horen. Chopin of Liszt. Waarschijnlijk luisterde ze naar CBC twee of naar de publieke zender van Buffalo. Toen hij de deur opende, hoorde hij de zware blaf van Silas en even daarna kwam de grote retriever door de gang naar hem toe gedraafd. Hij had ongetwijfeld bij de tuindeuren liggen slapen; nu wilde hij graag de reiziger verwelkomen, kwispelend en met zijn mooie, lange snuit omhooggeheven. Een oude vriend voor wie ontrouw in een ver land niets betekende. Fielding knielde om de hond te omarmen, terwijl hij riep: 'Hallo, ik ben het.' Op de een of andere manier klonk het vreemd en vals opgewekt. Of was dat enkel zijn verbeelding? Maar hij moest toch iets zeggen.

Ze was boven en even later werd de radio uitgezet. Toen hoorde hij haar voetstappen boven zijn hoofd en zag hij haar naar beneden komen in een witte sweater en een spijker-broek, met aan haar blote voeten de oude, blauwe hardloop-schoenen die ze in huis droeg. Terwijl ze de trap af kwam, zei ze: 'Hallo', zonder hem echt aan te kijken. Dit was precies het moment waar hij tegenop had gezien en hij besefte dat de eerste zet aan hem was. Ze kon het accepteren of zich erte-gen verzetten, maar hij moest het initiatief nemen en dus spreidde hij zijn armen en ze omhelsden elkaar; het leek eerder vormelijk dan liefhebbend, de omarming van oude vrienden die elkaar na een lange afwezigheid weer ontmoe-ten.

'Claire,' fluisterde hij, 'het spijt me van alles.'

Ze maakte zich los uit zijn armen. 'Tja. Wel.' Haar stem klonk onnatuurlijk zacht, alsof ze iets aan haar keel had.

'Hoe was je vlucht?' Ze keek langs hem heen, terwijl ze in de gang stonden. Een huwelijk van zeventien jaar en nu was er deze vreselijke onbeholpenheid. Maar hoe kon het an-ders? Ze was heel kwaad. Dat zag hij wel.

'De vlucht', zei hij, 'was prima, maar op de luchthaven was het afgrijselijk. Ongelofelijk. Ik vrees dat ik vanavond op het nieuws zal zijn.'

Ze had zich al omgedraaid naar de keuken en sprak terwijl ze van hem wegliep.

'Er is voor je gebeld. Sy Hollis wil dat je zo gauw mogelijk contact met hem opneemt. Een man van de *Sun* wil weten of je vijf minuten voor hem kunt uittrekken. Zo zei hij het. Een vrouw die Sandra of Sandy heet, belde vanuit New York. Ze heeft haar nummer gegeven en ze wil graag dat je haar terugbelt.' De hond en hij liepen achter haar aan de keuken in.

'Wil je iets eten?' vroeg ze. 'Koffie? Thee?'

'Ja', zei hij. 'Een kop thee zou lekker zijn.'

De telefoon ging en even luisterden ze er allebei naar, waarna hij zei: 'Het is oké, Claire. Laat maar bellen. Ik kan nu met niemand praten. Ze kunnen een boodschap inspreken.'

Ze haalde haar schouders op en zei toen op scherpe toon: 'Silas, ga uit de keuken, je loopt in de weg.'

De grote hond week uit naar de gang, terwijl Fielding aan de keukentafel de keren zat de tellen dat de telefoon overging. Toen het ophield, vroeg hij: 'Hoe is het met Heather?'

'Met Heather is het goed', zei Claire. 'Ze speelt vanmiddag op Havergal.'

Hij keek naar haar rug toen ze bij de gootsteen de waterkoker vulde met water uit de kraan en de stekker in het stopcontact boven het aanrecht stak. Hij had altijd graag naar haar gekeken terwijl ze met iets bezig was. Omdat hij zelf zo'n kluns was, bewonderde hij de kwieke efficiëntie waarmee zijn vrouw te werk ging. Alles werd met zo'n kundigheid en gezag gedaan, of het nu om schoffelen rond de voet van een pioenstruik ging of om het vlechten van hun dochters haar. Claire had de vaardige handen van haar vader de chirurg. Hij keek hoe ze thee in de verwarmde pot schepte.

'Is Heather thuis met eten?' vroeg hij.

'Natuurlijk. Waarom zou ze dat niet zijn?' zei Claire en ze opende de koelkast om melk te pakken. 'Wil je er iets bij?'

'Nee, niets, dank je', zei hij. 'Neem jij niets?'

'Nee', zei ze en ze zette het kopje, het melkkannetje en de theepot op het geweven rieten matje midden op tafel.

Fielding was in de weer met het inschenken van de thee. Door het raam was het fletse licht van de middaglucht door de takken van de bomen en boven de daken van de huizen zichtbaar. Op een ander soort dag zou hij genoten hebben van de stilte van het oude huis en het vale herfstlicht dat door het raam naar binnen viel. Claire had zich omgedraaid naar het aanrecht en zette dingen weg, pratend terwijl ze bezig was.

'Elena zegt dat je het huisje een paar dagen mag hebben als je wil. Als je van kantoor weg kunt. Tot de rust is weergekeerd.' Hij dacht na over wat ze zei. Het huisje van de Burtons in Muskoka. Als hij werk mee kon nemen? Het was verleidelijk. Natuurlijk moest hij wel naar de begrafenis van Denise.

'En Heather en jij?' vroeg hij. 'Zouden jullie dan meegaan?'

'Nee', zei ze snel. 'Heather kan niet van school wegblijven. Dat weet je. Het zou niet goed zijn.'

Wat ze eigenlijk bedoelde, zo veronderstelde hij, was dat het zwaar zou zijn als ze met hun drieën alleen op zo'n stille plek zouden zitten. Deze hele kwestie zou de lege ruimtes van het huisje vullen. Ze zouden elkaar op de zenuwen werken. Er zouden onvergeeflijke dingen gezegd kunnen worden. Om eraan te ontsnappen zouden ze lange wandelingen in hun eentje gaan maken. Maar als hij alleen ging, zou hij zich op de een of andere manier opgesloten voelen door al die lege ruimte. Een voortvluchtige die zich schuilhield. Tijdens de zomers in het verleden, wanneer ze de Burtons hadden opgezocht, was hij altijd een behoedzame, onwillige gast geweest. Na een paar dagen had hij genoeg van de zwempartijen en boottochtjes 's ochtends, het felle zonlicht op de rotsen en het water, de saaie bordspelletjes 's avonds. Tegen het einde van de week was hij steevast rusteloos en verlangend om te vertrekken. Hij zou wel een echt stadsmens zijn, nam hij aan.

'Ik denk het niet, Claire', zei hij. 'Ik moet in ieder geval naar de begrafenis.'

Hij had zijn thee nauwelijks aangeraakt en nu had hij er geen zin meer in. Ze liet water in de gootsteen lopen.

'Wanneer is de begrafenis?' vroeg ze.

'Ik weet het niet. Waarschijnlijk vrijdag of zaterdag. Ik zal Bayport moeten bellen.'

'Waar ligt dat precies?' vroeg ze over haar schouder.

'Aan Lake Huron. Ten noorden van Goderich.'

'Dat zal nog een circus worden', zei ze.

'Daar is niets aan te doen. Ik moet ernaartoe.'

'Ik zei niet dat je niet moet gaan.' Ze sprak weloverwogen en langzaam en richtte de woorden tegen de kastjes voor haar. 'Ik zei alleen dat het nog een circus zal worden.'

Hij zweeg even. 'Tja, daar zul je zeker gelijk in hebben.'

Hij zocht een manier om erdoorheen te breken. Maar het was veel te vroeg. Dat zag hij wel in. Ze moest aan zijn aanwezigheid in huis wennen. Hem om zich heen hebben zodat ze hem een poos kon verfoeien. Hopelijk duurde het maar kort. Hij was bereid te accepteren dat hij haar afkeer verdiende. Maar hoe diep was de wond die hij had geslagen? Dat wist hij uiteraard nog niet. Door de jaren heen hadden ze vele ruzies doorstaan. Welk echtpaar heeft nu nooit onenigheid? En vaak waren er periodes van bitter stilzwijgen op gevolgd, die altijd door hem beëindigd waren. Fielding was zich ervan bewust dat hij getrouwd was met een vrouw wier karakter op een aantal belangrijke punten overeenkwam met dat van zijn moeder.

'Ik ga morgen naar kantoor', zei hij. 'Ik loop al heel erg achter.'

Toen draaide ze zich om en keek hem met gefronst voorhoofd aan.

'Heb je me al eerder voor gek gezet?' vroeg ze. 'Heb je zoiets al eerder gedaan op andere zakenreizen?'

'Nee', zei hij. 'Dat heb ik niet. Door de jaren heen heeft het soms niet veel gescheeld. Wie wordt er bij tijd en wijle niet in de verleiding gebracht?' Ze leunde achterover tegen het aanrecht en vouwde haar armen over elkaar.

'Ik geloof je niet', zei ze.

'Nou, het is waar. Dit was de enige keer, Claire, en ik heb je al gezegd dat het me spijt.' Hij onderbrak zichzelf. 'Denise is vermoord en... we moeten...'

'Maar dat zou ze niet zijn, toch,' zei Claire, 'als jij haar niet mee naar Glynmouth had genomen en met haar in een auto in een of andere godvergeten uithoek had geneukt. Als jij dat niet had gedaan, zou ze nu nog levend en wel rondlopen, niet dan? Als jij je gewoon als een volwassen man had gedragen, in plaats van als een geile puber.'

Haar heftigheid werkte aanstekelijk en hij voelde zijn woede groeien. Er klopte zoveel niet in haar imaginaire verslag van wat er was gebeurd. Maar wat had het voor zin om dat nu uit te leggen?

'Ja, dat was stom van mij', zei hij. 'Dat geef ik toe. Maar wat wil je dat ik doe? Dat ik door het stof ga?' Claire haalde haar schouders op en liep naar de deur van het souterrain.

'Het kan me geen zak schelen wat je doet, Dan. Je doet maar wat je wilt. Ik moet de was nog doen.'

De deur van het souterrain sloeg dicht en even later hoorde hij het water door de leidingen razen en het gestage draaien van de machine. Haar woede-uitbarsting moest een keer komen en was noodzakelijk en misschien dat er nog meer zouden volgen, hoewel hij dat betwijfelde. Claire was geen theatraal type. Ze had haar boosheid nu duidelijk gemaakt aan hem en hij kon alleen maar wachten op de tijd dat ze misschien naar zijn versie van het gebeurde wilde luisteren. Maar, wanneer hij eraan dacht, waarom zou zijn versie vergeeflijker zijn? Stel dat hij haar vertelde dat het initiatief helemaal van Denise was uitgegaan? Claire vermoedde dat toch al. Hij kon haar horen zeggen: 'Nou en? Je had altijd nog kunnen zeggen: nee, dit doen we niet.' Ze zou hem ook voorhouden dat het verachtelijk was om de schuld bij een dode vrouw te leggen, en daar zou ze gelijk in hebben. Bovendien zou het wat Claire betrof misschien wel helemaal niets uitmaken. Voor hetzelfde geld dacht ze er misschien al aan om naar een advocaat te stappen. Toch was hun huwelijk altijd zo stabiel geweest. Dat hadden gescheiden vrienden vaak opgemerkt; natuurlijk werd twintig jaar lang succesvol samenleven tegenwoordig door velen als een hele prestatie beschouwd. Maar hij hield nog steeds van haar, en verleden week om deze tijd had zij vast ook nog van hem gehouden. Kon dat allemaal binnen een paar dagen veranderen?

In de slaapkamer had hij gezelschap gekregen van Silas, die hem de trap op was gevolgd en nu op de vloer lag te kijken naar hoe hij zijn koffers uitpakte. Terwijl Fielding zijn sokken en gekreukte overhemden in de wasmand gooide, voelde hij zich vreemd kalm worden. Simpele karweitjes konden worden gezien als een soort begin, een stap in de richting van een verre maandag of donderdag dat er enige normaliteit in zijn leven zou zijn teruggekeerd. Op het kleed keek de hond naar hem op met ogen die smeekten om een wandeling.

'Nu niet, Silas, ouwe jongen', mompelde Fielding. 'Ik heb nog het een en ander te doen.'

Toen hij naar kantoor belde, begroette Imogene Banks hem met haar lage, opwindende stem, een stem waarvan

Fielding zich ooit schandelijk genoeg had voorgesteld dat de eigenaresse ervan een fortuin had kunnen verdienen in de telefoonseksbusiness. De beschaafde, statige Imogene zou gegruwd hebben van het idee. Er werd gezegd dat ze vroeger in Rwanda een Tutsi-prinses was geweest, hoewel ze nu de vrouw van een academicus en receptioniste bij Houghton & Street was.

'Hoe gaat het met je, Dan? Wat een vreselijke geschiedenis is dit!'

'Ja, dat is het zeker, Imogene. Zou ik Sy kunnen spreken, alsjeblieft?'

'Hij zit helaas in een stafvergadering.'

Fielding zei haar dat hij de volgende ochtend naar kantoor zou komen en of ze dat aan Hollis wilde doorgeven. Vervolgens wiste hij het bericht van de verslaggever van de *Sun* en belde het nummer in New York. Hij hoorde de platte klinkers van een New Yorkse stem.

'Met het kantoor van Sandra Levine.'

'Met Dan Fielding uit Toronto. Mevrouw Levine heeft gevraagd of ik haar terug wilde bellen.'

'Natuurlijk, meneer Fielding. Mevrouw Levine wilde u graag spreken. Een ogenblik, alstublieft.'

Hij probeerde zich Sandra Levine voor te stellen in haar kantoor hoog boven een smalle straat of een brede weg in Manhattan. De bestelwagens en gele taxi's, de trottoirs vol mensen die zich laat in de middag haastten om de metro en de forensentrein te halen.

'Dan Fielding? Heel fijn dat je terugbelt. Je moet veel om handen hebben op het moment.'

De zelfverzekerde stem klonk een tikje hees en hij stelde zich een roker voor.

'Ik hoop dat je het niet erg vond dat ik je thuis belde', zei ze. 'Ik besef dat het een beetje opdringerig is.'

'Helemaal niet, mevrouw Levine.'

'Sandy, alsjeblieft. Ik weet wat er is gebeurd, Dan, en ik ben er kapot van. Denise betekende heel veel voor me. Ze was heel speciaal voor mij. Als mijn kleine zusje eigenlijk.'

Hij vroeg hoe ze het te weten was gekomen.

'Nou, Lucille heeft me meteen gebeld. Op zondagochtend, nadat ze jou had gesproken.' Sandy Levine zweeg even, alsof ze inderdaad een trek van een sigaret nam. 'De moord op Denise heeft gisteren ook de *Post* gehaald. Een klein berichtje maar, maar ik neem aan dat het feit dat ze de afgelopen zes jaar hier heeft gewerkt haar voldoende nieuwswaarde gaf.' Opnieuw zweeg ze. 'Ik heb haar vrijdagavond nog gesproken. Ze belde me vanuit Londen en ze zei dat jullie tweeën het weekend naar Cornwall zouden gaan.'

'Devon eigenlijk.'

'O, ja, Devon. Hoe dan ook, ik dacht, goed, ze was met een vent die ze aardig vond en die ze bewonderde, dus heb ik er verder niet bij stilgestaan. Ze heeft me alles over jou verteld. Ze had een hoge dunk van je. Zei dat je fantastisch was om mee samen te werken.'

'Tja, ach...' Hij wist niet wat hij moest zeggen.

'Het is zo overweldigend. Het moet voor jou ook verschrikkelijk zijn.'

'Ik heb aan Denises moeder zitten denken', zei Fielding. 'Hoe is zij eronder?'

'Nou ja, het is de nachtmerrie van iedere moeder, hè? Ik ben zelf geen moeder, maar ik kan me de pijn voorstellen. Als je dochter zo vermoord wordt? Het is een ontzettende klap voor Lucille. En ze is nog weduwe ook. Ik weet niet of je dat wist. Haar man is een paar jaar geleden overleden. Ze heeft nog een zoon, Ray, die in dezelfde stad woont. Ik wil haar zo graag zien. We hebben elkaar pas afgelopen zomer leren kennen, toen Denise en ik daar een week zijn geweest.

We hadden een geweldige tijd, met ons drieën. Ik ben blij dat we die week samen hebben gehad.'

De foto in Denises portefeuille schoot Fielding te binnen: Denise, haar moeder en een derde vrouw, op een zomerse dag lachend tegen de camera.

'We zijn zo hecht geworden in die week', zei Sandy Levine. 'Net of ik Lucille al jaren kende. Ze heeft zo'n goed hart en het is zo rot dat dit haar moet overkomen.'

'Ja', zei Fielding. 'Dat is het zeker.'

'Gisteravond heb ik Lucille weer gesproken, gewoon om te horen hoe het met haar gaat en ze vroeg naar jou. Het punt is, Dan, dat ze graag met je zou willen praten, maar ze is te verlegen om het te vragen.'

'Waarover praten?' vroeg hij. 'Over wat er met Denise is gebeurd, bedoel je?'

'Ik neem aan van wel, hoewel ze het niet precies heeft gezegd. Volgens mij wil ze je graag een beetje leren kennen. Per slot van rekening was jij bij haar dochter tijdens het laatste weekend van haar leven.'

'Natuurlijk zal ik met haar praten.'

'De begrafenis is op vrijdag om twee uur en je kunt je voorstellen hoe die dag voor haar zal zijn.'

'Ja, dat kan ik me voorstellen.'

'Ze vroeg zich af of je de dag ervoor zou willen komen en dan met haar en de familie zou willen eten. Ik zal er ook zijn.'

Fielding dacht er snel over na. Hollis zou er geen bezwaar tegen hebben; die zou hem waarschijnlijk de komende paar dagen liever niet op kantoor hebben. Maar Claire en Heather? Die zouden willen weten waarom hij een dag eerder vertrok – tenslotte was hij nog maar net thuis. Aan de andere kant zou Claire weleens blij kunnen zijn met zijn afwezigheid. Maar afgezien daarvan, Lucille Crowder wilde met hem praten zonder afgeleid te worden door de mediacommotie waarmee de begrafenis ongetwijfeld omgeven zou zijn. Was hij haar dat niet op z'n minst verschuldigd?

'Ik denk dat het wel zal lukken', zei hij.

'Het zou heel veel voor Lucille betekenen', zei Sandy Levine. Ze aarzelde even en vroeg vervolgens: 'Dit zal heel opportunistisch klinken, maar zou je me een lift kunnen geven?'

'Vanzelfsprekend.'

'Geloof het of niet, maar ik heb geen rijbewijs. Ik ben iemand van de grote stad en heb nooit de noodzaak gevoeld om auto te rijden. Maar het is te moeilijk om zonder auto in dat stadje te komen. Lucille zei dat Ray me kan komen ophalen, maar ik vind het vervelend om die man de dag voor de begrafenis lastig te vallen. Hij hoort bij zijn moeder te zijn. Ik was van plan de bus vanuit Toronto te nemen, maar dat is ingewikkeld. Je moet twee of drie keer overstappen en het duurt bijna een hele dag. In augustus hebben we een auto gehuurd en toen heeft Denise gereden.'

'Nou, maak je geen zorgen over hoe je er moet komen. Je kunt met mij meerijden.'

'Weet je zeker dat het niet te veel moeite is?'

'Ja, natuurlijk. Het zal fijn zijn om gezelschap te hebben.'

'Dat is geweldig', zei ze. 'Daar ben ik heel blij mee. Ik vlieg met Air Canada. Vluchtnummer 683. We komen donderdag om 7.55 uur aan bij aankomsthal twee.'

'Mooi. Ik zal er zijn. Hoe kan ik je herkennen?'

'Je pikt mij er zo uit', zei ze. 'Molliger dan goed voor me is. Donker haar met te veel grijs erin nu. Denk maar aan een joods Amerikaans prinsesje dat jaren geleden al verloederd is. Weet je wat. Ik neem een exemplaar van *Daisy Miller* mee. Dat was een van Denises lievelingsboeken.'

'Dan zie ik je donderdagochtend', zei hij.

'Ja. Tot ziens, Dan, en nogmaals bedankt.'

Fielding ging op bed liggen en keek op zijn horloge, omhoog turend in het afnemende middaglicht. Hij zat nog op de Engelse tijd en die liep tegen tienen. Hij deed het horloge af, hield het vlak voor zijn ogen en zette het terug op tien voor vijf. Hij was doodmoe, alsof zijn bedrading overbelast was en dreigde het te begeven. De afgelopen paar dagen hadden hem verouderd. Toen hij vanmorgen in het hotel in de spiegel van de badkamer had gekeken, was hij er zeker van dat hij er ouder uitzag dan een week geleden. Door de vermoeienissen van het reizen, de alcohol, het slechte eten en die pilletjes, wellicht ook door zijn eigen angst, was de energie uit zijn lichaam geëbd. Claire was razend op hem, maar wat had hij dan verwacht? Een warme, hartelijke omhelzing? Toch voelde hij zich ook gebelgd. Hij wist dat het onredelijk was, maar niettemin voelde hij het.

Voor het eerst in zeventien jaar was hij ontrouw geweest en dat was niet omdat er geen gelegenheid toe was geweest. Hij dacht aan de lange, roodharige vrouw, Jane of zoiets, die een paar jaar geleden voor de *Star* had gewerkt. Zo nu en dan waren ze elkaar op een voordrachtsavond of bij de presentatie van een boek tegengekomen. Ze had hem verteld dat ze bezig was aan een roman. Ze was een gespannen, ambitieuze vrouw van achter in de dertig, tweemaal gescheiden met twee kinderen, en ze deed nogal eens geringschattend over degenen die uit hun boek voorlazen of geïnterviewd werden; maar eigenlijk, zo had Fielding altijd gedacht, wilde ze ook dolgraag een vertolking voor de microfoon geven of over haar werkgewoontes praten. Desondanks was ze een bekoorlijk wezen, Fielding voelde zich altijd kwetsbaar bij haar in de buurt, en hij stelde zich voor hoe makkelijk het zou zijn om in haar stekelige, wanordelijke bestaan terecht te komen, waar hem ongetwijfeld gepassioneerde seks en een hoop narigheid wachtte. Toen hij hoorde dat ze een baan in het westen van het land had geaccepteerd, vond hij dat jammer, maar was hij ook opgelucht.

Dan had je Samantha Chapman nog, wier boek met knap in elkaar gezette, moedige korte verhalen hij twee jaar geleden had uitgegeven. Op haar zesentwintigste was Samantha begrijpelijkerwijs opgetogen over haar succes en haar enthousiasme maakte haar een gewild onderwerp van interviews. Journalisten gebruikten vaak 'verfrissend' om haar te beschrijven. En na afloop van een voordrachtsavond in een bar in Queen Street had ze geprobeerd om Fielding te versieren. Het gebeurde in de gang bij de toiletten, waaruit ze allebei tegelijk tevoorschijn waren gekomen.

'Mijn redacteur, mijn held', riep Samantha uit en ze stortte zich in zijn armen. Ze waren even tegen de muur blijven staan en hadden geluisterd naar de afgrijselijke barmuziek, terwijl Samantha had voorgesteld om naar haar kamer te gaan. Ze had de hele avond cocktails gedronken en een paar joints gerookt. Het was enkel een kwestie van haar naar buiten loodsen, een taxi aanhouden en naar haar hotel rijden, waar haar kamer door zijn werkgever werd betaald. Maar hij had klaaglijk de beroepsethiek aangevoerd, en erop gewezen dat hoewel het vast weleens gebeurde, een betrouwbare redacteur doorgaans niet met zijn auteurs neukte. Samantha had hem in de gang aangehoord en het verbale schouderophalen van die tijd ten beste gegeven.

'Maakt niet uit.' 'Ook goed.' 'Geen probleem.' Maar niemand vindt het prettig om afgewezen te worden en ze was gepikeerd. De rest van de avond had ze hem genegeerd en ze was uiteindelijk vertrokken met de jonge dichter die het podium met haar had gedeeld.

Nu had ze zich teruggetrokken in een blokhut in Noord-Ontario om haar tweede boek te schrijven. Van tijd tot tijd stuurde ze hem koddige e-mails, waarin ze haar vorderingen samenvatte. In de laatste had ze het over haar seksleven gehad, dat volgens haar nu uitsluitend bestond uit de pornografische verleiding van 'verloren zielen' over de hele wereld. Haar nom de plume was Sexy Sam, wat Fielding nogal prozaïsch vond voor Samantha, hoewel het waarschijnlijk precies de goede toon aansloeg voor de beurshandelaar in Tokio of de middelbareschooljongen in Kansas. In zijn laatste antwoord aan haar had Fielding haar het beste gewenst en de hoop uitgesproken dat haar nieuwe boek niet over computerseks ging.

Als het op serieus overspel aankwam, had hij vermoedelijk al die jaren als een Fransman kunnen leven, als een Parijse zakenman met thuis een echtgenote en een maîtresse in een ander arrondissement. Ann Costello had hem jarenlang in haar bed uitgenodigd na hun zakenlunches. Nadat ze de lastigste contractuele details voor een van haar auteurs uit de weg hadden geruimd en Ann aan haar tweede glas wijn zat, stelde ze meestal voor om 'voor die middag af te taaien'. Ze praatte nog steeds in de termen die haar vader, de onverzettelijke vakbondsleider, in de jaren veertig had gebruikt. Toen zij en Fielding eind jaren zeventig, begin jaren tachtig samenwoonden, had Ann hem er vaak over verteld hoe het was om na de oorlog op te groeien in Windsor, Ontario, in een huis dat meestal vol zat met arbeiders uit de auto-industrie en voormannen van de vakbond. Mannen die hadden geleden voor de stakingen in de jaren dertig verdrongen zich in hun keuken. Ze vertelde hem dat deze mannen slim, grof en oneerbiedig waren, net als haar vader, en dat ze niets liever deden dan bier drinken aan de keukentafel en praten over hoe alles zou veranderen. Nu de oorlog voorbij was, zouden ze een betere behandeling van de bazen eisen. Jimmy Hoffa was ooit in hun huis te gast geweest, vertelde ze. Als kind had ze haar moeder geholpen boterhammen voor

deze mannen te smeren. Ze had flesjes bier voor hen opengemaakt en naar hun gepraat geluisterd.

'Zo, ouwe makker,' zei ze vaak na een van hun lunches,
'wat denk je ervan om een uurtje samen door te brengen?
Gewoon voor de gein.'

Na al die jaren was ze nog steeds aan hem gehecht en hij
aan haar. Tot een paar jaar geleden was er vaak een jongeman
in haar leven, maar geen van hen was volgens Ann een
'blijvertje'. Ze klaagde er vaak over hoe 'stom' ze waren.

'Het is niet te geloven, Dan. Ze weten van niks. Ze hebben
allemaal gestudeerd. Ze hebben een baan bij een uitgeverij,
een boekhandel, in de reclame of bij de overheid. Maar ze
hebben totaal geen sjoege. Na de seks kunnen ze nergens
anders over praten dan over auto's, sport of die stomme
televisieprogramma's waar ze naar kijken. Is dit de achter-
lijkste generatie van de hele geschiedenis of hoe zit het?'

Ann tierde graag, maar dan grijnsde ze plotseling en pakte
zijn hand over de tafel heen.

'Jij was zo niet, lieverd. Jij was zo'n schatje toen je jong was.
Je zat vol vragen over van alles. Herinner je je nog de boekenlijst waar je om vroeg toen je bij me introk? "Wat moet ik
lezen?" vroeg je. Ik kan me niet voorstellen dat een jonge
vent tegenwoordig nog zo'n vraag stelt. En we praatten overal
over, weet je nog?'

Hij wist het nog. Hij herinnerde zich ook de ruzies. Langdurige, bittere ruzies met tassen die gepakt en de volgende
ochtend weer uitgepakt werden. Hij had haar herinnerd aan
de heftige standpunten die ze er over van alles en nog wat op
na hielden.

'Ik had al die meningen', zei hij. 'En al dat haar. Weet je nog
van dat afrokapsel? Mijn god, ik moet er grotesk uitgezien
hebben. Een broek met uitlopende pijpen en al dat haar.'

'Onzin', zei Ann dan. 'Je bent veel te streng voor jezelf. Ik vond je er altijd schattig uitzien met dat haar en die uilenbril.'

Hij veronderstelde dat hij haar gelach en geestige, misantropische stekeligheden over wat er onnozel en absurd was aan een voorbijgaande mode altijd zou missen. Het was zonder meer leuk geweest om met haar samen te wonen, maar tijdens die acht jaar kon ze ook boosaardig zijn, koppig en ruziezoekend, een onverzettelijke onderhandelaar zelfs aan de ontbijttafel. Ze hadden nu al verscheidene maanden niet samen geluncht en hij had gehoord dat ze de zaken van haar agentschap aan het afwikkelen was en een koper zocht. Een week voor Frankfurt had hij haar op een feestje gezien, een lawaaierige aangelegenheid in een verbouwde brouwerij vlak bij de waterkant. Er waren veel mensen, half zo oud als hij, die witte wijn dronken en hij wist nog dat hij had gedacht dat hij deze 'evenementen', zoals ze nu op de uitnodigingen werden genoemd, zo moe was. Op een bepaald moment zag hij Ann. Ze stond naast een man, die zich onder het praten naar haar toe had gedraaid en met zijn hand tegen de muur van schoon metselwerk achter hem steunde. Ze bood de man slechts haar profiel, terwijl ze over de grote, gerestaureerde ruimte uitkeek en van haar wijn nipte. Naar haar gezicht te oordelen kon Fielding zich voorstellen wat ze dacht: ze zouden in deze kuttent nog bier moeten brouwen. Ze droeg een cocktailjurkje dat veel te kort was voor haar dunne benen en haar haar was te kort geknipt voor haar kleine schedel. Tot zijn spijt moest hij concluderen dat ze nu een oud dametje leek, een van die scherptongige Dorothy Parker-types, die zich voortdurend ergeren aan de dwaasheid waar ze dagelijks mee te maken hebben. En ze was zo'n levendige vrouw geweest toen hij vijfentwintig jaar geleden bij haar was ingetrokken.

Hoeveel middagen hadden ze niet samen door kunnen brengen? Maar niemand krijgt een stempeltje in zijn schrift voor het weerstaan van verleidingen. Je wordt geacht trouw te zijn. Wat had hij beloofd op die septembermiddag zeventien jaar geleden voor de dominee in witte toga, terwijl hij in het zonlicht het stof zag opstijgen naar het gebrandschilderde raam met apostelen die knielden voor de Christusfiguur? 'En alle anderen te verzaken en haar trouw te blijven tot in de dood.' Een onredelijke eis, vooral tegenwoordig, maar dat was de afspraak.

In het buitenland verblijven maakt het natuurlijk gemakkelijker. Je hebt tijd om aan het idee te wennen. Op je tekst te oefenen. Tenzij je een aartsleugenaar bent, heb je tijd en ruimte nodig om je bedrog te verbeteren. Om haar recht in de ogen te kijken en te zeggen dat de reis prima is verlopen. Haar alles te vertellen wat je 's avonds en 's middags in het weekend niet hebt gedaan. Je hoeft je ook geen zorgen te maken over lippenstiftvlekken of dat de geur van iemand anders is blijven hangen. De schrammen op je schouderbladen hebben tijd om te genezen. Hij vroeg zich nu af of hij daar afgelopen woensdagavond, toen dit allemaal begon, over na had gedacht.

Hij lag in bed te luisteren naar het zwakke bonzen van de wasmachine, zich de kleren voorstellend die in het zeepwater rond klotsten. Een analogie van zijn eigen smoezelige, rond buitelende gedachten en gevoelens. Hij hoorde het geschetter van het verkeer op Dupont Street en het geroep van kinderen in de speeltuin op de hoek. Op de vloer kreunde Silas, het geprevel van een oude hond die dromenland binnenging. Het voelde vreemd om op dit uur van de dag in zijn slaapkamer te zijn en naar die gewone geluiden te luisteren. Misschien had dit iets weg van hoe het zou zijn als je met pensioen was. Je deed 's middags een dutje met de hond naast je en liet de rest van de wereld op zijn hectische wijze voortjagen. Het was een aanlokkelijk idee en Fielding voelde dat hij zich naar zijn eigen donkere ruimte toe bewoog. Op een bepaald moment dacht hij voetstappen op de trap te horen, dat er laden werden opengetrokken en de douche werd aangezet. Maar het deed er niet toe. Hij sliep en droomde. Hij droomde over Siena en een hotelletje vlak bij de Campo. Hij stond op een balkon dat uitzag op een smalle, door schaduwen ingesloten straat. Een bundel zonlicht viel op de straatstenen onder hem. De restanten van zijn ontbijt stonden op een glazen blad op het smeedijzeren tafeltje: een lege koffiekan en een kopje, een stuk brood, wat vruchtenschillen. Claire was weg om een kerk te bezoeken en voordat ze ging, had ze hem gezegd dat ze een e-mail naar Heather zou sturen vanuit een café op het plein. Toen hij zich over de balustrade boog, kon hij de blauwe lucht tussen de gebouwen door zien en hij voelde zich gelukkig.

Toen werd hij wakker en de lucht voor zijn slaapkamerraam was donker. Hij hoorde de stemmen van zijn vrouw en dochter. De hond was al overeind gekomen en draafde de kamer door naar de halfopen deur, waar hij even aarzelde voor hij naar beneden ging om Heather te begroeten. Een ogenblik later hoorde hij ze allebei op de trap, die Heather met twee treden tegelijk nam, terwijl de hond, langzamer nu, achter haar aan naar boven klom. Hij hoorde deze vertrouwde geluiden al een jaar of tien. Ooit was de hond met de zaterdagse *Globe* in zijn bek aan zijn bed gearriveerd. Dat had Heather hem geleerd en ze was heel trots op die prestatie. Maar nu sloot Fielding zijn ogen en deed of hij sliep; hij wilde niet dat zijn dochter bij hem in de buurt kwam, terwijl de luchtjes van het vliegtuig nog om hem heen hingen en hij stonk naar oude sokken, zure adem en het opgedroogde zweet van zijn eigen angst. Hij hoorde dat ze met haar hoofd om de deur tegen de hond fluisterde.

'Silas, kom terug. Hij slaapt nog.' Ze deed de deur dicht.

Een paar momenten later waren ze weer beneden en stond hij zich veilig onder de douche in te zepen en liet de hete naalden van water het vuil wegspoelen. Vervolgens poetste hij zijn tanden en ging met de föhn over zijn springerige haar dat zich in de loop der jaren had teruggetrokken om een soort grijzend aureool boven zijn voorhoofd te vormen. Na een halve eeuw zou je toch verzoend moeten zijn met wat je voorouders je meegegeven hebben, maar Fielding had nog steeds een hekel aan zijn stijf gekrulde haar, dat zich steevast weerbarstig en onhandelbaar verzette tegen kam en borstel en meteen terugsprong in zijn oorspronkelijke vorm. Het was zijn moeders haar en vanaf ongeveer vijftienjarige leeftijd had hij het beschouwd als taai, grof gras, dat halsstarrig gedijde op een winderig heideveld in Schotland. Door de fortuinlijke tussenkomst van Claires DNA had Heather weelderig, steil donker haar, een genetisch compromis dat Fielding heimelijk als een van zijn dochters grotere zegeningen beschouwde.

Ze zat in de keuken te wachten, op een kruk aan de toog waar ze soms ontbeten terwijl ze naar de tuin keken. Ze at ijs en las een roman met de titel *The Wars*. Nog steeds in haar schooluniform met de grijze kilt en roodbruine trui met het goudkleurige wapen van St. Hilda erop. Op een knie zat een pleister, het donkere haar werd op zijn plaats gehouden door een haarband en haar gezicht was nog rood van de hockeywedstrijd. Ze schonk hem een plechtige glimlach.

'Hoi.'

'Jij ook hoi', zei hij en hij omhelsde haar en kuste haar boven op haar hoofd. 'Waarom zit je in het donker te lezen? Je verpest je ogen nog.'

Hij stak zijn hand uit naar het lichtknopje op de muur, maar onderbrak zijn handeling toen ze zei: 'Ik vind het fijn zo, papa.' Haar stem had scherp, bruusk geklonken, maar ze voegde eraantoe: 'Zo donker is het niet. Echt niet.' Ze lachte nog eens. Heather kon er niet tegen om zijn gevoelens te kwetsen. Om het met hem lang ergens over oneens te zijn. Als klein meisje had ze altijd al haar best gedaan om hem tevreden te houden, hoewel hij haar vaak had aangemoedigd een tegengesteld standpunt in te nemen. Daar leek ze echter van nature niet toe in staat. Aan de andere kant stond ze met haar moeder vaak op voet van totale oorlog. Fielding ging op een kruk zitten en keek haar aan.

'Hoe was de wedstrijd?'

Ze haalde haar schouders op. 'We hebben met twee-een verloren. Ze scoorden in de laatste minuut. Dat was echt balen. Het was nog zo'n makkelijk schot ook. Buckley had het tegen moeten houden. Het was zooo gemakkelijk. Ik had het kunnen stoppen.'

Ze deed het boek dicht en keek hem aan met haar kalme blik. Ze had haar moeders beenderstructuur en prachtige, groene ogen. Ooit zou Heather een opvallende jonge vrouw zijn. Nu was ze een beetje onhandig en ongevormd, maar mettertijd zou ze jongens het hoofd op hol brengen. Ze was misschien niet zo conventioneel mooi als haar moeder, maar ze bezat een interessante, buitenissige aantrekkingskracht waar alleen de intelligentste en opmerkzaamste minnaars op af zouden komen. Fielding glimlachte en dit lokte een frons uit.

'Wat is er zo grappig, papa?'

'Niets', zei hij. 'Ik zat je alleen maar te bewonderen. Als dat een vader is toegestaan.'

'Mij te bewonderen? Waarom?'

'Het is niets, Heather, niets, enkel het onschuldige genoegen van een vader.'

Ze staarde hem aan met haar ernstige blik.

'Hoe gaat het trouwens met je, papa?' vroeg ze. 'Je staat in alle kranten. Het is een hele oude foto.'

'Ik heb de krant nog niet gezien', zei hij. 'Ik weet niet eens waar ze die foto vandaan hebben.'

'Ze bleven mama alsmaar bellen, maar ze wilde hun geen foto's geven.'

'Goed van mama', zei hij. 'Nou, er zal morgen wel een nieuwe in staan. En vanavond ben ik op de televisie.'

'Kom je op de tv?'

'O, ja', zei hij. 'Ze besprongen me van alle kanten op het vliegveld.'

'Dat komt dan op het vroege journaal', zei ze.

'Dat zal wel.'

'Arme papa.'

Hij glimlachte. 'Niet arme papa, Heather. Arme juffrouw Crowder. En haar familie. Zij hebben recht op ons mede-leven.'

Heather fronste opnieuw haar wenkbrauwen en hij zag dat ze daar nu niet over na wilde denken. Voor zijn dochter was Denise de andere vrouw. De verwoester van een gezin. Ook al was ze dood, dan nog was ze de vijand en een bedreiging. Het was beter om van onderwerp te veranderen.

'Waar is je moeder trouwens?'

'Ze is bij de Burtons gaan eten. Nou ja, waarschijnlijk alleen bij mevrouw Burton. Ze is weggegaan toen jij onder de douche stond.' Voor het raam was het licht helemaal uit de lucht weggevloeid en ze zaten bijna in het pikkedonker. Wat vond ze nu van hem, vroeg hij zich af, zijn kind dat zoveel van hem hield en dat nu teleurgesteld moest zijn in hem. Een vijftienjarig meisje mag dan wel om een schuine mop giechelen of samen met vriendinnen naar pornosites kijken, wanneer het om het gedrag van haar ouders ging, kon ze zo deugdzaam zijn als een zeventiende-eeuwse pu-ritein. Fielding stond op en knipte het licht aan en in de schrille witheid keken ze elkaar aan.

'Betekent dit nou dat jullie uit elkaar gaan?' vroeg ze. 'Dat jullie gaan scheiden?'

'Ik hoop van niet', zei hij. 'Ik hou nog steeds heel veel van je moeder, maar ik weet niet wat zij op dit moment voor mij voelt. Ze is heel erg overstuur en dat is begrijpelijk. Ik heb een fout begaan. Dat weet je. En als gevolg daarvan is er iets vreselijks gebeurd. Ik hoop dat je moeder en ik het achter ons kunnen laten, maar dat zal niet gemakkelijk zijn.'

'Ze is echt pisnijdig op je.'

'Ja, dat heb ik begrepen.'

'Mama is rancuneus. Zo is ze.'

'Ja, misschien wel, maar ik heb haar veel pijn gedaan', zei hij. 'Haar vernederd. Ze heeft het recht om pisnijdig te zijn op mij.'

Heather keek naar hun spiegelbeeld in de donkere ruit.

'Ja, dat zal best. Maar jij moet het daar ook rot hebben gehad. Het moet echt zwaar zijn geweest toen je erachter kwam wat die vrouw was overkomen. Ik bedoel, met de politie en zo.'

'Niet zo rot als Denise', zei hij. Heather had de lepel opgepakt en roerde doelloos door de melkachtige rest van het ijs. 'Het is afschuwelijk wat mannen ons aandoen', zei ze. 'Echt eng. Op school krijgen we er de hele tijd les over. Nog maar een week geleden was er een politieagente in de gymles. Ze had het erover dat we ons "straatbestendig" moeten maken. Je weet wel, leren hoe je veilig over straat kunt. Het is zo depri.' Ze deed haar best een gesprek op gang te houden, om de zaak te neutraliseren en hem op zijn gemak te stellen nu hij thuis was.

'Is het moeilijk voor je op school?' vroeg hij. 'Dit hele gedoe?'

Ze haalde haar schouders op. 'Het gaat wel. Iedereen is

heel aardig. Je weet wel, meelevend. Maar ik merk dat sommige lui blij zijn dat het mij is overkomen. Ze komen naar me toe bij de kluisjes en dan zeggen ze: "Goh, wat erg van je vader, Heather", maar ik merk dat ze het helemaal niet erg vinden. Het is alleen leedvermaak. Het kan me niets schelen. Allison en Nadina zijn geweldig. En zij zijn toch de enigen om wie ik geef.'

Fielding zei: 'Ik hoop dat je me gelooft als ik zeg dat het me spijt dat dit is gebeurd.'

'Ik geloof je wel, papa.' Wanneer ze emotioneel was, werd haar stem een beetje schril en nu zaten de tranen hoog. Hij had behoefte het uit te leggen.

'Ik bedroog je moeder, maar het had eigenlijk niets te maken met mijn gevoel voor haar. Ik bedoel, het gebeurde gewoon. Het was een van die dingen die gebeuren en het spijt me dat het zo was. Wat ik probeer te zeggen, Heather, is dat ik het niet heb gedaan om je moeder te pesten. Ik was niet verliefd op juffrouw Crowder of zo.'

'Het was dus gewoon een slippertje', zei ze en ze droogde haar ogen met haar mouw. Dat had hij haar sinds ze zeven of acht was niet meer zien doen en hij voelde een steek in zijn hart. Jezus, dacht hij, ik ga zo meteen ook janken.

'Ja', zei hij.

Heather haalde haar neus op en keek bedachtzaam. 'Het heeft tijd nodig, papa. Mama heeft zo'n uitdrukking op haar gezicht sinds jij zondag hebt gebeld. Ze lijkt alleen maar met mevrouw Burton te willen praten. Ze zijn elkaar steeds aan het bellen. Vindt mevrouw Burton jou niet aardig?'

'Dat weet ik niet', zei hij. 'Dat heb ik nooit gedacht.'

In feite hadden ze, alles bij elkaar genomen, in de bijna twintig jaar dat hij Elena en haar innemende, vreedzame man, Garth kende, redelijk goed met elkaar op kunnen schieten. Maar misschien zag hij het verkeerd. Achter haar mooie, hoge jukbeenderen kon Elena steels en sluw zijn en door de jaren heen zou ze een mate van wrok kunnen hebben opgebouwd vanwege Fieldings satirische tong, zijn incidentele bespottingen als hij drie borrels op had van de oud-leerlingen van een particuliere school met hun clubgeest en onuitstaanbare nostalgie – vrouwen van middelbare leeftijd die zichzelf nog steeds 'meisjes' noemden en herinneringen ophaalden aan schelmenstreken en volleybalwedstrijden van een kwart eeuw geleden. Een tijd lang, in het begin van zijn huwelijk, had hij zich tijdens etentjes bezondigd aan dat soort praat en zo nu en dan kwam het nog naar boven. Claire trok zich niets aan van zijn opmerkingen, ze zag zelfs de waarde van zijn kritiek in. Maar ze liet zich niet verleiden tot een weerwoord. Haar standpunt was zowel simpel als verstandig; Elena, zij en anderen zoals zij waren waarschijnlijk snobs, maar wat zou dat? Er waren allerlei soorten snobs in de wereld. Kunstsnobs, muzieksnobs, geldsnobs. Hij was zelf enigszins een literaire snob, dus hij moest niet zeuren. Onveranderlijk kuste ze hem vervolgens op zijn wang of knabbelde aan zijn oor. Dat was onweerstaanbaar en het snoerde hem steevast de mond.

Maar Elena kon geen grapjes maken over het St. Hilda College. De school betekende te veel voor haar. Door de school had ze mensen ontmoet die 'ertoe deden', en ze had ook haar latere man en toekomstig fiscaal jurist, Garth Burton, leren kennen op een dansavond voor jongens van het Upper Canada College en meisjes van St. Hilda. Elena Nagy was wellicht niet zo sociaal zeker van zichzelf geweest als Claire Moffat, wier vader, net als diens vader voor hem, een van Toronto's vooraanstaande urologen was. Elena's vader was een Hongaarse immigrant, die in 1957 naar Canada was gekomen en de kost had verdiend met de reparatie van tv-toestellen. Binnen een jaar of tien bezat hij een keten van winkels voor huishoudelijke apparatuur in de hele provincie en was hij miljonair. Dus kon het zijn dat ze het hem zelfs nu nog in een restaurant ergens in King Street betaald zette door Claire een lijstje te overhandigen met zes van de beste scheidingsadvocaten in de stad.

'Wat heeft je moeder gezegd?' vroeg Fielding. Ze zaten allebei nog steeds in het donkere keukenraam naar zichzelf te kijken. 'Wat zei ze dat er in Engeland is gebeurd?'

Heather trok een gezicht dat uitdrukte dat ze niets te maken wilde hebben met de details van wat zich ginds had afgespeeld.

'Ze zei dat je die vrouw met wie je samenwerkt mee hebt genomen naar waar jullie vroeger op vakantie gingen. Mama zei dat het haar favoriete stuk van Engeland is en dat zat haar blijkbaar echt dwars. Dat jij die andere vrouw hebt meegenomen naar waar jullie twee het zo leuk gehad hebben.'

'Ja', zei hij. 'Ik dacht al dat ze er zo over zou denken.'

'Ze zei dat het echt gemeen was. Dat en het bedriegen.'

Ja, het bedriegen. Hij vroeg zich af hoe een vijftienjarig meisje hier betekenis aan kon geven. Hij was er vrijwel zeker van dat zijn dochter, tenzij ze in het diepste geheim een relatie onderhield met een pukkelige jongen, nog maagd was. Toch was ze omgeven door seks. Het was overal nu, op de televisie, in muziek, de film, de krant, in tijdschriften en op internet. Welk meisje van Heathers leeftijd had niet de adem van de pornograaf gevoeld en talloze copulaties aanschouwd? Dus welk idee zou ze hebben van wat er tussen haar vader en Denise Crowder was voorgevallen? Kon ze zich een beeld vormen van hem als een seksueel wezen, naakt en in vervoering? Haar vader die 'het deed' met een jonge vrouw? Wat zou ze daarvan vinden? Maar het was onmogelijk om het je voor te stellen; het was te ongrijpbaar, te onkenbaar.

'Hoe laat is het nou voor jou, papa?' vroeg ze. 'Je moet nog op de Engelse tijd zitten.'

Hij keek op zijn horloge en telde vooruit. 'Ja, het is nu ongeveer elf uur voor mij.'

'Heb je honger?' vroeg ze. 'Mama zei dat er restjes in de koelkast staan of ik kan een paar tv-maaltijden opwarmen. Die zijn best lekker. Als jij er niet bent, eten mama en ik die soms voor de tv.'

Heather was buitengewoon onhandig in de keuken; ze had een hekel aan eten klaarmaken en dus waardeerde hij het gebaar. 'Ik ben daar niet zo gek op', zei hij. 'Zal ik een blik soep opwarmen en een paar tosti's maken? Die vond je vroeger lekker.'

'Gaaf. En dan kunnen we naar het journaal kijken. Ik wil weten hoe je er op tv uitziet.'

Hoe hij eruitzag, toen hij zich op de tv een weg baande door de luchthaven, was als een man op de vlucht voor de verantwoordelijkheid om zijn medeburgers de waarheid te bekennen, als een man die er als een dief met zijn bundel geheimen vandoor gaat. Hij had net zo goed, als een of andere beleggingszwendelaar of een louche advocaat die publieke gelden heeft verduisterd, zijn jas omhoog kunnen trekken om zijn gezicht te verbergen. Wie zou er zo'n verbijsterd, gluiperig type kunnen vertrouwen? Fielding zat naast zijn dochter te kijken hoe hij door de aankomsthal achterna werd gezeten, hoe hij zich door de deuren naar de taxistandplaats drong. Er was een laatste opname dat hij door het raampje van de taxi naar de camera omhooggluurde, terwijl de schetterende stem van de blonde vrouw de begrafenis vermeldde van Denise Crowder op vrijdag in de anglicaanse Johanneskerk in Bayport, Ontario.

Fielding zette de televisie uit en de retriever stond, alsof hij wakker werd door de afwezigheid van geluid, op, rekte zich uit en legde zijn grote, zijdeachtige kop op Heathers schoot.

'Je zag er goed uit, papa', zei ze en ze streelde de oren van de hond.

'Helemaal niet', zei hij. 'Ik leek zo schuldig als wat.'

'Ik ben blij dat je niets hebt gezegd', zei ze. 'Je weet wel, dat je niet bent blijven staan om je door die blonde trut te laten ondervragen.'

Hij was verrast door haar felheid. 'Je vindt niet dat ik een afstandelijke of onverschillige indruk maakte?'

'Niet per se, maar stel dat het zo was? Soms is het beter om niets te zeggen. Bovendien is het niet echt jouw schuld dat juffrouw Crowder dood is. Ik bedoel, het is gewoon gebeurd, toch? Ze was op de verkeerde tijd op de verkeerde plaats. De man die haar heeft vermoord, zit toch in de gevangenis in Engeland, hè?'

'Ja', zei Fielding.

'Die journalisten van de tv en de krant, die achter je aan zitten, die willen alleen maar roddel. Meer willen ze niet, papa.'

De telefoon ging.

'Ik neem wel op', zei Heather. Ze sprong op en de hond deed verschrikt een paar stappen achteruit. 'Sorry, Silas', zei Heather en ze rende de kamer uit. Fielding riep haar achterna: 'Als het voor mij is, zeg dan maar dat ik naar bed ben. Jetlag en zo.'

'Oké, pap. Geen probleem.'

Hij luisterde naar haar aan de telefoon in de gang. Wat een steun bleek ze te zijn in deze roerige tijd! Even later stond ze in de deuropening van de werkkamer naar hem te kijken, terwijl hij naar het lege scherm van de televisie en de boekenplanken staarde.

'Dat was een man van de *Sun*', zei ze. 'Ik heb gezegd wat ik van jou moest zeggen. Dat je jetlag had en naar bed bent gegaan.'

'Bedankt', zei hij, zonder zich om te draaien.

'Kan ik iets voor je halen?' vroeg ze. 'Een kop thee of zoiets?'

Hij moest lachen. Terwijl hij daar zo zat, moest hij er in haar ogen wel zielig uitzien, een eenzame, oude, meelijwekkende man. Maar die thee van haar zou nergens naar smaken. Dat wist hij.

'Nee, dank je. Ik ga zo naar bed.'

'Weet je het zeker?'

'Heel zeker.'

'Ik heb een bende huiswerk.'

'Mooi. Ga dat dan maar maken.'

Hij hoorde haar tegen de hond praten toen ze samen de trap op gingen. Terwijl hij daar nog zat, voelde hij zich plotseling onzeker bij de gedachte dat hij de volgende dag onder de mensen moest komen: de meelevende knikjes van sommigen, de vragende blikken van anderen. Mensen waren nu eenmaal nieuwsgierig. Wat moest hij in godsnaam met Denise Crowder op een parkeerterrein op het Engelse platteland? Wie zou dat hebben gedacht? Dan Fielding en Denise Crowder die de tango dansten. Natuurlijk wist je het maar nooit, zelfs niet met mensen die je dag in dag uit zag. Ze konden de raarste dingen uitspoken.

Toen hij de lamp in de werkkamer uitdeed, besloot hij dat de hoofdzaak nu was om zo veel mogelijk te slapen. Het had geen zin om op Claire te wachten. Op dit moment was ze niet in de stemming om ergens over te praten, hijzelf trouwens ook niet. Hij had nog drie van Fiona Andersons pilletjes en hij kon er nu net zo goed eentje van innemen met een groot glas whisky. Het zou beslist tegen ieder medisch advies indruisen, maar in Engeland had het hem ook geen kwaad gedaan en bovendien was er voor een harde knoest een scherpe bijl nodig. In de keuken zette hij de spullen van hun avondeten in de vaatwasser, liet het ganglicht aan voor Claire en klom de trap op. Door Heathers deur kon hij zwak de bonkende bastonen van de muziek op haar walkman horen. Hij klopte aan en wachtte op haar: 'Kom maar binnen, papa.'

Ze zat aan haar bureau op de notebook te typen die de leerlingen van St. Hilda nu verplicht waren met zich mee te zeulen. Hier waren alle parafernalia van een kind uit de hogere middenklasse, dat zich voorbereidde op de wereld buiten haar slaapkamermuren. Zonder precies te weten waarom maakte hij zich een beetje ongerust over al die elektronische troep, maar hoe kon je er onderuit? Zo ging het nu eenmaal tegenwoordig. Tenminste, tot het licht uitging. Hij bukte zich en kuste haar op haar hoofd. Ze had de walkman uitgezet.

'Ik stink, hè?' zei ze. 'Ik heb nog geen kans gehad om te douchen. Ik moet eerst dit afmaken.' Hij zei dat het hem niet was opgevallen, maar dat was het wel. Ze vertelde dat ze morgen een biologieproefwerk had en een overhoring over drie hoofdstukken van de roman en vrijdag moest ze een groot geschiedeniswerkstuk af hebben. De leraren wisten van geen ophouden en omdat ze lessen had gemist vanwege het hockeyen moest ze van alles inhalen. En volgende week was er een toernooi in Port Hope en daarna de ronde om het kampioenschap. Fielding genoot van dit gemopper; het verankerde hem in het alledaagse, waar huiswerk belangrijk was en de moeite waard om over te klagen. De schaal ervan was menselijk en vertrouwd, het was troostrijk. Over een paar jaar zou ze weg zijn en dit alles – de posters van filmsterren, de rockmuziek, de kledingstukken die op het bed en de vloer slingerden – zou ook weg zijn. Ze wilde dokter worden, kinderarts, om kinderen in de derde wereld te helpen. Jeugdig idealisme misschien, maar het was desondanks

126

een nobele droom en ze wilde het al sinds ze tien jaar oud was. Ze was goed in de exacte vakken, hoewel het natuurlijk nog een lang, zwaar traject was en haar moeder op dezelfde weg was blijven steken. Hij kon niet veel meer doen dan haar aanmoedigen en hopen dat de droom eens voor haar zou uitkomen.

Maar zou hij er dan deel van uitmaken? Deze week was er een enorme scheur in zijn huwelijk gekomen en het was maar de vraag of hij over een jaar zelfs nog in dit huis zou wonen. Of zijn leven niet door scheidingsadvocaten opgedeeld zou worden in een flat ergens in de stad en weekenduitstapjes met zijn dochter? Halverwege de vijftig opnieuw beginnen met staande maaltijden aan de toog in de keuken en de wasserette op zondagochtend, het onbeholpen geflirt met gescheiden vrouwen en weduwes. Hij kende mannen die zo leefden.

'Ik denk dat ik nu maar naar bed ga. Misschien dat ik nog wat lees', zei hij en hij gaf haar nog een kus op haar hoofd. 'Blijf niet te lang op.'

'Maak je niet ongerust, papa', zei ze en ze zette de muziek weer aan. 'En ik zal Silas straks nog uitlaten.'

In zijn slaapkamer lag Fielding zich af te vragen, maar enkel terloops, wat Claire en Elena Burton onder het eten over hem zeiden. Op het nachtkastje lag het manuscript van *A History of Water* en eigenlijk zou hij eraan moeten beginnen en aantekeningen moeten maken. Maar hier in zijn eigen bed voelde hij zich uitgeput door de drukkende eisen van het bewustzijn, de pure langdradigheid van wakker blijven en je erdoorheen slaan. Het idee van bewusteloosheid was onweerstaanbaar en dus viel hij in slaap en werd alleen maar wakker toen hij geritsel in de kamer hoorde en alcohol rook. De wekker op het nachtkastje wees halfeen aan. In het licht van de overloop zag hij Claire op haar kousenvoeten. Ze pakte een nachthemd en een badjas uit de kast. Toen ze naar de deur liep fluisterde hij: 'Waar ga je naartoe, Claire?'

Hij steunde op een elleboog om naar haar te kijken. Ze bleef in de deuropening staan, keek naar hem om en zei: 'Ik ga in de andere kamer slapen.' De zin kwam er vreemd gekunsteld uit, de woorden waren te zorgvuldig gerangschikt en uitgesproken. Claire dronk nooit veel, maar Fielding zou zweren dat ze aangeschoten was.

'O, kom op, Claire', zei hij. 'Is dat echt nodig? Kom naar bed. Kom hier slapen.' Ze bleef hem strak aankijken, met de nachtkleding tegen haar borst gedrukt.

'Ik wíl daar niet slapen. Oké? Is dat oké, maat?'

Maat. Zo had ze hem nog nooit genoemd. Ze was echt dronken.

'Ik slaap', zei ze, 'waar ik wil slapen. Als dat jou om het even is.'

Een paar minuten later hoorde hij dat de wc werd doorgetrokken en dat de kraan liep. Toen ging het licht op de overloop uit en hij lag in het donker, versuft maar ook wakker, zich afvragend wanneer de slaap nu weer zou komen. Hij draaide zijn hoofd om naar het manuscript op het nachtkastje te kijken. Hij had het over de Atlantische Oceaan mee heen en terug genomen en was nog steeds niet verder dan het tweede hoofdstuk. Maar hij wist dat hij het boek nu geen recht zou doen; het zou niet eerlijk zijn ten opzichte van Tom Lundgren. Hij zou het donderdag mee naar Bayport nemen.

Ze had bij het eten te veel wijn gedronken. Noemde hem *maat.* 'Is dat oké, maat?' Het was net een zin uit een gangsterfilm uit de jaren dertig. In zekere zin komisch, maar ook treurig, zoals ze daar in de deuropening op kousenvoeten had gestaan, met haar nachtkleding in haar armen. Hij had haar niet meer dronken gezien sinds de avond dat ze, meer dan zeventien jaar geleden, waren gaan schaatsen op Nathan

Phillips Square. Naderhand hadden ze hamburgers gegeten in een tent in Yonge Street, waar ze te veel bier had gedronken. Ze hadden over zichzelf gepraat en die avond had ze gehuild, daar in de box van het restaurant. Fielding was stomverbaasd geweest. Tranen waren amper wat hij had verwacht van dit lange, blonde zinnebeeld van zelfbeheersing en zelfvertrouwen.

Ze hadden elkaar een week daarvoor ontmoet op een feestje voor een van zijn auteurs, een fitnessgoeroe, genaamd Amy Hampton, wier tv-programma in de jaren tachtig een zekere aanhang had verworven onder jonge vrouwen. Fielding had haar boek over lichaamsbeweging en diëten voor tienermeisjes geredigeerd, of beter gezegd, herschreven. Hampton was een kleine, bruisende gymlerares, en H & S had in de Inn on the Park een receptie georganiseerd voor gymleraren uit de stad en de wijde omtrek. Fielding, een paar collega's en mediatypes waren omringd door driehonderd vrouwen met een hoog niveau van energie. Zoals zijn vader gezegd zou kunnen hebben, er zat volop pit in de zaal. Een van de uitzonderingen op de frivole meerderheid was Claire Moffat die, zo ontdekte hij later, door een collega-docent was meegetroond. Fielding kon niet om de lange vrouw met haar honingkleurige haar en nogal laatdunkende blik heen. Ze leek los te staan van de anderen toen ze zich bediende van crackers en garnalencocktail. Ze raakten in gesprek en ze vertelde hem dat ze niet veel ophad met Hamptons tv-programma en niet van plan was haar boek te kopen, maar ze hoopte dat het hem niet al te zeer zou krenken. Haar vorstelijke manier van doen bevatte nogal wat goedmoedig sarcasme en hij geloofde niet dat ze echt kwaad in de zin had. Ze was bijna even lang als hij en keek hem onder het praten recht in zijn ogen. Hij had het gevoel dat hij getaxeerd werd, hoewel niet op een onvriendelijke manier, en haar groene ogen waren opmerkelijk. Hij wist nog dat hij had gedacht dat deze schoonheid zeker al gebonden moest zijn. Hoe zou zo'n aantrekkelijke vrouw dat niet kunnen zijn?

'Ik ga tegenwoordig niet veel uit', zei Claire Moffat, terwijl ze met samengeknepen ogen naar de auteur keek, die omringd was door haar fans. 'Ze ziet er niet al te fit uit, vind ik. Ze lijkt meer op een koekjesmonster.'

Fielding moest lachen en ze lachte mee.

'Ik ben verschrikkelijk, hè?'

'Ja,' zei hij, 'maar dat kan me niet schelen. Ik zou je graag nog eens willen zien. Tenminste, als je niet al een relatie met iemand hebt.'

'Wat galant van je om het te vragen', zei ze en ze keek hem vorsend aan. 'Misschien heb ik te veel wijn op, maar volgens mij staat je bril een beetje scheef.' Ze had zijn bril rechtgezet en hij had de warmte van haar hand op zijn gezicht gevoeld. 'Kun je schaatsen?' vroeg ze.

'Schaatsen?'

'Ja, je weet wel. IJzers onder je schoenzolen, die trek je aan en dan beweeg je je over bevroren water. Swisj, swisj. Zo klinkt het. Goeie genade, je bent toch een Canadees, of niet? Iedereen in Canada kan schaatsen.'

Hij was een beetje van de wijs gebracht, wist hij nog. 'Ja, natuurlijk, ja. Natuurlijk kan ik schaatsen.' Hij had in vijfentwintig jaar niet geschaatst en was er nooit erg goed in geweest.

'Ik wil al de hele winter gaan schaatsen en nu is februari bijna om en het is er nog steeds niet van gekomen.' Ze nam nog een glas wijn aan van een passerende ober. 'Neem me een avond mee uit schaatsen op die baan bij het stadhuis.'

'Wat denk je van aanstaande vrijdag?'

'Waarom niet?' zei ze. 'Je bent toch niet getrouwd, hè?'

'Nee', zei hij.

'Nou, dat is prima dan, ik ook niet.'

Toen had ze zich naar hem toe gebogen en gefluisterd: 'Ben je echt de redacteur van het boek van die kleine onbenul?'

'Ja, echt', had hij lachend gezegd.

Wat een gelukkig toeval was dit! Licht na de duisternis in de koudste maand van het jaar. Met de kerst was hij uit Anns flat verhuisd. Na acht jaar was hij weer alleen en hij voelde zich belabberd. Op zijn achtendertigste, kalend en met het begin van een zichtbaar ronde rug, had hij vaak wakker gelegen en zich afgevraagd of hij ooit nog een vrouw zou vinden die van hem zou houden. Zou hij ooit vader worden?

Vrijdagavond op de ijsbaan wiebelde hij rond op tweedehands schaatsen die hij die middag had gekocht. Claire vond zijn pogingen dolkomisch.

'Je zei dat je kon schaatsen', lachte ze. 'Goh, je kunt nauwelijks overeind blijven op die stomme dingen.'

Hij spande zich in om haar in te halen. 'Ik wed', zei hij, 'dat je vroeger zelfs hebt gehockeyd.'

'Natuurlijk', zei ze en ze draaide zich behendig om om achteruit te schaatsen zodat hij kon zien dat ze tegen hem lachte. 'Ik ben een gezond Canadees meisje. Vergeet dat niet.'

'Je hebt dit gedaan om mij te vernederen', zei hij. 'Je haat mannen. Dit is je wraak.'

Ze klapte in haar wanten. 'Je had niet hoeven komen. Je had nee kunnen zeggen.'

'Ik was bang dat ik je dan niet meer zou zien', riep hij. Hij had zich intens gelukkig gevoeld, terwijl hij die avond met haar op de ijsbaan aan het schaatsen was. Hij herinnerde zich dat hij haar arm vastgehouden had, terwijl ze rondjes draaiden op het ijs en had gedacht: ze vindt me aardig. Ik kan merken dat ze me aardig vindt. Ik ga met die vrouw trouwen. Wat ben ik toch een bofkont!

In het restaurant dronken ze bier en wisselden hun levensverhaal uit. Hij vertelde haar over zijn jeugd in Leaside en zijn jaren op de universiteit van Toronto als bleekneuzige letterenstudent. Gevolgd door korte uitstapjes in de journalistiek en de reclame, waarna hij had gekozen voor het uitgeversbedrijf. Hij trad niet in details over Ann Costello; hij vertelde niet over de relatie die acht jaar van zijn leven had opgeslokt. Het klonk te zeer als een mislukking. Claire vertelde dat haar moeder was overleden aan borstkanker, dat ze dat op haar zestiende had moeten verwerken en dat het St. Hilda College toentertijd goed voor haar was geweest. Ze was dat jaar intern geweest en het had geholpen om andere meisjes om zich heen te hebben, vooral 's avonds en in de weekenden, wanneer haar vader vaak naar conferenties was. Ze vertelde over haar vader, de befaamde uroloog, en hoe teleurgesteld hij was toen ze haar studie medicijnen afbrak.

'Volgens mij is hij er nog steeds niet overheen,' zei ze, 'maar ik was niet slim genoeg voor medicijnen. Of misschien dat ik het gewoon beu was.'

In plaats daarvan was ze naar de lerarenopleiding gegaan en de afgelopen paar jaar had ze op een grote school in een achterstandswijk gewerkt. Maar ze had genoeg van de nukkige jongeren die zich nergens voor in wilden zetten. Je moest ze voortdurend achter hun broek zitten voordat ze in beweging kwamen. Ze was het zat dat ze tijdens de les gezondheidsleer verveeld uit het raam zaten te staren. Claire had een van haar leerlingen uit de tweede klas geïmiteerd.

'Mijn vriend en ik vinden condooms niet fijn, mevrouw. Dan krijgen we niet hetzelfde gevoel.' Het voorspelbare gegniffel van de rest van de klas. Ze gaf ook biologie en dat was leuk, maar ze bekende dat de moed haar in de schoenen zonk bij de onaangename gedachte dat de toekomst misschien alleen maar meer van hetzelfde te bieden had. Ze had overwogen om er een jaar tussenuit te gaan en te reizen, misschien naar Europa. Maar wat zou ze daar kunnen doen? Terwijl hij naar haar luisterde, vond hij het nog steeds moeilijk te geloven dat er geen man in haar leven was.

Op een avond, een paar jaar later, op de datum van hun trouwdag, hadden ze het over die eerste afspraak gehad en hij vertelde hoe verbaasd hij was geweest over haar tranen.

'Ja', zei ze. 'Ik was die avond een beetje dronken en huilerig, hè?'

'Dat was je inderdaad.'

'En je had niet gedacht dat ik het sentimentele type was?'

'Dat had ik niet gedacht, nee.'

'Nou, die avond probeerde ik nog steeds ergens overheen te komen, vandaar die kleffe vertoning.'

'Och, toe zeg,' zei hij, 'zo erg was het niet.' Vervolgens had ze hem verteld over haar vele jaren met Michael, een jongen die ze van de universiteit kende. Vreemd genoeg waren zij ook tijdens de feestdagen uit elkaar gegaan.

'Daarom was ik die avond zo melodramatisch en mal. Ik wist nog steeds niet zeker of ik me niet ontzettend had vergist. En toen kwam jij en ik begon je aardig te vinden.' Hij vroeg waarom Michael en zij een einde aan hun relatie hadden gemaakt.

'Ik weet het niet,' zei ze, 'maar er ontbrak iets aan. Dat was altijd al zo, en ik neem aan dat ik het de hele tijd ook wel heb gevoeld, maar het niet onder ogen wilde zien. Volgens mij kwam het erop neer dat ik op een gegeven moment besefte dat ik na al die jaren nog steeds niet van hem hield. O, ik mocht hem. Ik mocht hem heel graag. Maar ik hield niet van hem. Hij was afgestudeerd in medicijnen en zou naar Californië gaan. Hij had me ten huwelijk gevraagd, maar dat was niet nieuw. Hij vroeg al jaren of ik met hem wilde trouwen. Maar tijdens die kerst, vlak voordat wij elkaar ontmoetten, stelde hij me een ultimatum. Trouw met me en ga mee naar Californië of ik ga alleen. Het is raar. We waren vaak gelukkig en we hebben een goeie tijd gehad samen. God, al mijn vriendinnen waren zo jaloers. Elena vond dat ik gek was om niet met hem te trouwen. Je moet begrijpen dat Michael bijna te mooi was om waar te zijn. Knap genoeg om op de universiteit kleding te showen, ook al had hij het geld niet nodig. Zijn ouders waren rijk. Hij had op het Upper Canada College gezeten. Hij was sportief en hij was intelligent. Een stijgende ster. Vrouwen waren gek op hem. Toch wilde hij jarenlang alleen maar mij.'

'Misschien', zei Fielding, 'heb je de gouden boot gemist. Je zou nu langs de kust van Californië kunnen zeilen met je drie goudblonde kinderen.'

'Misschien,' glimlachte Claire, 'maar ik ben dik tevreden hier in Toronto, met jou en Heather.'

Ze zaten na het eten in de tuin cognac te drinken, allebei heel gelukkig. Een septemberavond en de schemering was neergedaald op de stad; tussen de huizen was nog licht te zien aan de hemel, maar de bomen en struiken waren enkel donkere vormen. Op een bepaald moment stond Claire op, ging op zijn schoot zitten en sloeg haar armen om hem heen.

'Die avond dat we gingen schaatsen', zei ze. 'Toen was ik heel erg in de war. Het punt was dat ik je mocht, Dan, maar ik hield nog niet van je. Hoe kon ik? We hadden elkaar net ontmoet. Maar ik weet nog dat ik dacht, ik wil niet dat die vent weggaat. Ik denk dat ik met die vent kan samenleven.'

'Wat een klinkende bevestiging. Hartelijk bedankt.'

'Nee, nee, je snapt het niet', zei ze. Hij kon haar cognac-adem ruiken, maar ze was nu niet meer dan een donkere, tegen hem aan gedrukte gedaante.

'Zoals ik me die avond bij jou voelde, was anders dan hoe ik me bij Michael voelde, zelfs na al die jaren. Zolang Michael en ik samen met mensen waren, was alles prima. We hadden heel veel lol. We gingen skiën. Zaten een weekend op de boot van een vriend. Gingen naar footballwedstrijden. Het was heel leuk, maar het leek of we nergens met ons tweeën heen gingen. In al die jaren zijn we nooit alleen op vakantie geweest. Het was altijd samen met een ander stel of twee andere stellen. Met een groep in iemands vakantiehuisje. En wanneer we alleen waren, had ik soms het gevoel dat ik niet echt wist wie Michael was en dat hij mij niet echt kende en dat het hem ook niet echt interesseerde. Hij dacht waarschijnlijk dat hij me al kende, maar dat was niet echt zo. Terwijl ik bij jou meteen wist dat je geïnteresseerd was in wat voor iemand ik was. Dus was ik volgens mij die avond dat je me mee uit schaatsen nam echt de kluts kwijt. Ik ben blij dat je ertegen kon.'

Fielding zat op een plastic tuinstoel en Claire was zwaar op zijn schoot, een heerlijke, grote handvol vrouw met haar armen om hem heen en haar warme adem in zijn nek. Hij verwachtte dat de stoel zou breken en dat ze op het gras zouden vallen. In zekere zin hoopte hij dat ook, zodat haar sombere overpeinzingen door een komische toets werden opgevrolijkt en ze het huis in konden gaan en speels de liefde konden bedrijven.

Liggend in het donker kan Fielding zich herinneren dat het precies zo was gegaan. Misschien dat hij het had laten gebeuren door opzij te leunen in de stoel om haar gewicht anders te verdelen. In ieder geval waren ze lachend op het gras getuimeld en vervolgens waren ze naar boven gegaan. Hij probeerde zich te herinneren hoeveel jaar huwelijk ze hadden gevierd. Drie? Of was het vier? Heather was toen een donkerharig meisje van twee of drie, slapend in haar ledikantje. Voordat ze naar bed gingen, hadden ze even bij haar binnen gekeken.

De serene, elegante Imogene Banks zat al achter haar bureau, haar hoge, gladde voorhoofd glansde in het licht van de tl-buizen. Deze ochtend droeg ze een smaragdgroene jurk, hoewel het er eigenlijk niet toe deed; wat ze ook aanhad, Imogene bood bezoekers een spectaculaire eerste kennismaking met Houghton & Street. Fielding geloofde niet dat hij ooit nog iemand zou ontmoeten die meer op Cleopatra leek dan zij. Ze glimlachte tegen hem toen hij binnenkwam en de regen van zijn paraplu schudde.

'Goeiemorgen, Dan. Welkom terug.'

'Dank je', zei hij. 'Hoe gaat het met je, Imogene?'

'Goed, hoor.'

'Mooi zo.'

Van Imogene verwachtte je niets anders dan volmaakte tact, ingetogenheid en dat er geen zweem van nieuwsgierigheid bleef hangen in haar half geloken ogen. Ze had haar aandacht al weer gericht op de stapel papieren die ze aan het doornemen was. Imogene leek altijd boven het gekrakeel te staan. De telefoon beantwoorden bij H & S was enkel verstrooiing; ze was getrouwd met een hoogleraar astronomie, die maar een paar straten verder op zijn stellingen en vergelijkingen zwoegde. Soms zag Fielding hen samen in de rij staan voor de lunch in de Swiss Chalet in Bloor Street, en hij was benieuwd waar ze over spraken, deze Rwandese prinses en haar vijftigjarige astronoom.

Er was nog niemand op kantoor, afgezien van Jack Perkins, die met zijn rug naar de deur en met zijn handen in zijn zij de boekomslagen stond te bestuderen die op een plank lagen uitgestald. De artdirector was een stekelige man, vooral 's ochtends, en hij werd enkel getolereerd omdat hij zo getalenteerd was. Ofwel hij hoorde Fielding niet in de gang voorbijlopen ofwel hij verkoos het hem te negeren. De deur van Denises kamer was dicht en Fielding opende hem om even naar binnen te kijken. Alles was nog zoals zij het had achtergelaten, met een stapel manuscripten op een plank, een koffiebeker met het gezicht van Henry James erop, haar radio en een paar versleten instappers naast het bureau. Die droeg ze graag onder het werken. Fielding sloot de deur, ging zijn eigen kamer in, waar hij bij het raam ging staan om naar het verkeer op Avenue Road, met de op de brede rijbanen opflitsende remlichten te kijken. Mensen met paraplu's, bekers koffie en notebooks aan een schouderriem haastten zich door de regen.

De foto van hem op de luchthaven stond op de voorpagina van zowel de *Star* als de *Sun*; dat had hij gezien toen hij langs de kiosk liep. De *Globe and Mail*, die hij van zijn eigen veranda had opgeraapt en op het haltafeltje had gelegd, had hem verbannen naar pagina 7, maar het was dezelfde foto. Daar zat hij dan, omhoogkijkend door het raampje van de taxi, een bange, ontwijkende figuur, mogelijk een volksvijand. Er was voicemail en e-mail en op zijn bureau lag een stapel enveloppen. Het eerste telefonische bericht was van zijn dochter.

'Hoi, papa, met mij. Het is halfacht op maandagmorgen en ik ben op weg naar school. Ik weet wel dat ik je zal zien voordat je dit hoort, maar ik wilde het toch zeggen. Gistermiddag heeft mama me verteld wat er in Engeland is gebeurd en ik wilde je alleen maar laten weten dat ik hoe dan ook van je hou. Daag.'

Het volgende was van J.J. Balsam, een man van wie Fielding de hoop dat hij ooit nog van hem zou horen allang had opgegeven.

'Hé, Dan, ouwe klootzak. Met Jack Balsam. Ik heb over je

gelezen. Je hebt je waarschijnlijk zwaar in de nesten gewerkt met je vrouw, hè? Nou, ik weet wat het is, geloof me. Ik weet er alles van. Zonde van het meisje. Je moet me het hele verhaal maar vertellen wanneer we elkaar zien. Want weet je wat? Ik heb die kloteroman af. Heb vandaag mijn eerste borrel in zesenhalve maand gedronken. Honderdvierennegentig dagen heb ik drooggestaan en dat moet gevierd worden. Ik wil zo gauw mogelijk naar Toronto komen en iets met je afspreken. Ik breng het boek mee, dan mag je me op een lange, vloeibare lunch trakteren. Ik denk dat je wel een opkikkertje kunt gebruiken. Laat iets van je horen, geile, ouwe bok die je bent.'

Geen roman van J.J. Balsam in bijna negen jaar en onder normale omstandigheden zou zijn telefoontje welkom zijn geweest. Een nieuwe roman van een belangrijke auteur voor de fondscatalogus van de komende herfst. Maar wanneer Balsam dronk, was de roes koning, zoals de oude Grieken zeiden, en hij werd al moe bij de gedachte om die krankzinnig wispelturige man te moeten vermaken. Jack Balsam was een begenadigd schrijver, maar hij was ook egocentrisch op het zelfmisleidende af; waarschijnlijk geloofde hij echt dat Fielding zich weer de oude zou voelen als hij met zijn nieuwe roman kwam aanzetten. Maar als Balsam aan de boemel ging, zouden de zorg en het onderhoud die vereist waren als een migraineaanval van een week aanvoelen. Balsam behoorde in wezen tot een oudere, brassende generatie schrijvers, mannen als Richler en Purdy, die overvloedig dronken en zich geen zier aantrokken van wat anderen dachten. De jonge schrijvers die Fielding soms in Denises kamer had ontmoet, kwamen voor het merendeel op hem over als carrièrejagers, die zorgvuldig over hun imago waakten door afspraken met kunststichtingen en profielen geschreven door bevriende journalisten. Ze dronken hun twee glazen rode wijn per dag en trainden in het fitnesscentrum als jonge bedrijfsmedewerkers. Voor hen was Balsam een fossiel en een redacteur als Fielding waarschijnlijk ook.

Na de volgende twee berichten van journalisten gewist te hebben, luisterde hij naar de stem van Ann Costello.

'Hoi, Dan. Het is dinsdag, tien over zeven.' Het was dezelfde stem waar hij als jongeman opgewonden van werd, wanneer ze een afspraak maakten om op vrijdagavond in de bar op het dak van de Park Plaza wat te gaan drinken, als voorspel voor een weekend in haar woning.

'God, ik vind het zo vreselijk wat er is gebeurd. Wat afschuwelijk is het allemaal. Ik heb je net op het nieuws gezien. Het spijt me, Dan, maar je zag eruit als een bange haas. Wie zou het je kwalijk nemen met al die afschuwelijke mensen om je heen? Mijn god, wat een maalstroom waar je in terechtgekomen bent.'

'Maalstroom'. Het was precies de term die gisteren bij hem was opgekomen toen hij op de luchthaven aan die lui van de media trachtte te ontkomen. Maar Ann en hij hadden vroeger vaak op dezelfde golflengte gezeten. Zoals wanneer ze op zondagochtend in bed Ierse koffie dronken, het kruiswoordraadsel in de *New York Times* oplosten en met hetzelfde woord op de proppen kwamen. De grote zondagskrant werd bij Ann thuis bezorgd. Op zijn negenentwintigste had Fielding zich altijd geweldig grootsteeds gevoeld, wanneer hij op zondagochtend in bed zat met de kleine, snelle, erotische vrouw die zeven jaar ouder was dan hij. Nu was ze een oud dametje; ze kon niet meer dan vijfenveertig kilo hebben gewogen toen hij haar in die verbouwde brouwerij had gezien.

'Luister. Als je zin hebt om een keer ergens te gaan lunchen, bel me dan. Het is geen ongezonde nieuwsgierigheid, Dan. Het leek alleen alsof je wel een vriend kon gebruiken.

Bel me als en wanneer je zin hebt. En hou je haaks. Oké?'

Hij hoorde nu de stemmen van zijn collega's die elkaar begroetten en de redactieassistente, Martha Young, stak haar hoofd om de deur. Ze had haar regenjas nog aan.

'Hallo, Dan. Welkom terug. Je bent vroeg.'

Ze keek hem vermoeid meelevend aan.

'Dan, ik vind het heel erg wat er is gebeurd. Het is gewoon verschrikkelijk. Je zult het wel zo vaak gehoord hebben dat het je neus uit komt, maar ik vind het écht erg. Kan ik iets doen?'

'Die lui van de media op een afstand houden tot ze of het vragen beu zijn of tot ik van de voorpagina verdwenen ben, wat waarschijnlijk na de begrafenis op vrijdag zal zijn. Ik ga trouwens morgen naar Bayport. Maandag ben ik terug.'

'Prima, ik zal doen wat ik kan.'

'Ik zal gewoon moeten zorgen dat ik niet instort, Mart.'

Ze glimlachte. 'Je stort niet in. Doe maar kalm aan.'

'Juist.'

Hij luisterde naar de bedrijvigheid van mensen die binnenkwamen om een nieuwe dag te beginnen. Loren Schultz die op de afdeling Publiciteit werkte, keek naar binnen en zwaaide.

'Fijn dat je er weer bent, Dan.' En Bob Constable, lang en mistroostig, glimlachte beminnelijk tegen hem en liep door naar zijn kamer en zijn religieuze boeken. Het was niet de bedoeling dat Fielding hier zijn deur voor sloot. Sy Hollis hield niet van dichte deuren, tenzij het absoluut noodzakelijk was; voor een vertrouwelijk gesprek, bijvoorbeeld, met een auteur of een belangrijke klant. Een dichte deur was in Sy's ogen onvriendelijk; je keerde andere medewerkers de rug toe. Het was, om zijn term te gebruiken, 'oncollegiaal'. Fielding had een dichte deur nooit op die manier bekeken en dus hield hij zich ook niet strikt aan het beleid. Hij vond dat hij lang genoeg bij H & S in dienst was om een aantal van Sy's stompzinnigere noties ten aanzien van de kantooretiquette te negeren. Soms hield hij zich eraan en soms niet; wisselvalligheid, vond hij, was een nuttig wapen om het gezag in verwarring te brengen. Aan de andere kant wilde hij niet gezien worden als een mopperkont die weigerde zich aan te passen aan nieuwe tijden en omstandigheden.

Hij keek zijn e-mail door en opende een bericht van Tony Anderson. De Londense kranten hadden het verhaal al laten vallen en zouden er, volgens Tony, waarschijnlijk pas weer aandacht aan besteden als Woodley moest voorkomen, wat niet eerder dan het voorjaar zou zijn, misschien zelfs later. Hij had met mensen gesproken die op de hoogte waren van dit soort zaken. Mocht hij naar Londen willen komen voor het proces, dan stond er een bed voor hem klaar, thuis bij hem en Fiona. Fielding werd ongedurig van de rest van de e-mail; de verschillende eisen om zijn aandacht leken triviaal en lachwekkend vergeleken bij wat er was gebeurd.

De blik die hij eerder in Denises kamer had geworpen, had iets met hem gedaan. De koffiebeker met het gezicht van Henry James. De schoenen naast haar bureau. Het was of hij haar aanwezigheid had gevoeld in het schemerige licht op deze regenachtige oktobermorgen. Hoe die dingen konden gebeuren schokte hem nog steeds. Ze waren van de weg afgeslagen het parkeerterrein op. Met evenveel gemak hadden ze door kunnen rijden naar Glynmouth. Over de promenade kunnen lopen met boven hen de krijsende meeuwen. Kunnen lachen om de oudjes in trainingspak. Terug kunnen gaan naar het witte hotel met de blauwe markiezen en de in de wind klapperende Union Jack. Het had gekund, maar ze hadden het niet gedaan. Toch, als het neerkwam op de fundamenteelste 'had gekund, maar niet gedaan', om zo te zeggen het primum mobile, dan had hij uit Denise Crowders bed weg kunnen blijven. Dan zou ze het weekend in Londen zijn gebleven om naar boekwinkels en musea te gaan, terwijl hij alleen over de achterafweggetjes van Devon zou hebben gedwaald. Had gekund, maar niet gedaan.

Hij voelde zich plotseling rusteloos en van zijn stuk gebracht door alles: de brieven en e-mails, de medelijdende blikken en uitingen van medeleven, de gesprekken voor zijn deur. Hij had zijn bril afgezet, steunde met zijn ellebogen op zijn bureau en drukte zijn handpalmen tegen zijn ogen.

'Is alles goed met je, Dan?' vroeg Martha Young. Hij keek op naar haar wazige gedaante. Fielding zette zijn bril weer op.

'Ja hoor, prima, Mart. Alleen een beetje moe.'

'Dat verbaast me niets', zei ze en ze voegde er zacht aan toe: 'Sy is er nu, dus je kunt hem waarschijnlijk ieder moment verwachten. Hij is er nogal zenuwachtig over.'

'Oké, bedankt.'

Toen ze de kamer uit ging, zag hij Hollis al in de gang staan praten met Linda McNulty, de uitgeefster, terwijl hij van tijd tot tijd een blik in de richting van Fieldings deur wierp. Zoals gewoonlijk had hij zijn mouwen opgestroopt. Dat was nog een van Sy's gewoontes en een die nagebootst werd door vooral veel van de jongere mannen op de afdeling Verkoop en Marketing. Fielding sloeg de directeur van het bedrijf gade toen die door de gang naar hem toe kwam. Hij had een bars lachje op zijn gezicht.

'Heb je een ogenblik, Dan?'

'Natuurlijk', zei Fielding en hij wenkte hem naar binnen.

'Mag de deur dicht?' vroeg Hollis.

'Ga je gang.'

Hij ging in een stoel voor Fieldings bureau zitten en sloeg zijn benen over elkaar. Hij was net iets ouder dan Fielding, misschien zeven- of achtenvijftig, een man van cijfers met een achtergrond in accounting en marketing. De meesten waren het erover eens dat hij het goed deed. Hij vertrouwde op het oordeel van zijn redacteuren en bemoeide zich niet met hun werk, zelfs niet met troetelprojecten die op het eerste gezicht een beetje twijfelachtig leken. Het bedrijf maakte winst nu en de mensen die voor hem werkten, Fielding incluis, waren over het algemeen tevreden met zijn leiding. Hollis las ook de boeken die hij uitgaf, wat waarschijnlijk meer was dan veel anderen deden. Toch had hij iets berekenends en niet helemaal betrouwbaars over zich; Fielding had het vanaf de eerste dag van Hollis' aanstelling drie jaar geleden gevoeld.

Ze keken elkaar over het bureau heen aan. Sy was een zwaargebouwde, kalende man met ronde schouders, en Fielding had altijd gevonden dat hij die vakbondslook nou maar eens moest opgeven en die zware, ronde schouders in de jasjes van zijn elegant gesneden pakken moest verbergen. Sy had iets van een sjacheraar en Fielding, die het leuk vond om zich voor te stellen hoe mensen geweest zouden kunnen zijn toen ze jong waren, zag Hollis als een ernstige, onsportieve, negens halende leerling op het Harbord of Jarvis College, niet-aflatend ambitieus en fel competitief, voortgedreven door zijn geïmmigreerde ouders die het tot middenstanders geschopt hadden. Een man die zo nodig formaliteiten omzeilde en voordrong in de rij. Hij was zeker niet knap te noemen, maar hij straalde een krachtige viriliteit uit; door de jaren heen was hij een onvermoeibare echtbreker geweest en dat zou Fieldings verbolgenheid kunnen verklaren over de toon van zijn opmerkingen aan de telefoon op zondagochtend. Het gerucht ging dat hij de afgelopen paar jaar tot rust was gekomen, en dat alles vergeven was door zijn lankmoedige vrouw, Brenda.

'Nou, Dan', zei hij. 'Hoe sla je je hier doorheen?'

'Ik sla me erdoorheen, Sy', zei hij. 'Ik sla me erdoorheen.'

Fielding bedacht dat hijzelf waarschijnlijk rood aangelopen was. Zijn gezicht had warm aangevoeld en hij vroeg zich af of zijn bloeddruk en hartslag weer op hol waren geslagen.

'En Claire? Hoe is het met haar?' Hollis mocht Claire graag. Op feestjes zocht hij haar vaak op en als hij hem naast haar zag staan babbelen, vond Fielding altijd dat Sy eruitzag als een man die bereid was aan de geringste luim van Claire te voldoen.

'Ik vraag het alleen maar uit bezorgdheid voor jou en je gezin. Ik wil me nergens mee bemoeien, Dan. Dit is een vreselijke schok voor iedereen die erbij betrokken is. Voor jou. Voor Claire. Voor Heather.'

'Zij slaan zich er ook doorheen, Sy', zei Fielding. 'Iedereen slaat zich erdoorheen. Je erdoorheen slaan, daar gaat het nu allemaal om.'

Hij neigde naar sarcasme, maar Hollis scheen het niet erg te vinden, of als hij het wel erg vond, dan liet hij het niet blijken. Wanneer hij lichtelijk onthutst was, deed Sy iets raars met zijn mond, hij blies zijn wangen op en liet de lucht met een plopgeluidje ontsnappen. Het zou een gewoonte uit zijn jeugd kunnen zijn en het was eigenlijk nogal vertederend. Fielding kon zich Sy voorstellen als een corpulente zeventienjarige aan de keukentafel, die zijn wangen liet ploppen terwijl hij aan zijn sommen zat te werken.

'Ik heb counseling voor het personeel overwogen', zei Hollis. 'Een paar van de jongeren hebben ernaar gevraagd. Dat wordt tegenwoordig verwacht. Wat denk je?' Fielding koesterde geen gedachten over het onderwerp die in de verste verte als positief konden worden opgevat. Hij had ooit een manuscript over rouwverwerking afgewezen en Claire en hij hadden ook geruzied over het nut ervan na de dood van een leerling van St. Hilda door een ongeluk met een skimotor.

Hij beschouwde het als een soort oplichterij, met al die pasklare formules en het handje vasthouden, die geprogrammeerde kunstmatigheid.

'Sommige mensen hebben het nodig,' had Claire geredeneerd, 'dus waarom zou je het hun dan onthouden?'

Maar hij was niet overtuigd. 'Ik ben geen groot voorstander van counseling,' zei hij ten slotte, 'maar jij bent de baas.' Hollis bleek niet eens te luisteren. Hij staarde uit het raam waar de grijze, schuin vallende regen strepen op trok.

'Ik vraag me ook af of we deze vrijdag zouden moeten sluiten. Het magazijn openhouden, maar het kantoor voor die dag sluiten. Wat vind je daarvan?'

'Ik vind dat we moeten sluiten', zei Fielding. Hij probeerde diep adem te halen. Dat zou moeten helpen bij benauwdheid. 'Geef degenen die niet naar de begrafenis gaan vrijaf', voegde hij eraantoe. 'Uit respect voor Denise.'

Hollis knikte instemmend. 'Iedereen die wil mag gaan. Tot dusver zijn er zes of zeven mensen die belangstelling hebben getoond. Maar er kunnen er meer mee. Als het nodig is, huur ik een busje. Wat zijn jouw plannen?'

'Ik rij er morgen al naartoe', zei Fielding. ''s Morgens haal ik een vriendin van Denise op van het vliegveld. Ze belde uit New York en vroeg om een lift. Blijkbaar heeft ze geen rijbewijs. Ze heeft met Denise samengewerkt voor YPS.'

'O ja? Wie is het trouwens?'

'Ze heet Sandy Levine. Volgens mij is ze een van hun hoofdredacteuren.'

Het gezicht van Hollis klaarde op. 'Ja, natuurlijk. Ik ken Sandy Levine. Ik heb haar gebeld toen we Denise aannamen. Sandy's aanbevelingsbrief heeft me echt overgehaald. Ze is heel schrander, Sandy. Ik kan een auto regelen om haar op te halen, als je wilt. Ik zou zelf kunnen gaan.'

'Nee, het is oké, Sy', zei Fielding. 'Ik geloof dat ze graag met mij wil praten. Ik heb begrepen dat ze erg gehecht was aan Denise.'

'Ja, allicht wil ze er dan met jou over praten', zei Hollis. 'Het is ook een goed idee. Neem haar mee in de auto en praat over Denise. Dan ben jij ook de stad uit. Het zal je goeddoen.' Hij trok nog een plopgezicht en zei toen: 'In feite zou het geen slecht idee zijn als je een paar dagen vrij nam na de begrafenis. Misschien ergens heen gaan tot dit gedoe met de media voorbij is.'

'Waarschijnlijk is het na de begrafenis op vrijdag al over', zei Fielding.

'Misschien, misschien ook niet', zei Hollis. 'Sommige journalisten kunnen echt vasthoudend zijn. Het is een verhaal dat prikkelt, Dan, vooral jonge vrouwelijke journalisten. Aantrekkelijke jonge vrouw, oudere, getrouwde man. Tragische dood van de aantrekkelijke jonge vrouw. Het zou best nog een poosje kunnen aanhouden. Je zou volgende week vrij kunnen nemen. Ergens naartoe gaan waar het aangenaam is, zeg, Bermuda. Neem Claire mee voor een korte vakantie. Het zou jullie allebei een kans geven om erover te praten zonder al die schijnwerpers. Misschien kun je Heather bij vrienden onderbrengen.'

'Ik denk niet dat Claire in de stemming is nu om met mij te praten, laat staan om op vakantie naar Bermuda te gaan. En het is al helemaal niet het goede tijdstip om Heather alleen te laten.'

Hollis haalde zijn schouders op. 'Misschien niet. Het was maar een gedachte. Brenda en ik hebben een keer... Nou ja, maakt niet uit.' Hij leek slecht op zijn gemak nu en Fielding voelde zich alsof zijn schedeldak eraf zou kunnen vliegen; zijn bloeddruk moest buitengewoon hoog zijn. Zou er een hersenbloeding op de loer kunnen liggen om hem doof, blind en stom te slaan?

146

Hollis legde zijn handen op zijn knieën, staarde er even naar en stond toen op. 'Kan ik iets doen?'

'Nee. Bedankt.'

'We hebben bloemen naar het uitvaartcentrum gestuurd.'

'Dat is mooi.'

Hollis stond bij de deur en keek naar hem om. 'Als je van gedachten verandert over volgende week, laat het me dan weten, oké?'

'Dat zal ik doen.'

Fielding wreef over zijn gloeiende wangen en liet de deur dicht. Hij veronderstelde dat hij zijn bloeddruk moest laten meten. Hij zou naar een drogisterij een paar straten verderop kunnen gaan, maar er stond meestal een rij, meest oude kerels, te wachten tot ze hun magere arm in de manchet konden steken en naar de monitor konden turen om te zien of ze het einde van de dag nog zouden halen. Maar Janet had hem gezegd dat die apparaten in drogisterijen vaak onbetrouwbaar waren. Hij toetste het nummer van Janet Lieberman in en hoorde de bezettoon. Hij leunde achterover in zijn stoel en probeerde nog eens diep adem te halen. Alle berichten zouden moeten wachten op een gedetailleerd antwoord; hij kon ze nu even niet behappen, om het maar eens populair uit te drukken.

Hij had een briefje achtergelaten voor Claire over zijn vertrek morgen in plaats van vrijdag. Ze sliep nog toen hij vanochtend het huis uit ging. Of ze lag in de logeerkamer wakker met een kater te wachten tot hij weg was. Dat gedoe met briefjes was zwak en hij had er spijt van nu. Maar ze was, zoals Heather het zou kunnen verwoorden, heel erg pissig op hem en hij had verdere confrontaties willen ontlopen. Niet dat het haar iets zou kunnen schelen, maar in ieder geval had hij zijn bedoelingen in een briefje vastgelegd en dat op het ochtendblad geplakt. Zijn hele huis leek besmet met sporen van wantrouwen en vijandigheid. Zelfs Heather was aan het ontbijt nors en stil geweest en had zich over haar cornflakes en biologieboek gebogen.

'Goedemorgen, met de praktijk van dokter Lieberman.'

'Goedemorgen, Marlene. Met Dan Fielding.'

'Dan? Wat is het probleem?'

'Mijn bloeddruk', zei hij. 'Ik geloof dat mijn bloeddruk huizenhoog is.'

'Heb je aanvallen van duizeligheid?' vroeg ze.

'Nog niet. Maar het voelt alsof de bovenkant van mijn hoofd los zal laten en ik heb hoofdpijn die langs één kant van mijn gezicht omlaag loopt. Ik voel me niet goed. Is er een kans dat ik vandaag bij Janet langs kan komen?'

'Die kans is er toevallig', zei Marlene Glasser. 'We hebben een afzegging voor een afspraak om één uur. Zou je dan kunnen komen?'

'Ja, dat kan. Je bent een engel, Marlene.'

'Je kunt maar beter niet rijden. Laat Claire je brengen of neem een taxi.'

'Dat zal ik doen en bedankt.' Hij beantwoordde een paar e-mailberichten om degenen die meevoelden te bedanken en stelde verzoeken om tijd en ruimte op om de blaffende honden een paar dagen langer voor zijn deur weg te houden. Hij voelde zich al beter. Hij was bezig dingen af te handelen en op de een of andere manier zou hij erdoorheen komen.

Toen hij uit de praktijk van Janet Lieberman in St. Clair Avenue naar buiten kwam, regende het niet meer en er stond een stevige westenwind, die bladeren over straat verstrooide en de lucht reinigde. Met de wind in de rug liep Fielding zuidwaarts over Avenue Road. Hij kon zich dagen als deze herinneren van de middelbare school. Staand aan de zijlijn van een footballwedstrijd samen met zijn vader, kijkend hoe een weggeschopte bal over een enorme afstand hoog door een windvlaag werd meegevoerd, tot verbijstering van de verdedigers die hulpeloos toekeken toen hij achter hen neerkwam of raar uit hun greep weg stuiterde. Als het rust was, waren Fielding en zijn vader de wedstrijd meestal beu en dan reden ze samen naar huis. Fielding stoorde zich nooit aan de stilte tussen hen, de onuitgesproken waardering van een mooie dag met zon en een stevige, verkwikkende wind die de stad zuiverde. Zijn vader was geïnteresseerd in alle soorten weer en als een scheepskapitein tijdens een zeereis sloeg hij acht op mooi en lelijk en noteerde de windrichting en barometerdruk in een zwart boekje, een gewoonte die hij naar zijn zeggen van zijn grootvader had, die op het Engelse platteland had gewoond en voor wie dergelijke informatie meer praktisch nut gehad zou hebben.

Na de dood van zijn vader in 1983, vond Fielding tientallen van die zwarte boekjes in het souterrain, met zorg gedateerd en met een nauwkeurige weergave van de elementaire omstandigheden. *Maandag 13 december 1954. Vijf centimeter sneeuw in één nacht. Temp. om 7 uur: -4°C. Zwakke N.N.W. wind. Bar. stijgend 101.47.* Hij betwijfelde of zijn moeder ooit van deze boekjes had geweten en hij wist zeker dat ze dan laatdunkend zou hebben gesnoven om de verspilling van tijd en moeite die door de jaren heen nodig was geweest om deze waakzaamheid te betrachten. Weer een voorbeeld van menselijke dwaasheid en nog iets aan hem om te kleineren. 'Dat kun je allemaal in de krant lezen of op de radio horen. Wie kan het trouwens schelen? Weer is gewoon weer, Ted. Moet ik vandaag wel of niet een regenjas aan?' De stille voldoening die het hem gaf om de gevarieerde wonderen van het weer, een dagelijks geschenk van God, te noteren zou ze nooit hebben kunnen begrijpen. Zulke overwegingen gingen haar bevattingsvermogen te boven en Ted Fielding zou de eerste zijn geweest om toe te geven dat dit ook prima was; het was nooit de bedoeling geweest dat we in dit leven dezelfde interesses deelden.

Het voelde goed om over Avenue Road te wandelen, te kijken naar de grote, rafelige wolken die voor de wind uit naar het meer toe zeilden en na te denken over zijn vader die nu in zijn graf lag, ver van de opschudding in het leven van zijn zoon.

Janet Lieberman had hem onderzocht, met haar donkere haar vlak bij zijn borst had ze door de stethoscoop naar zijn hartslag geluisterd. Zijn bloeddruk was 160/100. Niet zo krankzinnig als hij had gedacht, maar nog steeds veel te hoog. Ze hield rekening met de spanning waar hij onder stond en gaf hem een recept voor lorazepam 'om je door deze moeilijke tijd heen te helpen'. Het was haar enige verwijzing naar wat er in zijn leven gaande was. Janet was door en door professioneel; ze was al jaren hun huisarts en Claire kende haar van haar schooltijd op St. Hilda. Ze was een paar jaar jonger dan Claire, maar ze hadden samen in het basketbal- en volleybalteam gezeten. Janet zei Fielding nog een afspraak te maken met Marlene.

'Zeg haar maar dat ik je binnen een paar weken nog eens wil zien, Dan. We zullen je eens goed onderzoeken.' Altijd als hij haar praktijk verliet, was hij dankbaar dat deze kalme, gereserveerde vrouw over de gezondheid van zijn gezin waakte.

De wandeling naar huis was heilzaam en hij had een beter gevoel over de hele kwestie tot hij zijn eigen straat in sloeg en de man uit zijn auto zag stappen. Hij was ergens halverwege de dertig met grijze strepen in zijn bruine baard. Een tikje gezet in een slobberige corduroybroek en bomberjack. Met een hand hield hij de schouderriem van een tas vast waar waarschijnlijk een camera in zat. Hij stond op het trottoir en het was onmogelijk om hem te ontwijken. Hij glimlachte aarzelend.

'Meneer Fielding, Jim Foster. Ik ben van de *Sun*. Ik heb geprobeerd u te bereiken. Zou u een paar minuten voor me kunnen uittrekken?' Hij was te zwaar en hij rookte. Fielding kon het ruiken.

'Ik weet dat dit geen goeie tijd voor u is, meneer Fielding, ik heb maar een paar vragen.'

Vragen stellen die mensen niet wilden beantwoorden. In een cafetaria een hamburger eten terwijl hij zijn aantekeningen doorkeek. Zijn mobieltje voortdurend rinkelend. Dan terug naar de redactie om het op de computer in te tikken. Kinderen thuis die hij moest onderhouden. Een vrouw die van hem vervreemd was. Het hing om Foster heen.

'Kunt u me zeggen waar u was en wat u deed toen juffrouw Crowder ontvoerd werd?'

'Ik heb het allemaal uitgelegd aan de politie in Engeland', zei Fielding.

'Ja,' zei Foster, 'u zat in de auto, maar u hebt niet gezien wat er is gebeurd. Hebt u iets gehoord?'

'Ik heb niets gehoord.'

'Wat deden juffrouw Crowder en u in dat afgelegen gebied in het donker?' Alsof hij dat niet al wist.

'Het zal allemaal aan het licht komen tijdens het proces.'

Foster had zijn camera uit de tas gepakt en keek erop neer terwijl hij eraan rommelde. 'Ja, maar dat zal volgens de Engelse krant pas volgend jaar zijn.'

Fielding haalde zijn schouders op. Zijn sympathie voor de man was verdwenen. 'De kwelling van versmade liefde, de trage wet.'

Foster keek op. 'Pardon?'

'Niets. Als u me wilt excuseren, dan zou ik graag naar binnen gaan.'

Foster was achteruit gestapt. 'Oké als ik een paar foto's neem?'

'U hebt mijn foto al. Die stond vandaag op de voorpagina.'

'Nog een paar erbij kan geen kwaad', zei Foster en hij stapte verder naar achteren en zakte door zijn knieën om lukraak te schieten terwijl Fielding de treden van de veranda op liep en de voordeur opende. Door het raam sloeg hij de journalist gade toen die de straat overstak, zijn cameratas dichtdeed en naar zijn auto liep.

Fielding hoorde stemmen in de eetkamer en toen hij zich omdraaide, stond Claire in de gang.

'Ik dacht al dat ik iemand binnen hoorde komen', zei ze, verbaasd om hem te zien. Ze droeg een spijkerbroek en een oud T-shirt met een aankondiging voor de honderdste reünie van St. Hilda. 'Je bent ontzettend vroeg.'

'Ja. Ik heb alleen een paar dingen opgeruimd en vond het toen welletjes voor vandaag. Te veel afleiding. Ik ga hier nog een paar uur werken.'

'Elena is er. En papa', zei ze. 'We hebben laat geluncht.' Ze keek alsof ze betrapt was op iets illegaals. Het was halfvier.

'Ik zal mijn jas ophangen en even gedag zeggen. Ik wil jullie niet in de weg zitten.'

'Je zit niet in de weg', zei Claire snel en een beetje korzelig. Ze stonden nog steeds heel ver van elkaar af, dacht hij. Ze hadden de woorden nog niet gevonden.

Toen hij bij de garderobekast stond, vroeg hij zich af of deze lunch een soort strategievergadering was geweest. Wat ga je nu doen, Claire? Maar dat soort praat zou toch zeker al begonnen zijn zodra ze het wisten. Misschien was het gewoon een lunch. Punt uit. Ze zaten nog om de tafel toen hij zijn entree maakte. Elena Burton, met haar ellebogen op tafel, liet een restje witte wijn in haar glas rond walsen. Ze keek schalks. Elena kleedde zich nooit eenvoudig, zelfs niet voor een informele lunch bij een vriendin thuis. Ze was een schoonheid met kastanjerood haar en in haar broekpak van Holt Renfrew en zijden blouse, grote, gouden oorbellen en hooggehakte schoenen zag ze er in Fieldings ogen uit als een zeer dure courtisane, een bron van ontelbare erotische verrukkingen. Het leek of ze over de rand van haar glas heen tegen hem meesmuilde. De oude uroloog in zijn chique tweed sportjasje en pantalon zat aan het hoofd van de tafel, maar had zijn stoel achteruitgeschoven. Fielding kon de zwarte instappers met kwastjes zien. Door de jaren heen had Fielding zich steeds geërgerd aan die ballerige schoenen van de dokter, hoewel hij niet precies wist waarom. Misschien dat het jeugdige schoeisel een symbool was van 's mans monstrueuze ijdelheid. Hij liep tegen de tachtig, maar met zijn snorretje en zilveren haar, waar prijzige haarstylisten zich wekelijks druk om maakten, zag hij eruit als een versie van het vroegere matinee-idool Cesar Romero. Volgens Claire werd haar vader in zijn koopflat met uitzicht op het meer nog steeds lastiggevallen door weduwes.

Dokter Moffat keek hem fronsend aan, maar Elena stond op, liep om de tafel heen en bood hem op z'n Europees beide wangen aan.

'Dan, we zijn allemaal blij dat je veilig en wel weer thuis bent.' Hij rook het subtiele, dure parfum. In betere tijden zou ze met hem geflirt hebben, hoewel het ook toen altijd een onbestendige irritatie had. Het noemen van een boek of tijdschriftartikel dat ze niet kende of niet had gelezen, kon sarcasme uitlokken, een zinspeling dat de gewichtige redacteur van boeken een beetje opschepte. Elena had geen zelfvertrouwen en was onvoorspelbaar en hij had lang geleden geleerd dat hij behoedzaam met haar moest omgaan. Toen ze pas getrouwd waren, had hij Claire gevraagd hoe het kwam dat haar vriendschap met de wispelturige vrouw had standgehouden – ze waren zo verschillend van aard. Claire had gezegd dat Elena, hoewel ze veel fouten had, loyaal was, op haar eigen manier goedhartig en enorm vermakelijk. Wat kon je van een vriendin nog meer verlangen? En ze had gelijk. Elena was een goede vriendin voor haar.

'Kom,' zei Elena, 'ga zitten en eet iets. Er is helaas niet veel over. Claire heeft een heerlijke lunch voor ons gemaakt en de laatste tijd heb ik honger als een paard. Denkt u niet dat ik een paar pond aangekomen ben, dokter? Eerlijk zeggen, hoor.'

'Het was me niet opgevallen', zei dokter Moffat korzelig. Het klonk allemaal vertrouwd en uit gewoonte keken Fielding en Claire elkaar aan. Vroeger zouden ze een lachje uitgewisseld hebben om Elena's geleuter en de chronische ergernis van de oude dokter. Nu wendden ze enkel snel hun ogen af en Fielding keek uit het raam naar Silas, die op het terras lag te slapen.

'Wil je een glas wijn of koffie?' vroeg Claire.

'Nee, niets voor mij, dank je', zei hij.

'Ga zitten, Dan, in hemelsnaam', zei Elena. 'Ik word er nerveus van als je daar maar blijft staan.'

Er lagen nog drie sandwiches op de schaal en hij werd in de verleiding gebracht om er eentje te pakken, maar besloot het niet te doen. De omstandigheden leken een bepaalde berouwvolle houding van hem te eisen en op een krabsandwich kauwen in bijzijn van hen drieën, zou een ongepaste monterheid kunnen suggereren.

Elena dronk de wijn in haar glas op. 'Je lijkt opgewassen te zijn tegen de media. Dat zal vast niet gemakkelijk zijn.'

'Er zat zowaar een man van de *Sun* in zijn auto hier in de straat op me te wachten. Ik heb hem nog maar net van me afgeschud.'

'Ze laten je niet met rust', zei Claire. 'De telefoon gaat

constant. Ze vallen Heather en haar klasgenootjes op school lastig. Vandaag stond er een vrouw van de *Star* voor de school om vragen te stellen. Heather belde me erover.' Ze keek verongelijkt en zag een tikje bleek in haar spijkerbroek en T-shirt, niet op haar best naast de luisterrijke Elena.

'De *Star*', zei Elena, 'is dol op dit soort verhalen. Particuliere scholen. Adressen in de villawijk. De welgestelden die worden ontmaskerd.'

'Ik ben niet welgesteld', zei Fielding.

Elena glimlachte. 'Nou, je weet wat ik bedoel. Ze denken dat je het bent en dat is genoeg.'

'Wanneer moet je terug naar Engeland voor het proces?' vroeg dokter Moffat abrupt. Voor Fielding klonk de oude man altijd alsof de wereld vol idioten was die hun symptomen niet in tien simpele woorden konden omschrijven.

'Dat weet ik niet', zei Fielding. 'Misschien volgend voorjaar.'

'Verdomme nog aan toe', zei dokter Moffat. 'Ik begrijp niet wat je uitvoerde toen dit allemaal plaatsvond.'

'Papa, alsjeblieft', zei Claire. 'Ik wil hier nu niets over horen.'

Elena raakte over de tafel heen de mouw van de dokter aan. 'Claire heeft gelijk, dokter Moffat. Er is nog tijd genoeg om erover na te denken.'

Ze hoorden nu Heather door de voordeur komen en roepen: 'Ik ben het.'

'Lieve deugd', zei Elena. 'Ik had allang weg moeten zijn.' Ze stond op en omhelsde Claire. 'Bedankt voor de heerlijke lunch, lieverd. Kan ik u een lift geven, dokter?'

'Ik ga een stukje lopen', zei dokter Moffat. 'Het is mooi weer nu. Ik zal naar Spadina Avenue lopen en daar de metro nemen.'

Silas stond bij de terrasdeur te blaffen om binnengelaten te worden. Hij had Heather gesignaleerd in de deuropening van de eetkamer.

'Hallo, allemaal', zei ze.

'Hallo, schat', zei Elena en ze omhelsde haar. 'Hoe gaat het op school?'

Heather keek naar Fielding. 'Goed, hoor. Druk, druk, druk.'

'Hoe ging het proefwerk?' vroeg Claire.

'Ik denk dat ik het niet slecht heb gemaakt.'

'Je moet het beter doen dan niet slecht, jongedame', zei de oude dokter ernstig. Hij fronste weer zijn wenkbrauwen.

'Dat weet ik wel, opa', zei ze.

'Ik hoorde van je moeder dat jullie gisteren van Havergal verloren hebben', zei Elena. 'Hoe kan dat nou? Vroeger wonnen wij altijd van hen.'

Fielding zat aan tafel te luisteren naar Heather, die uitvoerig verslag deed van de wedstrijd van gisteren, dat het maar een haartje had gescheeld, het doelpunt in de laatste minuut, de slordigheid van de keepster. Hij was dankbaar voor die geruststellende details van het gewone bestaan. Biologieproefwerken en hockeywedstrijden waren een welkome onderbreking van het duistere melodrama dat zijn leven de afgelopen dagen had overgenomen. De anderen waren naar de voordeur gelopen en de hond blafte van opwinding om het gezelschap in de gang. Met een half opgegeten sandwich in zijn mond pakte Fielding een paar schalen, bracht ze naar de keuken en voelde zich bijna weer thuis.

Toen Heather de keuken in kwam, zei ze: 'Ik wil een knuffel.'

'Ik ook', zei Fielding en hij hield haar vast. 'Bedankt voor je boodschap vanochtend. Daar kikkerde ik van op.'

'O, dat.' Ze leek zich bijna te generen nu, alsof het maar een onnozel telefoontje was, de gril van een klein meisje. 'Ik ben blij dat je thuis bent, papa.' De hond was haar achternagekomen en ging op de vloer liggen. 'Mama zegt dat je morgen weer weggaat. Naar dat stadje.'

'Ja, Bayport.'

'Ik dacht dat de begrafenis op vrijdag was.'

'Dat is ook zo,' zei hij, 'maar ik neem een vriendin van de familie mee. Ze woont in New York en kan niet rijden. Ze was goed bevriend met Denise.' Snel zei hij erachteraan: 'Met juffrouw Crowder. Ze hebben samengewerkt in New York. Bovendien wil ze wat meer tijd doorbrengen met de familie van juffrouw Crowder. Ik vind dat ik moet doen wat ik kan om te helpen. Vrijdagavond ben ik weer terug.'

'Ik wed dat die tv-lui er ook zullen zijn.' Ze klampte zich nog steeds aan hem vast en praatte tegen zijn borst.

'O, dat zal ongetwijfeld.'

'Pardon', zei Claire en ze gingen opzij. Ze had de rest van de borden in haar handen en porde de hond met haar voet. 'Verdorie, Silas, ga eens uit de weg.' De hond krabbelde overeind en liep meteen snel door naar de gang.

'Hoe vaak heb ik je niet gezegd dat ik hem niet in de keuken wil hebben, Heather', zei Claire en ze zette de schoteltjes, borden en kopjes in de rekken van de vaatwasser.

Heather keek berouwvol. 'Sorry, mam.'

Fielding stelde zich hun maaltijd van die avond voor. Op haar ernstige, behulpzame wijze zou Heather de stiltes trachten te vullen met geklets over school en vriendinnen. Maar het zou een hele klus zijn, want de sfeer was beladen met over en weer beschuldigende gedachten, gevoelens van verraad en schuld. In de gespannen stilte zouden ze alle drie luisteren naar het schrapen van vorken en messen op de borden, hun kauwende monden en slikkende kelen.

Hij bedacht dat Claire zich tekortgedaan voelde, maar dat ze ook vernederd was. Een ontrouwe echtgenoot hebben was één ding, maar dat dit feit werd uitgezonden op het avondjournaal en dat erover werd geschreven in de ochtendkrant was iets heel anders. Ze was trots en dit was een verschrikkelijke krenking. Het zou tijd vergen en toen hij naar haar keek terwijl ze de vaat in de machine stapelde, vroeg hij zich af of de lucht ooit helemaal zou opklaren of dat de voorbije week hun huwelijk zo verminkt had, dat het midden van oktober altijd beschouwd zou worden als een periode waar ze doorheen moesten zien te komen. Een afschuwelijke gedenkdag als een zwaar auto-ongeluk dat je overleeft maar nooit vergeet, iets wat achtergehouden wordt misschien en waar je vervolgens jaren later mee op de proppen komt om een argument kracht bij te zetten. Zou hij zich als oude man nog steeds moeten verontschuldigen? Zouden ze dan nog samen zijn? Of wat dat betreft, volgend jaar om deze tijd?

In zekere zin was ze ook behoorlijk in het nadeel. De moord op Denise had Claires eigen gevoel van verraad in de schaduw gesteld. De volle omvang van haar verontwaardiging was haar ontzegd door de dood van de 'andere vrouw'. Klagen over de ontrouw van haar man zou door sommigen als enkel kleingeestig gezien kunnen worden. Een jonge vrouw had per slot van rekening haar leven verloren. Wat stelde die korte verhouding van haar man nu voor vergeleken bij dat verschrikkelijke feit? Zet je eroverheen, Claire. Dat was een manier om ertegenaan te kijken, maar hij wist dat het niet die van Claire was. Met haar lange rug naar hem toe gekeerd draaide ze aan de knoppen van de vaatwasser en toen ze zich bukte, kon hij de knobbels van haar ruggengraat door het oude T-shirt heen zien. Op een andere dag zou hij zijn armen om haar heen geslagen hebben, haar nek en haar hebben geroken en haar lachend hebben horen zeggen dat hij zijn handen thuis moest houden. Nu zou zo'n gebaar alleen maar geforceerd en gênant zijn. Voor zoiets was ze nog niet klaar en hijzelf misschien evenmin. Alles was nog ongezegd, onverklaard en onvergeven. Er zouden woorden aan te pas moeten komen en tot nu toe was daar nog geen opening voor. Fielding keek naar zijn dochter die bij de koelkast stond en een glas melk inschonk. Ze leek afwezig en een beetje chagrijnig.

'Ik heb een idee', zei hij.

Claire draaide zich naar hem om en leunde tegen de vaatwasser. Heather sloeg hen beiden over de rand van haar glas heen gade. Hij had nagedacht over de volgende maaltijd en hoe die pijnlijke situatie vanavond omzeild kon worden, ze konden in plaats ervan naar een eettent gaan waar ze pizza en chauffeurscaféspaghetti serveerden. Een gelegenheid waar het makkelijk was om niet te praten en je toch op je gemak te voelen. Het was er voornamelijk gericht op jongeren, maar de verlichting en de muziek, het geroezemoes van anderen die aten, praatten en lachten zou voor hen drieën een afleiding kunnen zijn.

'Hebben jullie zin in pizza vanavond? We zouden naar die tent bij Bloor Street en Spadina Avenue kunnen lopen. Het is maar een idee.'

'Goed idee, pap', zei Heather. 'Laten we dat doen.' Ze keek haar moeder aan.

'Ik moet eerst nog wat werken', zei hij. 'Zullen we om halfzeven gaan dan?'

Hij keek Claire ook aan, die haar schouders ophaalde.

'Als je wilt.'

Drie

Sandra Levine praatte over sigaretten en hoezeer ze die de afgelopen tienenhalve maand had gemist. In haar handtas zat een pakje Winstons en voordat de dag om was, zou ze weer roken. Ze vertelde Fielding dat ze zich zowel verheugde op dit vooruitzicht als er doodsbang voor was. Ze lieten de luchthaven en Toronto in het heldere weer achter zich en reden in westelijke richting over Highway 401 in Fieldings zes jaar oude Honda Accord. Toen hij op de luchthaven op haar had staan wachten had hij haar meteen tussen de andere reizigers, die door de deuren naar de aankomsthal stroomden, uit gehaald. Sandra Levine was een tamelijk opvallende verschijning in haar lange broek, rood met zwarte, wollen poncho en breedgerande, donkere hoed. Zoals beloofd had ze een exemplaar van *Daisy Miller* in haar hand. Ze was een gedrongen vrouw van begin vijftig en had Fielding krachtig de hand geschud.

'Dan, wat fijn dat je me af kon halen. Noem me alsjeblieft Sandy.'

Ze hadden over gemeenschappelijke kennissen in de New Yorkse uitgeverswereld gesproken toen ze naar zijn auto liepen. Het was gemakkelijk om met haar te praten en ze gaf hem de feiten over haar vijfentwintig jaar in de zaak, haar gelukkige, maar kinderloze huwelijk met Hiram Levine, die psychologie doceerde aan Columbia University. Ze was beminnelijk, grappig en scherpzinnig, een vrouw die goed in haar vel zat. Fielding kon begrijpen waarom Denise zich tot haar aangetrokken voelde.

'Toen ik Lucille op maandag sprak,' legde Sandy uit, 'was het eerste wat ze zei: "Sandy, ik rook weer." Meteen toen ze het over Denise had gehoord, is ze een pakje sigaretten gaan kopen. Maar aan de telefoon vertelde ze me hoe erg ze het vond om Denise teleur te stellen. Vorige zomer, toen Denise en ik daar waren, hebben we Lucille overgehaald om te stoppen. O, ik was zo fanatiek toen, en Denise zat haar moeder op haar nek om te stoppen. "Toe nou, mam, het zal goed voor je zijn", zei ze steeds. Dus deden we de hele week ons best en uiteindelijk besloot ze te stoppen na, ik weet niet hoe lang, vijfendertig, veertig jaar. De dag dat we vertrokken, zei ze dat ze haar laatste sigaret had gerookt. En weet je? Tot afgelopen zondag was het haar gelukt. Aan de telefoon zei ze steeds: "En ik had het Dee beloofd. Ik had het haar beloofd." Verliest haar dochter op die manier en voelt zich dan rot omdat ze haar belofte om niet meer te roken heeft verbroken. Toen ik Hiram erover vertelde, zei hij dat mensen allerlei irrationele dingen zeggen als ze in een shock verkeren.'

Ze keek uit het raampje. 'Die beroerde gewoontes van ons. Hiram zal het aan me ruiken. Hij zal me eindeloos aan mijn kop zeuren. En hij heeft me nog gewaarschuwd. "Koop nou wat van die speciale kauwgom voordat je gaat," zei hij, "want je komt zeker in de verleiding." Dat waren zijn woorden. Dus wat was het eerste wat ik deed toen ik op LaGuardia aankwam? Een pakje Winstons kopen.'

De weg zat vol vrachtwagens die langs hen denderden op weg naar Windsor en de Amerikaanse grens. Het was halftien op donderdagochtend en een week geleden, bijna op het uur af, had de dag in de tentoonstellingshal er voor Denise en hem opgezeten en waren ze door de drukke straten, langs enorme gebouwen van staal en glas, terug naar het hotel gewandeld. Hij hield niet zo van Frankfurt. Had hij nooit gedaan. De stad had zo'n meedogenloos Teutoonse ernst, een grijze plaats van pakken en eurodollars. 's Avonds, als de lichten aan waren, beviel het hem beter. Maar vorige donderdag, toen ze terugliepen naar het InterContinental Hotel, verheugde hij zich op het avondeten en nog een nacht in bed. Hij herinnerde zich hoe gelukkig hij zich had gevoeld, maar ook het lichte onbehagen dat eromheen had gehangen, als het vuiltje in het oog tijdens een picknick.

'En jij, Dan?' vroeg Sandy. 'Hoe verwerk jij dit allemaal? Het moet een afgrijselijke schok voor je zijn geweest.'

Fielding nam de tijd voor zijn antwoord, want hij dacht er al de hele week over na en was nog steeds niet zeker van zijn gevoelens. 'Ik weet niet goed hoe ik het uit moet leggen', zei hij. 'Ze zeggen dat wanneer je zoiets, zoiets afgrijselijks in je leven meemaakt het net is of het niet echt gebeurt. Alles vindt plaats in een soort droomtoestand. Dat hoor je steeds, maar zo heb ik het niet ervaren. Voor mij was het allemaal heel reëel. Dit gebeurt, zei ik tegen mezelf. Zulke dingen overkomen mensen iedere dag. Waarom ons niet? En nu zit ik er middenin. Natuurlijk kun je het op het moment zelf niet analyseren. Het gebeurt gewoon. Je bent kapot. Je ziet je hele leven in duigen vallen. Je zegt tegen jezelf: mijn leven zal nooit meer hetzelfde zijn. En dat is waar. Het zal nooit meer hetzelfde zijn.'

Sandy Levine staarde uit het raampje naar de bruine velden. 'Mag ik je eens vragen,' zei ze, 'was het jou en Denise ernst? Was dit al een poos aan de gang tussen jullie?'

'Nou, nee', zei hij. 'Helemaal niet. In feite verbaasde het me hoe snel het ging.'

'Ze sprak heel vaak over jou. Volgens mij was ze een beetje verkikkerd op je. Wordt dat woord nog gebruikt, ''verkikkerd''? God, soms voel ik me zo ouderwets.' Ze keek hem aan. 'Hoe dan ook, volgens mij was ze dat. Als we met elkaar belden, noemde ze jouw naam altijd. Toen ze afgelopen juni voor jullie bedrijf ging werken, had ze het steeds over ene Dan Fielding. Denise had wat met oudere mannen.' Niet altijd, dacht Fielding, en hij dacht terug aan de avond dat hij haar over de kleine tatoeage op haar schouderblad had gevraagd en ze hem over de jonge acteur had verteld, die ze had ontmoet toen ze pas in New York was.

'Een vergissing', had ze gezegd. 'Zowel de vent als de tatoeage. Een idiote vergissing. Hij heeft me overgehaald om hem te laten zetten. Hij had er een aantal op verschillende plekken. Ik dacht toen dat het wel cool was. Een paar maanden daarna was hij uit mijn leven verdwenen en dat was maar goed ook. Ik hoorde van iemand dat hij naar Californië was gegaan en in pornofilms meedeed. Hij had er zeker de uitrusting voor.' En toen had ze gelachen. Ze had in haar Yankees T-shirt met gekruiste benen op bed gezeten. 'Goh, Daniel, volgens mij ben je geschokt. Je bloost zowaar.'

'Ze verheugde zich erop om met jou naar Frankfurt te gaan', zei Sandy Levine. 'We hebben elkaar aan de telefoon gesproken de dag voordat jullie vertrokken.'

Fielding vroeg hoe Denise was toen ze pas in New York was. Het was of hij zich een beeld wilde vormen van een jonge vrouw met kort, donker haar, die door straten en avenues liep en bleef staan voor etalages, zenuwachtig maar ook opgewonden door de herrie en hectische energie van de grote stad.

'Ik herinner me de dag, zes jaar geleden, dat ze op sollicitatiegesprek kwam. Ze had heel goede referenties van de uitgever in Toronto en ik weet niet waarom, maar ik verwachtte een groot, krachtig iemand en toen kwam Denise binnen. Het regende en ze was doorweekt, haar haar was kletsnat. Ze leek ongeveer twaalf. Maar ze was zo gretig en enthousiast. Je moest haar wel aardig vinden, maar tegelijkertijd maakte ze ook indruk. Ze luisterde nauwkeurig naar alles wat je zei. Ze nam het allemaal op. Dat kunnen maar heel weinig mensen. Goed luisteren. Ik weet nog dat ik die eerste dag dacht: dit is een heel pientere jongedame. En natuurlijk was ze ook lief en aantrekkelijk. Iedereen mocht Denise. Nou ja, dat is waarschijnlijk niet waar. Sommigen waren jaloers op haar. Dat heb je als je slim en knap bent. Maar ze werkte ook heel hard. Hiram gaf vaak nog laat op de middag college, dan werkte ik door tot halfzeven of zeven uur en ontmoette hem ergens in een restaurant, maar Denise zat dan meestal nog achter haar bureau. Ik zei vaak: "Oké, meid, we zijn allemaal onder de indruk, waarom ga je niet ergens heen waar het gezellig is?" Maar je kon haar zelfvertrouwen met de week zien groeien. Ze was belezen en had een schrander oordeel over boeken. En ze bleef overeind op literaire feestjes. Ze had iets sexy Frans over zich. Denise was natuurlijk half Frans. Haar moeder is Frans-Canadees.'

Sandy Levine keek weer uit het zijraampje. 'Ze was een frisse wind in ons midden. Beter kan ik het niet verwoorden, denk ik', zei ze en ze keek Fielding aan. 'We zijn goede vrienden geworden. Zo nu en dan bracht ze een weekend bij ons door. Hiram was ook erg op haar gesteld. Hij stelde haar voor aan een paar gescheiden collega's. Ik had geen hoge dunk van zijn koppelarij, hoewel Hiram zijn hart altijd op de juiste plaats heeft. Hoe dan ook, ze is met een paar van die zielenpoten uit geweest, maar er is niets van gekomen. Een tijd lang had ze iets met een jonge romanschrijver en toen was er een acteur. Dat, zo heb ik begrepen, was een compleet fiasco. Toen kreeg ze na een aantal jaren heimwee. Ik kon het merken. En toen ze dertig werd, tja... dat was een belangrijke verjaardag voor haar. We zijn uit eten gegaan en ze raakte een beetje boven haar theewater. Ze zei dat ze overwoog terug naar Canada te gaan. Om dichter in de buurt van haar moeder te zijn. Ze wachtte enkel tot de juiste gelegenheid zich voordeed en toen ze over die baan bij jullie bedrijf hoorde, was ze daar heel erg op gespitst. Het leek precies wat ze zocht. Ik weet nog dat ze terug kwam uit Toronto, zo opgewonden en blij. "Volgens mij zagen ze me wel zitten, Sandy", zei ze. "Ik heb een goed gesprek gehad met de baas." Maar ze was een beetje ongerust over jou. Ze voelde aan dat je niet bepaald overdonderd was. Maar ze had een goed gevoel bij Seymour Hollis en zoals ze zei: "Die is de baas."'

Denise had gelijk gehad, dacht Fielding. Hij was niet zo onder de indruk geweest als Sy Hollis of Linda McNulty. Denise Crowder was een tikje overmoedig, vond hij. Haar houding had ook iets vaag neerbuigends. Alsof ze iets te veel van New York had overgenomen. Er waren nog twee kandidaten geweest, een vrouw van Denises leeftijd die voor een concurrerend bedrijf werkte, en een man, een paar jaar ouder, afkomstig van een kleine uitgeverij in British Columbia, die verscheidene veelbelovende, jonge schrijvers had uitgegeven. Na afloop van de gesprekken ging Fieldings voorkeur uit naar de man uit Vancouver; Denise gaf hij een goede tweede plaats. Uiteraard was dat niet hoe Sy Hollis het zag, en Fielding besefte dat al toen ze Denise mee uit lunchen namen naar Le Bistro in Bay Street. Toen Denise naar het toilet was, zei Sy: 'Die is het, Dan. Geweldig enthousiast en ze weet waar ze het over heeft. Ik denk dat de jongere schrijvers dol op haar zullen zijn. Dat denkt Linda ook.'

Om eerlijk te zijn hadden ze waarschijnlijk gelijk. Wat mensen betrof, had Sy een goed instinct. Dat was een van zijn sterke punten. En de man uit B.C. mocht dan wel een indrukwekkende staat van dienst hebben, hij was ook een tikkeltje te intens. Met zijn Hush Puppies en corduroybroek, zijn bril en verstandige hoge voorhoofd, straalde hij iets van de Westkustideoloog uit. In ieder geval wist Fielding dat hij met de beslissing kon leven, wat Sy's motieven ook geweest mochten zijn. Het zou een van die dagen geweest kunnen zijn dat het hem ten dele niet meer kon schelen. Een waarschuwing dat het tijd was om op te stappen. Een dag om zichzelf op dat balkon in Siena te zien.

Fielding en Sandy reden nu door Stratford, waar in de brede hoofdstraat middelbareschoolleerlingen uit een bus dromden, de meisjes in groepjes opgewonden kwebbelend op het trottoir, de jongens al stoeiend voor een etalageruit, terwijl twee gekweld kijkende docenten zich aan de rand van de groep druk maakten.

'Die gaan na de middagpauze waarschijnlijk naar een matinee', zei Fielding. 'Je moet wel medelijden hebben met de ouderen die er tegelijk met hen naartoe gaan.' En er waren volop oudere mensen op straat, etalages kijkend of genietend van het stralende najaarszonnetje. Sandy vertelde van een dag in augustus toen zij en Denise vanuit Bayport naar een uitvoering van *All's Well That Ends Well* waren gereden.

'Ik stond versteld', zei ze. 'We hebben tegenwoordig niet veel Shakespeare in New York. In ieder geval niet *All's Well That Ends Well.*'

In een dorp aan Highway 8 stopten ze om in een restaurant aan de hoofdweg te lunchen. De plaatselijke bewoners keken beschroomd naar hen op en vervolgden toen hun gesprek. Fielding en Sandy gingen achterin in een box zitten. Roy Orbison zong over gemiste kansen in het leven en de sigarettenrook was te snijden.

'Ik voel dat ik zwakker word, Dan', zei Sandy. 'Vind je het erg als ik er eentje opsteek?'

'Ga je gang.'

'Ik weet dat ik het niet zou moeten doen, maar misschien dat Lucille zich beter voelt als ze ziet dat ik meedoe. Wat vind je van die rationalisering van het besluit om een slechte gewoonte te hervatten?'

'Even goed als iedere andere', zei Fielding.

'God sta me bij', zei ze toen ze een Winston opstak. Even keek ze verdwaasd. 'Ik ben hartstikke duizelig', zei ze. 'Net als bij mijn eerste veertig jaar geleden. Een Lucky Strike zonder filter. Die waren pas echt dodelijk.'

De serveerster, een oudere vrouw, zette twee glazen water neer. 'Wat mag het zijn, mensen?' Ze kozen voor de dagschotel – groentesoep en kipsalade op bruin brood. Koffie.

Sandy was nu gewend aan haar Winston en ze genoot ervan.

'En jij, Dan? Heb jij ooit gerookt?'

'Ja, jaren geleden toen iedereen scheen te roken. Maar ik was niet iemand die vastzat aan de gewoonte. Ik kon ophouden wanneer ik wilde. Ik heb zelfs een poosje pijp gerookt. Het is gek, maar Denise zei een keer...' Hij zweeg. Ze hadden in bed gelegen toen ze het zei, maar het had geen zin om dat erbij te vermelden.

'We hadden het erover hoe iedereen rookte, vroeger toen ze nog klein was, haar vader en moeder, iedereen z'n ouders. Zo leek het tenminste. En ze zei: "Ik wed dat jij ook pijp rookte. Ik zie je gewoon voor me met een pijp. Zo opgeblazen als wat." En ze had gelijk. Ik was een vreselijk opgeblazen jongeman toen ik bij de uitgeverij begon. Toen ontmoette ik een vrouw die me daarvan genas.'

'Je vrouw?' vroeg Sandy.

'Nee. Het was een vrouw met wie ik samenwerkte, maar ze is bij de uitgeverij weggegaan om literair agente te worden. We hebben ongeveer acht jaar samengewoond, maar we zijn nooit getrouwd. Daarna heb ik mijn vrouw leren kennen.'

'Kinderen?'

'Ja, een dochter. Ze is vijftien.'

'Leuk.'

Het was een naargeestige missie, dit bezoek aan het stadje

167

waar Denise was opgegroeid en waar haar treurende moeder nu op hen wachtte. Toch, toen ze in dat dorpsrestaurant zaten, omgeven door de geuren van gebraden vlees en sigarettenrook, met Roy Orbison op het plaatselijke radiostation, voelde Fielding zich heel even eigenaardig opgetogen. Op die donderdag, rond het middaguur, leek het allemaal helder en ongewoon waardevol om hier tussen deze mensen te zitten. Hele gezinnen, van baby's in de armen van hun tienermoeders tot magere grootvaders en hun gezette echtgenotes. Pratend over de angst voor kanker en dat ze bijna de loterij hadden gewonnen, hoe achterlijk de maatschappelijk werkers en bijstandsambtenaren waren, hoe onredelijk de huisbazen, hoe verschrikkelijk onrechtvaardig de dingen in het algemeen.

Een uur later, een paar kilometer ten zuiden van Bayport, werden ze gepasseerd door een pick-up met een vrouw van Denises leeftijd achter het stuur, een blonde paardenstaart stak achter door haar pet, een arm hing uit het open raampje. Een meisje van buiten, zo te zien. Misschien had ze op dezelfde middelbare school als Denise gezeten en was ze nu getrouwd met haar jeugdliefde. Had ze twee of drie kinderen. Speelde ze softbal op zomeravonden en deed ze 's winters aan curling. Zo nu en dan een biertje en een schuine mop vond ze best leuk. Geen slecht leven en als de boeken er niet waren geweest, had het Denises leven kunnen zijn.

Hij dacht aan haar als jong meisje, toen ze op vrijdagavond met een vriendje over deze wegen had gereden, in de grote, zware Pontiac van zijn vader, met een ander stelletje vrijend op de achterbank. De jongens met hun gesnoef en geilheid. Pakje sigaretten in de opgerolde mouw van hun T-shirt. Een dj leuterend op de radio. Een krat bier in de kofferbak. Ze zou over deze landwegen zijn gereden, langs bosschages en leegstaande boerderijen naar de grindgroeve, waar andere auto's hun lampen al hadden gedoofd en rockmuziek uit een gettoblaster schetterde. Af en toe gingen er koplampen aan en uit om aan te geven dat iemand een nummertje had gemaakt. Hier liet ze jongens tot zover gaan, rookte ze een joint mee en beantwoordde hun natte zoenen, voelde hun gewicht op zich, maar was steevast voorzichtig met wie een hand waar mocht leggen. Een slimme meid, die al verder keek dan die vrijdagavonden. Die misschien zelfs liever thuis zou zitten lezen, Fitzgerald of Hemingway, maar die te aantrekkelijk was, te verlangend naar ervaring om dit allemaal te laten schieten, want ook dit was het leven en het mocht niet gemist worden. En altijd, in haar hersens geprent, de zes woorden die naar de vrijheid leidden. *Zorg dat je niet zwanger wordt.* En eigenlijk was het niet eens zo lang geleden, dacht Fielding. Maar vijftien of zestien jaar. Rond de tijd dat Heather was geboren.

De lucht was betrokken en het was nu een donkere herfstdag toen ze benzinestations, snackbars en de grote warenhuizen aan de rand van de stad passeerden. Sandy en hij hadden een aantal minuten niets gezegd, hij nam aan dat ze allebei verzonken waren in hun herinneringen aan Denise. Ten slotte vroeg Sandy: 'Waar logeer jij?'

Het was raar, maar daar had hij tot dusver niet aan gedacht.

'Nou, dat weet ik eigenlijk niet', zei hij. 'Ik zal wel een motel moeten zoeken. Een eindje terug heb ik er een paar gezien. Die zagen er redelijk uit. Ik denk niet dat het er in deze tijd van het jaar druk zal zijn. En het is nog vroeg. Ik vind wel iets.'

'Ik denk', zei Sandy, 'dat ik vanavond naar het uitvaartcentrum ga, in plaats van vanmiddag.'

'Ja,' zei hij, 'dat heb ik ook gedacht.'

In de hoofdstraat waren pizzarestaurants en makelaarskantoren, winkels met eenheidsprijzen en kredietbanken. Weer een stadje waarvan het zakencentrum kapotgemaakt was door het winkelcentrum in de buitenwijk. Alleen bejaarden, armen en mensen zonder auto deden nu nog boodschappen in de stad.

'Volgens mij', zei Sandy, 'moeten we bij het volgende stoplicht afslaan. Het spijt me, ik kan me de straat niet herinneren, maar hun huis is vlak bij het meer. Een mooi huis. Denises vader heeft het gekocht toen hij nog op de boten werkte. Hij was machinist of zoiets en voordat ze kinderen had, heeft Lucille als kokkin gewerkt. Ik weet niet of je dat wist. Zo heeft ze haar man leren kennen.'

Bij het stoplicht draaide Fielding een brede, prettige straat in, met bomen en oudere huizen van gele baksteen. De weg en het trottoir waren bezaaid met bladeren van grote eiken en ahorns.

'We komen in de buurt', zei Sandy. 'Dit komt me bekend voor. God, ik kan zo slecht de weg wijzen. Het is nog een paar straten verder, dan rechts en dan links. Het is de laatste straat voor het meer.' Ze kwamen langs een school en zagen een jonge vrouw post bezorgen. Toen hij de laatste hoek omsloeg, zei ze: 'Ja, daar is het. Dat huis rechts, met die gele kunststofgevel.' Fielding draaide de oprit op en parkeerde voor een aangebouwde garage. Ze stapten uit en toen hij Sandy's koffer naar de voordeur droeg, voelde hij zich vreemd, een soort indringer, als een man die per slot van rekening gedeeltelijk verantwoordelijk is voor deze tragedie, maar die nu toch de rouwenden bezoekt. Hij kon begrijpen dat veel mensen er zo tegenaan zouden kijken.

Sandy belde aan en even later werd de deur geopend door een grote vrouw met een breed gezicht, gekleed in een lange broek en een sweater. Ze was ergens in de vijftig en zo te zien niet iemand die over zich heen liet lopen. Ze fronste vragend haar wenkbrauwen, maar toen ze de koffer zag, lachte ze naar Sandy.

'Jij was verleden zomer hier met Denise. Jij bent Sandy.'

'Dat klopt.'

'Ik had je eerst niet herkend.'

'Het zou door de hoed kunnen komen', zei Sandy en ze zette de sombrero af en schudde haar korte, bruine haar.

'Nou weet ik het weer', zei de vrouw. 'De vriendin van Denise uit New York.'

Van ergens in het huis hoorden ze een stem. 'Wie is het, Del? Is het Sandy?'

De vrouw draaide zich om en riep naar boven: 'Ja, Lu. Het is Sandy.'

'Zeg maar dat ik er zo aan kom.'

Del draaide zich weer naar hen om en zei: 'Kom binnen. Kom binnen.'

'Del,' zei Sandy, 'dit is Dan Fielding. Ook een vriend van Denise.' De blik van de grote vrouw was ingehouden toen ze zijn hand schudde. Het leed geen twijfel dat ze over hem had gehoord. Dat was duidelijk.

'Prettig kennis te maken', zei ze.

Ze volgden haar door de gang de woonkamer in. 'Lucille is zich aan het verkleden', zei Del. 'Ze gaat zo meteen naar het uitvaartcentrum. Ray komt haar ophalen. Hij zal er zo wel zijn. Ga zitten.'

Ze liet zich in een stoel zakken naast de bank waarop Sandy en Fielding nu zaten. Boven hun hoofd konden ze Lucille Crowders voetstappen horen; het leek of zich van de ene kamer naar de andere haastte. Het huis rook naar gebraden vlees en sigaretten.

'Jullie zijn dus nu uit Toronto gekomen', zei Del. Ze had het zich gemakkelijk gemaakt in een grote stoel, die ze helemaal vulde.

'Ja', zei Fielding.

'Was het druk onderweg?'

'Niet erg', zei hij.

Het kostte de vrouw grote moeite hem recht aan te kijken, hoewel hij zag dat ze dat wel wilde. In plaats daarvan verkoos ze een punt tussen hem en Sandy in en terwijl ze sprak, staarde ze uit het voorraam.

'Dat zal ook wel niet nu', zei ze. 'In de zomer zitten de wegen vanuit het zuiden tjokvol. Ik heb een dochter die in Toronto woont en zij vindt het vreselijk om 's zomers hiernaartoe te rijden. 't Is zelfs zo erg dat Jack het helemaal niet meer wil. Te veel gedoe, zegt hij. Hij blijft liever gewoon thuis. Als Jeannie hier wil komen, dan moet ze maar in haar eentje gaan.' Haar gezicht betrok plotseling alsof haar een familieruzie over dit onderwerp te binnen schoot. Ze luisterden alle drie naar de planken die kraakten onder het gewicht van Lucille Crowders voetstappen. Tegenover Fielding lag de eetkamer, waarin een tafel stond met een schaal kunstbloemen. Het raam erachter keek uit over de achtertuin. Denise, bedacht hij, zou aan die tafel haar huiswerk gemaakt kunnen hebben, met haar voeten om de poten van haar stoel gekruld.

Plotseling zei Del: 'Nou, we zijn allemaal geschokt door wat er is gebeurd.' Ze stokte, alsof ze zich afvroeg of zo'n voor de hand liggende uitspraak wel recht deed aan de gruwelijkheid van het gebeurde. 'Het is gewoon zo moeilijk te geloven', vervolgde ze. 'Arme Denise. Goh, ik kende haar al bijna twintig jaar. Bert en ik zijn twintig jaar geleden hiertegenover komen wonen. Denise was toen nog maar een kind. Misschien tien of elf. Ze speelde vroeger met onze Jeannie. Een tijd lang waren ze dikke vriendinnen, maar op de middelbare school zijn ze ieder een eigen kant op gegaan. Ze maakten andere vrienden, zoals dat gaat bij jonge mensen. Jeannie was van plan om morgen naar de begrafenis te komen, maar ze moest naar het ziekenhuis voor een operatie aan haar knie. Zo gaat het nou altijd, hè? Maar je moet gaan als ze het zeggen, anders kom je weer onder aan de wachtlijst te staan. Ze staat er al maanden op. Het is gewoon pech dat het nu zo loopt. Jeannie was er kapot van toen ik haar belde en het vertelde van Denise. En toen heeft ze het op de tv gezien.'

Ze verzonk weer in stilzwijgen en ze hoorden voetstappen op de trap. Even later kwam Lucille Crowder de woonkamer in met een jas, die ze over een stoel gooide. Dit, dacht Fielding, was Denise zoals ze er over vijfentwintig jaar zou hebben uitgezien, een kleine vrouw met een goed figuur, donker haar met grijze strepen. Nog steeds aantrekkelijk. In de ronding van de kaak, de welving van haar wang, de donkere ogen was Lucille Crowder eenvoudigweg precies een oudere Denise. Ze glimlachte vermoeid, maar Sandy was al opgestaan om haar te omhelzen, een brede, kleurrijke gedaante in haar zwart met rode kledij die Lucille Crowder in haar armen sloot.

'Ik ga over een paar minuten naar haar toe, Sandy', zei Lucille, terwijl ze een verfrommeld papieren zakdoekje tegen haar gezicht drukte. 'Mijn god,' zei ze, 'nou, moet ik weer naar boven om die verdraaide ogen bij te werken.'

'Dat hoeft niet. Je ziet er goed uit, Lucille', zei Sandy. Over Sandy's schouder heen keek Lucille Crowder naar Fielding.

'Jij moet Dan zijn.'

Hij was opgestaan toen ze de kamer binnen gekomen was en nu liep hij naar haar toe en schudde haar de hand.

'Denise sloeg je heel hoog aan, Dan', zei ze.

Del was ook een beetje moeizaam uit haar stoel gekomen en liep nu langzaam naar de keuken. Lucille Crowder bleef haar neus deppen met het zakdoekje.

'Del is zo fantastisch geweest. Ze zal vanavond voor ons

koken. Hebben jullie al iets gegeten?'

'We hebben onderweg gegeten', zei Sandy. 'In een restaurantje langs de weg. We hebben geen honger.'

'O, die restaurantjes langs de weg', zei Lucille en ze lachte schril, bijna onaangenaam.

In Fieldings oren klonk ze precies hetzelfde als Denise.

'Jullie zullen straks wel iets in jullie maag moeten hebben. Dat is nou jammer. We hadden hier een sandwich voor jullie kunnen maken. Del had wel iets klaargemaakt. Ze zorgt al de hele week voor me.' Lucille Crowder ging tegenover hen op het puntje van de grote stoel zitten. 'Echt waar, ik heb helemaal niets uitgevoerd. Alleen maar op die bank gezeten en uit het raam gekeken en gerookt. Ik ben niets waard. Ik zat daar alleen maar, staarde uit het raam of keek tv. Maar als je het vroeg, zou ik je niet kunnen vertellen wat ik heb gezien.'

Sandy gaf haar een klopje op haar knie. 'Lucille, lieve deugd. Je hebt het recht je zo te voelen.'

'Ik kan je wel vertellen', zei Lucille, 'dat ik blij zal zijn als ik deze week door ben. Die krantenlui uit Toronto zijn zo vervelend geweest. Ik weet wel dat het gewoon hun werk is, maar mijn god, ze bellen je dag en nacht. Ze zeuren zo aan je hoofd.'

Sandy had haar een sigaret gegeven en ze begonnen allebei te roken, waarna Lucille Crowder bitter grinnikte.

'Moet je ons nou zien', zei ze. 'Al die hoogdravende taal vorige zomer. Daar zo', zei ze en ze gebaarde met haar sigaret naar het eetkamerraam. 'Weet je nog, Sandy? Toen we bij de barbecue stonden? Dat jij en Dee zeiden dat ik bij het programma moest gaan. Zei Dee het zo niet? Ga bij het programma, zei ze. En dat heb ik gedaan. Bijna op de kop af negen weken. En nou ben jij ook weer begonnen. Ik hoop bij God dat het niet hierdoor komt dat je weer rookt.'

Lucille Crowder had hetzelfde steile, zwarte haar als haar

dochter, maar ze droeg het langer en de kapper had te hard zijn best gedaan en het boven op haar hoofd opgestoken tot iets wat te jeugdig was en haar niet erg goed stond. Ze had het over een jonge vrouw van de plaatselijke krant, die langs was gekomen en om kinder- en schoolfoto's van Denise had gevraagd en dat ze er nu spijt van had dat ze die meegegeven had. Ze zouden morgen in de krant staan en dat zat haar nu dwars.

'Ze strikken je als je je hoofd er niet bij hebt', zei Lucille.

Ze konden het sissen in de keuken horen en roken de braadgeur. Het deed Fielding denken aan zondagmiddagen lang geleden in Leaside.

'Sandy, ik leg jou in Rays oude kamer', zei Lucille. Ze leunde voorover in haar stoel, met in haar linkerhand het zakdoekje geklemd. Als ik haar nu zou fotograferen, dacht Fielding, zou ik de foto met zekerheid de titel *Vrouw aan het eind van haar Latijn* geven. Maar hoe sloeg je je door zoiets heen? Hoe zouden Claire en hij het verwerken als er ooit iets met Heather gebeurde?

Lucille ving zijn blik op en leek in verlegenheid gebracht. 'George Gladstone vertelde me dat er een heel mooi bloem-stuk van jouw bedrijf is gekomen, Dan. Bedankt.'

Daar zou de onvergelijkelijke Imogene Banks in opdracht van Sy Hollis voor hebben gezorgd.

'Dan moet nog een slaapplaats hebben voor vannacht, Lucille', zei Sandy. 'Kun je een motel aanbevelen?'

Lucille drukte haar sigaret uit in de asbak. 'De meeste mensen vinden de Bayport Inn wel goed. Die is vlak aan het water en behoorlijk chic voor een stadje als dit. Waar-schijnlijk zit daar ook iedereen van de krant en de tv, maar als dat je niet uitmaakt, kan ik wel voor je bellen. Ik kan me niet voorstellen dat het er om deze tijd van het jaar druk is, maar soms zijn er ijshockeytoernooien en dan loopt het vol. Maar ik denk dat het daarvoor nog een beetje te vroeg in het jaar is.'

'Doe alsjeblieft geen moeite', zei hij. 'Ik kan het zelf wel regelen.'

'Misschien', zei Lucille, 'dat je beter af bent in het Moonbeam Motel. Dat is niet zo luxe, maar het is aan de snelweg. Misschien dat je het gezien hebt toen je de stad in kwam. Daar zul je waarschijnlijk van niemand last hebben. Het is maar een idee.'

'Dat is een goed idee', zei Fielding. 'Ik zal er gaan kijken.'

'Ze hebben er geen restaurant, maar ze serveren wel ontbijt. Je hoeft je trouwens toch niet druk te maken over het avondeten. Je eet hier bij ons.'

'Dat is niet nodig', zei hij.

'Natuurlijk wel. Je hebt vandaag dat hele eind gereden. Je hebt Sandy meegebracht. We rekenen op je.'

Ze stak nog een sigaret op en inhaleerde diep. 'We hebben meer dan genoeg te eten. Ray, Kelly en Cala komen ook. Dan kunnen we daarna naar het uitvaartcentrum. Het zal druk zijn vanavond. Dees vrienden van school zullen er zijn. De meesten moeten vanmiddag werken.'

Sandy Levine glimlachte tegen hem. 'Lucille heeft gelijk, Dan. Eet alsjeblieft mee.'

'Goed dan', zei hij.

'We eten rond halfzes', zei Lucille.

Hij kon bij Lucille Crowder geen rancune tegen hem bespeuren, alleen beleefde, omzichtige interesse in de man met wie haar dochter een verhouding had gehad; het was duidelijk dat ze minnaars waren geweest, maar veel meer wist Lucille Crowder waarschijnlijk niet. Ongetwijfeld vermoedde ze dat Denise veel minnaars had gehad in haar korte leven en dat deze kerel die nu in haar woonkamer zat, deze vreemde van middelbare leeftijd in zijn grijze broek en blauwe blazer, de laatste was geweest. Hij veronderstelde

176

dat ze haar best deed om het te reconstrueren, want alles was zo snel veranderd. Binnen een paar minuten was haar leven in een vrije val terechtgekomen, haar beeld was vertekend en ze viel nog steeds. Toch gebood gewoon fatsoen haar om gastvrijheid te verlenen, zelfs aan de man die toch een zekere verantwoordelijkheid droeg voor de dood van haar dochter.

Ze hoorden nu de voordeur opengaan en Lucille stond meteen op en pakte haar jas.

'Dat zal Ray zijn', zei ze. Met de sigaret in haar mond trok ze de donkere jas aan en Fielding vond het een ongewoon aandoenlijk gebaar; hij kon het haar bijna in een andere tijd zien doen, wanneer ze laat was voor iets en een beetje geagiteerd was.

'Ray houdt er niet van om te moeten wachten', zei ze. 'Hij is net zijn vader.'

Toen stond Ray Crowder in de deur van de woonkamer, slecht op zijn gemak, maar knap in overhemd met stropdas, kaki broek en zwart leren jasje. Denises jongere broertje. De knul die zich voortdurend in de nesten werkte.

Crowder fronste zijn voorhoofd en Fielding was benieuwd hoeveel jonge vrouwen die duistere, intense blik hadden aangezien voor ernst, in plaats van wat het gewoon zou kunnen zijn, chronische stuursheid, de ongeduldige blik van een man die het gewend is dat er naar hem gekeken wordt. Ray Crowder straalde vijandigheid uit, maar over zijn uiterlijke verschijning viel niet te twisten – lang, donkerharig, een ladykiller die zich, gezien het aanbod, kieskeurigheid kon veroorloven.

'Ray,' zei Lucille, 'herinner je je Sandy nog van vorige zomer? Ze werkte vroeger met Dee in New York samen.'

Crowder zei niets, hij knikte enkel tegen Sandy.

'En dit is Dees vriend, Dan Fielding.'

Dees vriend. Dat zou hier zijn identiteit zijn en zo zou er

over hem gesproken worden. Die avond in het uitvaartcentrum en morgen in de kerk zouden vrouwen achter hun hand fluisteren: 'Dat is Dees vriend. Dat is de man die in Engeland bij haar was.'

Fielding, die vlak bij hen stond, stak nu zijn hand uit naar Ray Crowder en één afschuwelijk moment leek het of Crowder die zou negeren en dat Fielding de belediging zou moeten slikken. Maar ten slotte drukte Crowder hem stevig de hand en zei tegen zijn moeder: 'We moeten gaan. Het is bijna twee uur.'

Lucille klopte op de zakken van haar jas. 'Ik weet het, Ray. Ik weet het, maar ik kan verdorie mijn handschoenen niet vinden.'

'Laat die handschoenen nou', zei hij. 'We komen te laat. Er zullen mensen staan wachten.'

Lucille was al de kamer uit. 'Ik geloof dat ik ze op het tafeltje in de gang heb laten liggen. Ik heb ze al', riep ze even later. Toen ze bij haar kwamen, trok ze net de handschoenen aan. Del was uit de keuken gekomen om hen uit te laten. Ze stond in de gang, met de geur van gebraden vlees om zich heen en veegde haar handen aan een theedoek af.

'Doe of je thuis bent, oké?' zei Lucille. 'In de koelkast staan bier en fris als je dorst hebt. Del zal het je wel wijzen. Sandy, ik heb handdoeken op het bed gelegd.'

'Bedankt, Lucille.'

'We zijn rond vijf uur terug.'

'Mag ik wat wijn meebrengen voor bij het eten?' vroeg Fielding.

Lucille Crowder keek hem bevreemd aan, niet zozeer onvriendelijk als wel onzeker, en hij vroeg zich af of hij een regel van de huishoudelijke etiquette had doorbroken.

'Wijn zou lekker zijn', zei ze.

'Kelly brengt wijn mee', zei Ray Crowder. Er klonk iets door in zijn stem, een sarcastische toon die Fielding aan Denise deed denken.

Fielding voelde Ray Crowders afkeer. Begrijpelijk. Dit was de man die zijn zus had meegenomen naar ergens in Engeland waar ze was vermoord. Hij had niet voor haar gezorgd zoals een man voor een vrouw in het buitenland hoort te zorgen. Een oude, slap ogende man uit de stad. Wat had Denise bezield? Misschien dat er iets dergelijks door Ray Crowders hoofd ging. Lucille liep achter haar zoon aan de deur uit en riep over haar schouder naar hen: 'Tot straks.'

Ze keken haar na toen ze in de rode Dodge Ram met de donkere raampjes stapte, een bruut uitziende wagen die tegen de Honda aan geparkeerd stond. Crowder reed hard achteruit en gaf vervolgens een dot gas.

Fielding en de twee vrouwen stonden zwijgend in de gang tot Sandy zei: 'Ray is een knappe vent, hè?'

'Alle meisjes zijn gek op Ray', zei Del. 'Altijd al geweest. Toen hij als jongen ijshockeyde, gingen de meisjes naar de ijsbaan om naar hem te kijken als hij zijn helm afzette. In zijn puberteit was hij behoorlijk losbandig. Maar nu heeft hij een aardig meisje. Kelly had een slecht huwelijk toen ze jonger was, maar ze heeft haar leven nu op orde. Ze heeft een schattig dochtertje. Je zult ze vanavond zien als ze komen eten. Ik weet niet of Ray met haar zal trouwen, maar ik wou dat hij het deed. Het is zo'n mooi stel. Ray lijkt op zijn vader. Cliff Crowder was de knapste man van Bayport. Als hij thuis was voor de winter, waren we allemaal jaloers op Lucille. Dat kan ik nou wel zeggen en als ze hier was, zou ik het haar recht in haar gezicht zeggen. We waren allemaal jaloers op haar. Die arme Cliff. Hij was zo'n grote, flinke kerel, maar volgens mij woog hij op het laatst nog geen honderd pond. Het is treurig om te zien wat kanker met je kan doen.' Del zweeg, alsof ze erkende dat er niets meer te zeggen viel over de gruwelijke onherroepelijkheid van kanker. 'Goed, ik zal de groente eens gaan schoonmaken', zei ze en ze draaide zich om naar de keuken.

'Kan ik helpen?' vroeg Sandy, hoewel ze er in Fieldings ogen niet uitzag als een vrouw die zich helemaal thuis voelde in de keuken.

'Nee, hoor. Ik red het wel', zei Del, zonder om te kijken.

Het was een gek gevoel om hier in Lucille Crowders woonkamer met Sandy Levine voor het raam te staan, met een buurvrouw in de keuken. Ze konden Del bezig horen met haar potten en pannen. Dit waren mensen die hij gisteren niet eens kende en nu maakten ze allemaal deel uit van iets groters, vreemden die rond het gruwelijke feit cirkelden dat Denise plotseling de wereld had verlaten. In Engeland was hij afgeleid geweest door het politieonderzoek, door de onbekende sfeer van een ander land; hij had zich voortbewogen op adrenaline en zenuwen. Nu, in dit stadje in Ontario, bijna een week later, was zijn geest helder genoeg, maar hij voelde zich buitengewoon gedesoriënteerd.

'Ik zal maar eens gaan', zei hij. 'Een slaapplaats zoeken voor vannacht. Ik denk dat ik dat Moonbeam Motel maar probeer.'

'Ik heb het op de heenweg gezien', zei Sandy. 'Het zag er een tikje sjofel uit, maar ik denk dat Lucille gelijk heeft wat de media betreft. Je zult daar vast geen journalisten tegenkomen, Dan.'

Fielding keek uit het raam naar de straat, maar hij voelde Sandy Levines ogen op zich gericht.

'Ik wed dat ze je flink achternagezeten hebben', zei ze.

'Ja', gaf hij toe. 'En ik heb niets tegen hen gezegd, wat misschien wel een vergissing was.' Hij liep de gang in en pakte zijn regenjas uit de kast. 'Ik zie je rond halfzes', zei hij.

'Oké, Dan', zei ze. Ze stak een sigaret op. 'Succes met het Moonbeam Motel.'

Toen hij de voordeur dichttrok, hoorde hij de telefoon gaan. Het was halverwege de middag, een rustige tijd met de kinderen op school en huisvrouwen die naar soaps keken; een tijd dat gepensioneerde mannen het gazon aanharkten, en toen hij wegreed, zag hij doorzichtige plastic zakken vol bladeren langs de straat staan. Die waren hem op de heenweg niet opgevallen.

In kamer 17 van het Moonbeam Motel lag Fielding op bed te lezen over het komende tekort aan water. Tenzij de ontwikkelde wereld zijn consumptiepatroon wijzigde, zou het tekort, volgens Tom Lundgren, waarschijnlijk binnen dertig jaar onvermijdelijk zijn. Niet direct Fieldings probleem, maar beslist wel dat van Heather en miljarden anderen. Een wereldwijd tekort aan water over dertig jaar! Zelfs in Canada, als je de professor mocht geloven met zijn tabellen en grafieken, zijn cirkeldiagrammen en ontzagwekkende zinnen. Lundgren was geen zonderling en voor Fielding zag het er allemaal heel overtuigend uit, hoewel hij nog maar op bladzijde 98 was. Er waren nog 250 bladzijden te gaan. Het manuscript zag er gehavend uit, de randen ingescheurd door het verwijderen van de elastiekjes die de vellen papier bij elkaar hielden. Hij had altijd gehouden van de zwaarte en het gevoel van een manuscript, de zwarte woorden op het witte papier, de gedachten van een schrijver omgezet in materie. Nu werd het een uitdraai genoemd. Hij besefte dat de tijd dat dit allemaal achterhaald zou zijn niet veraf was, hoewel hij er dan waarschijnlijk wel uitgestapt zou zijn. Opnieuw deed hij de elastiekjes om *A History of Water*. Het zou weleens een belangrijk boek kunnen zijn, dacht hij. De moeite waard om uit te geven. Waar anders dan in een boek werd mensen nog zo'n gedetailleerd betoog geboden? Op de televisie zeker niet. Wie kon zich een dag later, of een uur later, nog iets van de televisie herinneren?

Kamer 17 bevond zich aan de achterkant van het motel en keek uit op de stoppels van een maïsveld. Toen hij zich inschreef, de enige gast om die tijd, had hij om een rustige kamer gevraagd, en dus waren de passerende auto's en terugschakelende vrachtwagens op de snelweg aan de voorkant maar heel vaag te horen. Zijn kleren hingen over een rek naast de deur van deze kale kamer, die een eigen douche en wc had en waarin een bed, een stoel en een tv-toestel op een ladekast stonden. Het was voldoende en de simpele doelmatigheid beviel hem; hij zat hier ver genoeg van de spetterende fontein, de muzak en het gebabbel in de bar dat, zo stelde hij zich voor, deel uitmaakte van de Bayport Inn. Het Moonbeam Motel, dacht hij, was de ideale plek voor mensen die zich schuilhielden. Het had iets verlatens en clandestiens, een kamer aan de rand van de stad, aan de snelweg, waar een man alleen naar een pornofilm kon kijken of een zelfmoordbriefje kon schrijven. Of misschien allebei.

Jaren geleden had die gek van een Jack Balsam hem verteld dat hij een aantal weken in motels als dit had doorgebracht. Hij was toen op de vlucht voor de toorn van een van zijn echtgenotes en was ogenschijnlijk van de aardbodem verdwenen. Bekenden van hem vroegen zich af of hij in Lake Ontario was gesprongen. Later bleek dat hij het land doorkruiste in een gehuurde auto en hij beweerde dat het een van de gelukkigste periodes in zijn woelige leven was. Eten in wegrestaurantjes en flirten met de serveersters. 'Rampetampen' met een paar ervan, om het jarenveertigjargon van Balsam te gebruiken. Logeren in motels als het Moonbeam. Kijkend naar het kamermeisje, als ze 's ochtends zijn lakens kwam verschonen. Eenzame vrouwen, zei hij. Die hun best deden een paar centen te verdienen en die uit handen te houden van de bruut thuis in het woonwagenkamp. Ze waren altijd blij met een beetje aandacht.

'Daar zaten de beste wippen van mijn leven bij, Dan.' Natuurlijk was Balsam een gewoonteleugenaar en zou het meeste ervan verzonnen kunnen zijn.

Fielding keek uit het raam naar het maïsveld en de donkerder wordende middag. Het was bijna vier uur en tijd voor contact met de thuisbasis. Maar toen hij verbinding had, hoorde hij enkel de opgenomen stem van Claire. 'U bent verbonden met de Fieldings, maar niemand van ons kan nu aan de telefoon komen. Spreek alstublieft uw boodschap in na de pieptoon, dan zal een van ons zo spoedig mogelijk terugbellen.' Hij gaf haar de malle naam en het telefoonnummer van het motel, zei erbij dat hij bij de Crowders zou gaan eten en dat hij later terug zou bellen. 'Hopelijk is alles goed en ik hou van jullie allebei', voegde hij eraantoe, proberend om de sardonische blik in Claires ogen bij de woorden 'hou van' niet voor zich te zien.

Op de ladekast stonden naast de telefoon een fles Italiaanse wijn en een halve liter Schotse whisky, waarvan hij één glas had gedronken. Hij schonk nog een klein glaasje voor zichzelf in en kleedde zich uit om een douche te nemen. Zijn hoofd zat vol met Lundgrens grafieken en statistieken; de gegevens waren nu al een beetje overstelpend en hij had er nog geen derde van gelezen. Het zou afgezwakt moeten worden. Academici vochten voor iedere lettergreep en eenheid van detail, maar ze wilden ook de aandacht van het grote publiek. Er zouden wel wat schermutselingen over gevoerd worden. Eigenlijk had hij aantekeningen moeten maken, maar dat kon wachten tot de tweede lezing. Hij kende Tom Lundgren niet goed, had hem maar twee keer ontmoet, maar hij wist dat hij een gezin met pubers had. Een jongen en een meisje, van Heathers leeftijd. Hij ging onder de douche staan en vroeg zich af hoe de man, terwijl hij die ijselijke voorspellingen deed en heel goed besefte dat het gros van de mensen zijn gewoontes niet verandert tot het te laat is, het kon verdragen om naar zijn kinderen te kijken.

De pick-up van Ray Crowder stond op de oprit, met erachter een grote sedan uit een andere tijd, een zware, oude Buick, zo te zien. Achter de half dichtgetrokken gordijnen zag Fielding gedaantes bewegen. Alle lichten in huis leken aan te zijn. Met de fles wijn in zijn hand stapte hij uit de auto, stak de straat over naar het huis van de Crowders en belde aan. Het was een vochtige avond en iemand in de buurt had de open haard aangestoken. De zwakke geur van rook was aangenaam. Door het raam in de deur kon Fielding een vrouw in een rok en blouse vanuit de keuken door de gang zien komen. Toen ze opendeed, schoot hem Denises omschrijving van haar broers vriendin te binnen. 'Voormalige stripper met veel haar.' En zelfs in de kuise rok en blouse was dit een verleidelijke jonge vrouw, die inderdaad een weelderige bos roodbruin haar had dat tot op haar schouders viel. Ze stond hem in de deuropening op te nemen.

'U moet meneer Fielding zijn?'

'Ja, maar zeg alsjeblieft Dan.'

'Kelly Swarbrick', zei ze. 'Ik ben de vriendin van Ray.'

Ze hield de deur open om hem langs te laten en hij rook haar parfum, een geur uit zijn jongere jaren toen hij een meisje had gekend dat ditzelfde luchtje droeg. Pam Scott. Jezus, dat was zevenendertig jaar geleden, tijdens zijn eerste jaar op de universiteit. Pam Scott. Een groot, grofgebouwd meisje dat zijn hulp had gevraagd bij het schrijven van een essay over *The Waste Land*. Hij was naar haar huis gegaan, ergens in Rosedale, en ze had opengedaan in een geruite lange broek en een wit herenoverhemd. Haar ouders, zei ze, waren die avond uit en dus gingen ze in haar slaapkamer zitten en probeerden wijs te worden uit Eliots gedicht. Ten slotte bedacht Fielding een ingenieuze bewijsvoering voor haar essay en Pam Scott was zo blij dat ze niet lang daarna haar bed in doken. Zij had sterk naar deze parfum geroken en op weg naar huis kon Fielding het nog ruiken terwijl hij door de stille, donkere straten liep en haar naam steeds opnieuw herhaalde tot die als niets anders klonk dan een bal die op een squashbaan heen en weer kaatste. Pam Scott. Pam Scott. Pam Scott.

Lucille Crowder zat op de bank naast Sandy, Del was nog in de keuken. Hij hoorde haar tegen iemand praten. De tafel in de eetkamer was gedekt.

'Kan ik iets te drinken voor je halen?' vroeg Kelly. 'Bier of wijn?'

'Doe maar een glas wijn.'

'Goed.'

Hij gaf haar de fles wijn en ze nam hem mee naar de keuken. Sandy Levine, die er degelijk en betrouwbaar uitzag in een donker mantelpak met een crèmekleurige blouse, lachte tegen hem. Een meisje van ongeveer acht zat hem in de stoel met ernstige nieuwsgierigheid te bekijken.

'Nogmaals hallo', zei Lucille Crowder. 'Dit is Cala, Kelly's dochter. Cala, dit meneer Fielding. Hij was een vriend van Dee.' Het meisje bleef hem aankijken, maar ze zei niets. Net als haar moeder was ze een schoonheid met lang roodblond haar en ze was voor de gelegenheid gekleed in een zwart katoenfluwelen jurkje, een witte maillot en lakschoentjes. In haar haar had ze een lint.

'Hoe is het Moonbeam Motel, Dan?' fluisterde Sandy.

'Dat is in orde, hoor', zei hij. Hij hoorde de stem van Ray

Crowder in de keuken. Hij was in het souterrain iets voor Del gaan halen en nu liep hij de eetkamer in, terwijl hij het deksel van een potje schroefde. Zijn moeder zag hem.

'O, Ray, doe die augurken in een schaaltje, lieve deugd', zei ze met haar schrille lachje. 'Je moet het potje niet zo op tafel zetten.' Crowder deed wat hem was gezegd, maar zijn gezicht stond nog even stuurs.

Kelly Swarbrick kwam terug met Fieldings wijn. 'Alsjeblieft', zei ze. 'Het is uit een fles die we al opengemaakt hebben. Hopelijk is dat niet bezwaarlijk.'

'Helemaal niet', zei hij. 'Dit is prima.' Cala vroeg haar moeder of ze met iedereen samen moest eten.

'Ja, natuurlijk. Je dacht toch niet dat we je erbuiten zouden laten?'

Het meisje leek op het punt van mokken te staan. 'Waarom kan ik niet gewoon beneden eten en tv-kijken?'

'Vanavond niet, liefje.'

Ray was de keuken in gegaan en Lucille begon te praten over de bezoekers van die middag op het uitvaartcentrum. Er waren er meer dan ze had verwacht, mensen uit de stad die ze amper kende, herinnerden zich Denise en wilde Lucille laten weten hoe erg ze het vonden wat er was gebeurd. Sandy stelde voorzichtig vragen over hen. Wie waren het en wat deden ze? Dit, dacht Fielding, is hoe mensen met een verlies omgaan. Vrienden kookten voor je en schonken je een glas in. Ze vulden de stiltes wanneer het gesprek haperde. Beantwoordden de telefoon en gaven verklaringen aan vreemden. Het leven moest doorgaan, zoals men graag zei, ook al moest het op het moment voor Lucille Crowder totaal ondraaglijk lijken.

'Oké, allemaal. Aan tafel', zei Del. Ze zette een gigantische schaal met gebraden rundvlees op tafel, terwijl Ray schalen aardappels en sperziebonen naar binnen droeg. Er was ook koolsalade. De wijnglazen werden vol geschonken. Ray had een biertje bij zijn bord staan.

'O, Del', zei Lucille toen ze ging zitten. 'Het ziet er allemaal zo lekker uit. Je hebt zoveel moeite gedaan. Ik wou dat ik meer trek had.'

'Eet maar wat je kunt, Lu', zei Del kordaat. 'Maak je niet druk.' Ze trok de gordijnen dicht voor het eetkamerraam en sloot de bomen en het meer erachter buiten.

Lucille vertelde over haar twee zussen en hun echtgenoten, die met de auto uit Montreal kwamen en later op de avond zouden arriveren. Ze had kamers voor hen geboekt in de Inn. Een broer woonde nu in Australië en had alleen een condoleancetelegram kunnen sturen. Een andere broer was een tijd geleden omgekomen bij een auto-ongeluk. Een oude vriend van de familie, 'een man met wie Cliff jaren heeft gevaren', kwam ook, maar morgen pas. 'Die lieve, oude Bonneverre', zei Lucille. 'Ik heb hem sinds Cliffs begrafenis niet meer gezien.' Weer was het Sandy die dit allemaal aan het licht had gebracht met haar vragen. De anderen aten en luisterden, afgezien van het meisje dat met een elleboog op tafel en een vuist tegen haar wang het eten op haar bord rondschoof. De nieuwigheid van haar beste jurk op een doordeweekse avond dragen verschafte niet langer het plezier dat ze ervan had verwacht. Ze leek nu vastberaden om overal boos om te zijn.

'Eet eens door, liefje', zei haar moeder zacht.

'Ik heb geen honger', zei Cala.

Kelly keek over tafel naar Ray Crowder, maar die zat, kennelijk in gedachten verzonken, snel te eten en zond een signaal van onverschilligheid uit. *Het is jouw kind. Los jij het maar op.* Lucille probeerde het met zachte aanmoediging, ze boog zich naar haar toe en fluisterde iets. Maar het kind liet haar hoofd hangen en kon niet worden overgehaald. Na een paar minuten nam Kelly haar mee naar beneden. Weldra konden ze het gekakel en gesnerp van stripfiguren horen. Toen ze terug de kamer in kwam, zag ze er verhit en schuldbewust uit.

'Ze is van streek en vroeg of ze per se mee moest naar het uitvaartcentrum', zei Kelly toen ze weer ging zitten. 'Ze zit erover in. Cala heeft nog nooit iemand gezien die...'

Lucilles hand lag op haar arm. 'Kelly, het geeft niet. Ze hoeft niet mee als ze niet wil. Breng haar na het eten maar naar huis. Ze kan morgen naar de kerk komen.'

'Ik denk dat ze de kerk wel aankan', zei Kelly en ze nam een slok wijn. 'Maar vanavond... het kan een schok zijn op haar leeftijd.'

'Dat kan', zei Del. 'Na Bills begrafenis had mijn kleindochter van die afschuwelijke dromen. Omdat ze haar grootvader zo had gezien. Natuurlijk was ze toen wel wat jonger dan Cala.'

Waarschijnlijk is dat waar, dacht Fielding. Hij betwijfelde of Heather ooit een lijk had gezien. Claires moeder was al dertig jaar dood en zijn eigen ouders waren overleden voordat hij was getrouwd. Vandaag de dag was de dood voor kinderen alomtegenwoordig in de film en op de televisie, maar dat was niet meer dan één grote tekenfilm. Het gebeurde niet echt. De realiteit, aan de andere kant – de persoon die je ooit hebt gekend, die nu in een kist ligt en nooit meer zal opstaan – was iets heel anders.

Er waren appel- en citroentaartjes en koffie en daarna begonnen de vrouwen de vuile borden af te ruimen en ze naar de keuken te brengen. Fielding en Ray Crowder zaten te midden van de overblijfselen van het maal zonder dat ze elkaar iets te zeggen hadden. Toen ging Crowders mobieltje, hij stond op en ging bij de gordijnen staan voor hij opnam. In de keuken werd Lucille vriendelijk de les gelezen.

'Lu, je moet vanavond twee uur lang op je benen staan', zei Del. Een paar glazen hadden de bazigheid in haar naar boven gebracht. 'Ga naar de woonkamer en ontspan je. Neem haar mee, Sandy. Kelly en ik kunnen dit best opruimen.'

Fielding ontsnapte, hij klom de trap op naar de badkamer waar hij lang stond te plassen. Bij het licht op de overloop kon hij de slaapkamer in kijken die uitzicht bood op het grasveld aan de achterkant, de bomen en het meer. Daar sliep Lucille Crowder nu alleen. De twee kleinere slaapkamers aan weerskanten van de overloop, waren kennelijk van Denise en haar broer geweest. Hij zag Sandy Levines koffer aan het voeteneinde van het bed staan. Toen hij de andere kamer in liep en het licht aandeed, was hij verrast door de boeken. Kasten vol boeken besloegen twee hele muren. Het leek of Denise ieder boek had bewaard dat ze had gelezen toen ze opgroeide en het was bijna mogelijk haar vroege voortgang door de literatuur te volgen, van jeugdfavorieten als Nancy Drew en Judy Blume tot de boekenlijst van de middelbare school. *The Chocolate Wars. A Seperate Peace. The Catcher in the Rye.* En er stonden tientallen boeken die ze zelf moest hebben uitgezocht. *The Good Soldier. To the Lighthouse. Portnoy's Complaint. Pictures from an Institution.* Waar had ze die boeken gevonden? Een hele plank werd in beslag genomen door alles wat Henry James ooit had geschreven.

Hij pakte een exemplaar van *To Kill a Mockingbird* en keek naar de grote, ronde letters. *Denise Crowder. Bayportcollege Klas 2. 1983-1984.* Na ieder hoofdstuk waren vragen opgeschreven, waarschijnlijk als huiswerk overgenomen van het bord. *Hoe verschillen Scout en Jem in hun houding ten opzichte van Atticus in dit hoofdstuk? Hoe beïnvloedt dit hun gedrag? Geef voorbeelden.* Fielding zag haar voor zich, terwijl ze haar nauwgezette antwoorden aan de klas voorlas, hoe ze met haar erotische ernst de aandacht trok van zelfs de stompzinnigste jongens, waardoor haar het isolement werd bespaard van het stijve tutje dat van lezen houdt.

Op de boekenplanken en de ladekast stonden ook familiefoto's. Op een ervan is Cliff Crowder, een grote, kribbig kijkende, knappe man, met Denise in de achtertuin te zien. Ze is dertien of veertien en de foto zou best in de tijd genomen kunnen zijn dat ze de vragen over Harper Lees roman beantwoordde. De bomen achter de twee figuren zijn kleiner en kaal en er ligt sneeuw. Denise heeft een parka aan en een ijsmuts op haar hoofd, maar ze ziet er toch koud uit, hoewel ze tegen de camera grijnst. Op haar eindexamenfoto staat ze in het midden van de tweede rij, nuffig serieus in haar toga. Deze foto zullen moeders hun tienerdochters in de komende jaren laten zien, dacht hij.

'En dat is het meisje dat in Engeland is vermoord. Denise Crowder. Ze was daar met een man, maar die heeft haar niet vermoord. Volgens mij is ze uit een auto gekidnapt, of zoiets.'

En de dochters zullen het meisje in het midden van de tweede rij beter bekijken, in de hoop op haar gezicht iets van een waarschuwing te ontdekken, een hint van het rampzalige einde dat haar wachtte.

Vanaf de overloop drong het geluid door van een wc die werd doorgetrokken en hij wist even niet of hij wel in Denises slaapkamer zou mogen zijn. Toch was hij ontroerd door de foto's. Of hij het nu leuk vond of niet, hij maakte nu deel uit van Denise Crowders leven, en deze beelden uit haar kindertijd en jeugd kwamen hem waardevol voor en de moeite van het bestuderen waard. Hij hoorde voetstappen op de overloop.

'Ben jij dat, Dan? We vroegen ons al af waar je gebleven was', zei Lucille.

'Ik keek alleen even naar deze boeken en foto's', zei hij toen ze in de deur verscheen.

'Ja,' zei ze, 'dat zijn me nog eens boeken, hè? Toen ze naar de universiteit ging, heb ik ze bewaard. Ze heeft ze allemaal zelf gekocht, weet je. Ze werkte in de zomer en in de weekenden in de Dairy Queen in Lake Street. Gaf al haar geld uit aan boeken. Ze ging vaak naar Londen om ze daar te kopen. Dit soort boeken was hier niet te krijgen. Als ze voor het weekend thuiskwam, toen ze al werkte, zei ze vaak: "Ach, mam, waarom doe je er niet een stel van weg? Ik zal wel uitzoeken welke ik wil houden, dan kun je een rommelmarkt houden, of zoiets. De meeste kijk ik toch nooit meer in." Maar weet je, ik geloof niet dat ze het meende. Ik geloof dat ze het wel leuk vond om ze hier te zien als ze thuiskwam. Toen ze ouder werd, heeft ze het er nooit meer over gehad dat ik ze weg moest doen.'

Lucille was de kamer binnen gekomen en keek naar de planken. 'Als klein meisje was Dee dol op haar boeken. Ik las haar iedere avond voor, maar voordat ze naar school ging, kon ze al zelf lezen. Ze kende het alfabet. Ze zocht de letters uit en maakte er woorden van.'

Terwijl ze naast hem stond, vroeg Fielding zich af of ze moed probeerde te verzamelen voor de avond in het uitvaartcentrum.

'Ik lees zelf ook', zei ze. 'Voornamelijk detectives. Daar heb ik altijd meer van gehouden dan van liefdesverhalen, die heb ik altijd dom gevonden. En toen Dee bij de uitgeverij werkte, bracht ze boeken mee van Alice Munro of Carol Shields. Die kon ik wel lezen, die vond ik mooi. Ik kon de mensen in die boeken begrijpen. Cliff was ook een lezer, maar hij hield het meest van geschiedenis. Van boeken over oorlogen en boten, schipbreuken en dat soort dingen.'

Ze was op de rand van het bed gaan zitten en Fielding nam

naast haar plaats; in de spiegel op de ladekast kon hij maar de helft van haar gezicht en het opgestoken haar zien.

'Cliff was machinist op de Tilden', zei ze. 'Zo hebben we elkaar ontmoet. Ik had een baan als kokkin op de Tilden aangenomen. Een vriendin van mij werkte daar en een ander meisje had ontslag genomen, dus hadden ze iemand nodig. Ze lagen toen in Montreal, om graan te lossen, en toen heeft het andere meisje hen laten zitten. Dus vroeg mijn vriendin of ik de baan wilde. Ik dacht het niet, hoewel ik toen geen werk had. Ik was serveerster geweest. Het was het jaar van de Expo '67 en ik was van plan naar het park te gaan en daar werk te zoeken. Dat betaalde beter, snap je. Maar mijn vriendin haalde me over om eens aan boord rond te kijken, dus dat deed ik. We waren in de kombuis en er kwam een man binnen om voor zichzelf koffie te zetten. En zoiets had ik nooit eerder gevoeld. God sta me bij, mijn knieën werden slap. Net als een meisje in een liefdesverhaal. De man keek me alleen maar aan en dat was het. Hij heeft toen geen woord gezegd. Toen hij weg was, vroeg ik aan Annette: "Mijn god, wie is dat? Zien ze er allemaal zo uit?" Daar moest ze om lachen. "Nee, zo zien ze er niet allemaal uit", zei ze. "Cliff is de tweede machinist. Hij is getrouwd, maar niet erg gelukkig."

Weet je, Dan, ik was pas tweeëntwintig, maar ik weet nog dat ik dacht: ik zou wel een avontuurtje met zo'n knappe vent willen en als zijn huwelijk niet goed is, wie weet wat er dan nog van komt. Het was niets voor mij, een goed opgevoed, katholiek meisje, om zo te denken, maar ik deed het wel. En ik was ook niet lelijk, al zeg ik het zelf.' Ze lachte weer haar schrille, boze lachje. 'Niet dat ik op wil scheppen, maar stel je voor! Lucille Plante, een braaf katholiek, streng opgevoed meisje dat besluit om zo'n avontuurtje te hebben. Dus nam ik de baan aan en leerde de man kennen waar ik mee zou trouwen. Het leek of ik het in mijn hoofd allemaal al voor elkaar had. Ik had die grote, knappe Engelsman ontmoet en ik zou een avontuurtje met hem hebben. En weet je, het kwam allemaal uit. Niet meteen, natuurlijk. Zijn vrouw fladderde maar wat rond. Ze was...' Fielding sloeg haar in de spiegel gade.

'Vreemd... een van die bloemenkinderen. Net als de vrouw van Trudeau. Cliff had een zware tijd met haar. Ze liep weg naar de Verenigde Staten met een stel hippies en hij kon haar niet vinden. Het duurde bijna twee jaar voordat zijn scheiding erdoor was en wij konden trouwen. En dat was ook nog een probleem, want we konden niet voor de Kerk trouwen omdat Cliff gescheiden was.' Lucille haalde haar schouders op. 'Vandaag de dag zou je het, denk ik, gewoon laten voor wat het was en je eigen leven leiden. Maar wij wilden trouwen en dat gebeurde ook. Ik moest me uit de Kerk laten uitschrijven. Mijn ouders waren er kapot van. Weet je, ik geloof niet dat mijn vader het me ooit echt heeft vergeven. Ze zijn zelfs niet op de bruiloft geweest.

Toen we kinderen kregen, begonnen ze aan het idee te wennen, maar ik geloof niet dat mijn vader Cliff ooit echt heeft gemogen. Volgens mij geloofde hij dat Cliff me van de Kerk had gestolen. Iedere winter kwamen ze een week bij ons logeren en mijn vader maakte altijd een hoop heisa van op zondag naar de mis gaan. Ik zie hem nog bij de voordeur in zijn beste kleren staan en zijn handschoenen en overschoenen aandoen. En als hij terugkwam, zoals hij ons dan aankeek! Je zou gedacht hebben dat hij bij heidenen in huis was. Ik vond het ook rot. Ik vond dat de kinderen iets misliepen. Af en toe ging ik naar de anglicaanse kerk hier in de stad, maar dat was toch niet helemaal hetzelfde. Mijn moeder vond het allemaal best, maar mijn vader... Als hij bij ons was, vroeg hij voortdurend naar de religieuze opvoeding van de kinderen. Mijn vader was dol op Dee en hij maakte zich zorgen over haar *salutiste*. Dat zou je kunnen vertalen als haar redding, denk ik. Mijn moeder zei altijd dat hij eigenlijk priester had moeten worden en geen buschauffeur. En weet je, het deed pijn om zo tussen mijn vader en mijn man in te staan, want natuurlijk hield ik van allebei. Maar je moet kiezen en ik heb Cliff gekozen en daar heb ik nooit spijt van gehad.

We zijn in Owen Sound getrouwd. Daar kwam hij vandaan. In een United Church. Die schenen er in 1969 geen bezwaar tegen te hebben dat een katholiek meisje met een gescheiden man trouwde.'

Lucille zweeg, alsof ze lang en breed had nagedacht over wat ze nu ging zeggen.

'Weet je, ik mis het oude geloof, Dan. Je hoort nu over de priesters en hoe slecht sommigen omgingen met kinderen. Al dat gedoe. Maar dan nog wou ik dat ik nu het oude geloof nog had. Hier zo, vanbinnen.' Ze klopte verrassend hard met haar knokkels op haar borst. 'In een tijd zoals nu, wou ik dat ik net zo kon geloven als vroeger. Ik weet nog dat ik op de begrafenis van mijn grootvader Plante tegen mijn grootmoeder zei: "O, grootmama, ik vind het zo erg." En dat zij tegen mij zei: "Maak je geen zorgen, kleintje. Over een tijdje zal ik je *grandpère* terugzien in de hemel en heel lang daarna zullen jij, je broers en zussen en je vader en moeder ook bij ons komen." Ik was natuurlijk nog maar een kind toen. Misschien negen of tien.'

Ze begon zacht te huilen en Fielding sloeg zijn arm om haar schouder. Ze leunde tegen hem aan en fluisterde: 'Dit is heel zwaar, weet je.'

'Ik weet het', zei hij.

'Voor jou ook. Je hebt het ook moeilijk gehad.'

Fielding zweeg en Lucille ging rechtop zitten en pakte een Kleenex.

'Nou, zo is het genoeg', zei ze. 'Ik wil je een foto van Dee laten zien. Mijn lievelingsfoto.'

Ze snoot haar neus, liep naar de ladekast en haalde een kleine, ingelijste foto uit een van de laden. Ze ging weer naast hem zitten en zette een bril op, die haar ouder en een beetje streng maakte. Hij moest denken aan Denise, toen die haar manuscript in het vliegtuig zat te lezen.

'Moet je dit zien', zei ze, met een van haar schrille lachjes. 'Mijn god, ik zou hem weg moeten gooien. Het maakt me zo treurig als ik ernaar kijk, maar ik kan het niet laten. Vanochtend heb ik zeker een uur naar die vervloekte foto zitten kijken. Kijk. Je kunt zien dat ze vol kattenkwaad zit. Haar vader was die dag zo boos op haar. Dee wilde zich niet gedragen. Ze was alsmaar gek aan het doen, terwijl Cliff een foto van ons probeerde te maken. Hij had een nieuwe camera waar hij heel trots op was. De foto's kwamen er meteen als je ze had genomen uit. O, hij vond die camera geweldig. En Dee stelde zich de hele tijd aan. Er is een woord voor, volgens mij.'

'Bekkentrekken', zei hij.

'Ja. Bekkentrekken. Dat is het. Kijk haar nou eens.'

Ze keken allebei naar de ingelijste foto uit de lade. Zou Denise die daar op een dag in gedaan hebben omdat ze zichzelf niet langer wenste te zien als een tienjarige uitslover? Maar dat was niets voor Denise; ze zou de eerste zijn geweest om toe te geven dat ze graag aandacht had. Misschien was ze hem gewoon beu en had ze besloten dat het tijd was om een andere foto ruimte op de plank te gunnen. Het was raar om in haar slaapkamer te zitten en te denken aan een dag in haar verleden, toen ze had besloten om deze foto door een andere te vervangen. De foto waar ze naar keken, was genomen op een vrachtboot ergens op de Grote Meren. Het was een zomerse dag en Lucille stond op het dek tussen haar twee kinderen in. Een kleine Ray Crowder keek vragend naar de camera, maar Denise lachte, trok een gezicht en stond als een ooievaar op één been. Het andere had ze vaardig achter zich verstopt. Ja, ze trok gekke bekken en waarschijnlijk irriteerde ze haar vader met zijn nieuwerwetse camera.

'Toen deze is genomen, was Cliff eerste machinist,' zei Lucille, 'daarom mochten we iedere zomer een paar weken aan boord doorbrengen. Dee was toen tien en haar broer acht. Afgelopen juli was het tweeëntwintig jaar geleden. Ik zou het vervloekte ding weg moeten gooien', zei ze en ze stond op en stopte de foto terug in de lade. 'Weet je, Dan, mijn twee zussen willen dat ik terug naar Montreal verhuis en een flat bij hen in de buurt neem en soms, om twee uur 's nachts, lijkt dat een goed idee. Maar dan denk ik: mijn man is hier op het kerkhof begraven en Dee... zij zal morgen naast hem in de grond liggen. Ik ook op een dag. Hoe kan ik dat achterlaten? En dan is Ray hier nog met Kelly en Cala. Misschien trouwt Ray wel. Wie weet?'

Ze ging weer naast hem zitten. 'Niemand die het kan weten. Mijn god, een week geleden waren Del en ik op weg naar de club.' Ze keek op haar horloge. 'Zowat op dezelfde tijd. Donderdags is onze *euchre*-avond. Een paar weduwes die een avondje gaan kaarten. Nog maar een week geleden. Dus wie weet wat er in een week kan gebeuren, hè?' Ze had haar sigaretten en aansteker tevoorschijn gehaald. 'Ik las een keer in een folder, die George Gladstone me had gegeven toen Cliff was overleden. In die folder stond dat je zes maanden lang geen grote beslissingen moet nemen.' Ze haalde haar schouders op, stak de sigaret op, inhaleerde diep en praatte door de rook heen. 'Ik zou niet in haar kamer moeten roken. Ik weet niet wat me bezielt.'

Ze bleven even zwijgend zitten en toen zei Lucille: 'We

kunnen maar beter gaan nu, anders schiet Ray in een Franse colère. Dat zei zijn vader vroeger altijd als Ray kwaad werd. "Hij schiet nog in een Franse colère", zei Cliff dan. "Laten we maar gaan."'

De anderen stonden onder aan de trap te wachten en Ray Crowder keek naar hen op toen ze naar beneden kwamen, alsof hij zich afvroeg waar ze het over gehad konden hebben. Kelly zat op haar knieën om Cala te helpen met de rits van haar jack, die kennelijk bleef steken, en Sandy, in een chique donkere jas, lachte naar hen.

'Lucille', zei Kelly en ze keek vluchtig op van het gepruts aan het kinderjasje. 'Ik breng Cala naar huis. Ik heb Tracy gebeld en zij komt oppassen, dus ik zie jullie straks in het uitvaartcentrum. Goed?'

'Dat is prima, Kelly', zei Lucille. 'Waar is Del?'

'Die is naar huis om zich om te kleden', zei Sandy. 'Ze komt op eigen houtje.'

'Dat is goed.' Ze liepen achter elkaar aan de voordeur uit en het grasveld over naar de truck en de auto's.

In de auto zei Sandy: 'Ik kijk hier niet echt naar uit, Dan. Ik heb altijd een probleem gehad met dode mensen. En Denise... Jezus, ze is zo jong.' Ze staarde uit het raampje naar de verlichte huizen. Sommige voorveranda's en gazons waren al versierd voor Halloween. Fielding zag de remlichten van de truck een eindje voor zich oplichten toen Ray Crowder stopte en vervolgens rechts afsloeg.

Sandy keek weer naar hem. 'Jij zult haar in Engeland hebben moeten identificeren.'

'Ja', zei hij. 'Ze belden me op zondagochtend en ik moest naar Exeter komen.'

'Dat moet vreselijk zijn geweest.'

Hij zou die zondagochtend en de groen betegelde gang waar hij met Kennedy doorheen was gelopen niet makkelijk vergeten. De lucht van ontsmettingsmiddelen en de schram op haar wang. Het was inderdaad vreselijk geweest, maar hij zei er niets meer over en ze reden in stilte verder.

Een paar minuten later zag hij de truck op het parkeerterrein staan, naast een groot bakstenen huis vlak bij de hoofdstraat. Op het gazon stond een verlicht bord, wit met blauwe letters. 'George Gladstone & Zonen. Begrafenisondernemers.' Een aantal mensen liep het pad naar het huis op. Waarschijnlijk, dacht hij, was het ooit de woning van een vooraanstaande familie geweest, die zijn fortuin had gemaakt in de scheepvaart of de houthandel. Sandy en hij stapten uit en volgden de anderen de treden op naar de hoge, dubbele voordeur die toegang gaf tot een donkere gang. Een stevige jonge vrouw met een prettig gezicht wees de bezoekers de weg. Er waren drie rouwkamers en vanavond waren er twee van bezet. De jonge vrouw glimlachte tegen Fielding en Sandy en verwees hen naar kamer 1. Op de achtergrond was discrete orgelmuziek te horen en Fielding herkende Händels *Largo*, dat het altijd goed deed. Ze hadden het op de begrafenis van zijn eigen vader ook gedraaid.

Bij de ingang naar de kamer tekenden ze het gastenboek. Binnen waren er al zo'n twintig mensen verzameld, die in groepjes stonden te praten. Fielding zag dat een vrouw Lucille omhelsde, die samen met Ray bij een tafel vol bloemen en kaarten stond. Fielding en Sandy waren onbekenden, dus draaiden er hoofden hun kant op toen ze binnenkwamen. Maar ze hadden hem op de televisie gezien; hij kon het merken aan de manier waarop ze naar hem keken. De rij bewoog langzaam langs de kist en ze wachtten. Toen was een stel voor hen klaar met kijken en stapte opzij, de man met zijn handen nog op zijn rug. Fielding en Sandy gingen naar voren en stonden voor de halfgeopende kist op Denise neer te kijken. Fielding dacht te horen dat Sandy's adem even stokte. Iemand, misschien de stevige jonge vrouw met het prettige gezicht, had het bloed uit het lichaam laten vloeien, het met formaldehyde gevuld, make-up aangebracht en het droge haar gekamd. De blauwe plekken om de keel en de schram op de wang waren verdwenen. Sandy zei niets, maar ze hield zijn arm stevig vast. Fielding hoorde de amechtige ademhaling van een oude man, die achter hen op zijn beurt stond te wachten. En dus stapten ze opzij.

Op de tafel met bloemen stond Denises afstudeerfoto, met zijn gebruikelijke air van geforceerde ernst. Zo was ze helemaal niet, dacht hij. Van geen kanten, en hij voelde een vage irritatie jegens de fotograaf. Lucille stelde hen voor aan buren en kennissen: de monteur die haar auto onderhield, een vrouw uit de straat, een echtpaar van haar kaartclub, dat samen met haar op een uitstapje naar het casino in Point Edward was geweest. Ze monsterden hem behoedzaam, niet vriendelijk en niet vijandig; maar ze vertrouwden hem voor geen cent en dat kon hij begrijpen. Voor Sandy was het moeilijke gedeelte nu achter de rug en met deze mensen over Denise praten was niet zo lastig. Fielding zag dat ze zich ontspannen bewoog te midden van het troostrijke gemompel in de kamer.

Naast Fielding stond een kleine, oudere vrouw die zich, net als hij, niet helemaal op haar gemak scheen te voelen. Hij keek neer op een witharig hoofd met een stijve permanent en een hoekig profiel. Er hing een vagelijk zoete geur om haar heen. Een oud sachet misschien, van een jurk die van een houten hangertje was gehaald. Ze keek naar hem omhoog en hij bukte zich om haar te verstaan.

'Ik ben Florence Robertson. Wie bent u?'

'Dan Fielding', zei hij.

Ze hield haar hoofd achterover om hem op te nemen en het licht weerkaatste in haar bril. Zijn naam liet duidelijk geen belletje rinkelen bij Florence Robertson.

'Ik was een vriend van Denise', zei hij. 'We werkten allebei voor een uitgeverij in Toronto.'

'Is het heus?' zei de vrouw.

Blijkbaar was hij op de enige persoon in de rouwkamer gestuit die niet in de krant over hem had gelezen of op de televisie zijn verbijsterde gezicht door een taxiraampje omhoog had zien gluren. Maar misschien woonde ze alleen in een van de grote bakstenen huizen in de buurt, een huis waarin ze haar hele leven had gewoond. De laatste van een uitstervend ras, de eenzelvige maagd. Die haar bibliotheekboek las of aan een kruiswoordpuzzel werkte. Die nog steeds iedere zondag kranig in haar tweeëntwintig jaar oude Chrysler naar de kerk reed. Op de radio naar de CBC luisterde en schold op de rotzooi op de televisie. Zijn connectie met Denise kon haar gemakkelijk ontgaan zijn.

'Ja', zei ze. 'Ik heb gehoord dat Denise in het boekenbedrijf was gegaan. Toen ze bij mij in de klas zat, dacht ik dat ze op een dag schrijfster zou worden.'

Ze leek te oud om Denise in de klas gehad te hebben, maar hij wilde haar verhaal heel graag horen; ze was iemand om mee te praten in deze kamer vol onbekenden.

'Wanneer heeft ze bij u in de klas gezeten, juffrouw Robertson?'

'De laatste twee jaar op de middelbare school, toen ik hoofd was van de sectie Engels. Het waren toevallig ook mijn laatste twee jaar. Toen Denise eindexamen deed, ging ik met pensioen.'

'Was ze een goede leerling?' vroeg hij.

Florence Robertson liet haar verwijtende blik weer de kamer rondgaan. Fielding kwam tot de conclusie dat die onbeleefdheid niet opzettelijk was, maar in haar aard zat. De draad van hun gesprek was ze evenmin kwijt.

'Denise', zei ze, 'was een uitstekende leerling. Een alles-lezer. En ze schreef heel goede essays en boekverslagen. Maar ze was ook...' Zoekend naar het juiste woord om De-nises tekortkoming te omschrijven tuitte Florence Robertson haar dunne lippen. Ten slotte zei ze: 'Denise was eigenzin-nig. Als ze in de les eenmaal een bepaalde mening was toe-gedaan, kon ze daar niet van afgebracht worden. We hebben wat strijd geleverd, Denise en ik.' Nadat ze de voornaamste fout in Denises karakter had beschreven, deed de oude vrouw een stap achteruit alsof ze die van Fielding wilde raden. Ze was kennelijk niet nieuwsgierig naar zijn connec-tie met haar ex-leerling, wier leven na de middelbare school haar geen enkele belangstelling scheen in te boezemen. Deze stijve, solipsistische oude vrouw had Denise gedurende precies twee jaar van haar leven gekend en dat was genoeg om haar vanavond hier te laten zijn. Toen Fielding weer haar kant op keek, bestudeerde ze de condoleancekaarten op de tafel.

Het was nu warm en vol in de rouwkamer en hij zocht zich voorzichtig een weg naar de uitgang, waar mensen in een rij stonden. Er zijn er vast veel louter uit sensatiezucht hier, dacht Fielding, iemand uit hun stad was vermoord en moord heeft een geheel eigen glamour. Ze wilden haar zien. Maar hij voelde zich rusteloos, hij had het benauwd door het gedrang van lichamen rondom hem. Hij verlangde naar de kleurloze isolatie van het Moonbeam Motel, naar het raam met uitzicht op het maïsveld en de douche met smoezelige wanden. Hij wilde Claire bellen en uitleggen wat zich tus-sen hem en Denise in Frankfurt en Engeland had voorge-daan. Haar zeggen dat die dingen nu eenmaal gebeuren en dat het hem speet en of ze er niet over konden praten als hij weer thuis was? Toen hij zich tussen de mensen door wurmde, werd hij overvallen door een soort paniek. Waarom was hij een dag eerder naar deze stad gekomen, wanneer hij tot morgen had kunnen wachten en tegelijk met de anderen had kunnen arriveren? Toch had hij vanochtend gepopeld om Toronto achter zich te laten. En nog maar een paar uur geleden had hij zich zo opgetogen gevoeld in dat restaurant.

Hij haalde de gang waar de rij tot aan de voordeur liep, leunde tegen de muur en sloot zijn ogen.

'Gaat het, meneer? Wilt u soms een glas water?' Hij opende zijn ogen en zag de mensen in de rij naar hem staren. De jonge vrouw in de zwarte jurk en donkere kousen vroeg: 'Waarom gaat u niet even in het kantoor zitten?'

'Ja, dank u. Dat zou fijn zijn', zei hij en hij liep met haar mee langs de voordeur naar het kantoor. Hij zweette een beetje, maar hij had geen pijn in zijn borst of armen. Waarschijnlijk was zijn bloeddruk in die volle ruimte weer omhooggeschoten. Toen hij in het kantoor op een stoel zat, probeerde hij de diepe ademhaling die hem leek te kalmeren. De jonge vrouw heette Sharon. Hij zag het naambordje op haar jurk toen ze hem een glas water gaf.

'Voelt u zich al wat beter?'

'Ja, dank u', zei hij en hij keek omhoog naar het ronde, vriendelijke gezicht. Ze zag eruit als een fors boerenmeisje, dat haar plaats in de wereld had gevonden door anderen te helpen hun doden te begraven. Een nuttig beroep en niet iets voor de zwakken onder ons. Gulzig dronk hij van het water.

'Als u hier nog even wilt blijven zitten, dan kan dat, hoor', zei ze. 'Maar ik moet terug. Het is vanavond heel druk.'

'Ja, natuurlijk', zei hij. 'Ga uw gang, alstublieft. Ik was alleen een beetje licht in mijn hoofd. Ik voel me beter nu.'

'Weet u het zeker? Wilt u dat ik tegen iemand zeg waar u bent?'

'Nee, het is goed zo. Ik ben hier zo weer weg.'

'Goed dan. Neemt u gerust de tijd, meneer', zei ze en ze raakte licht zijn schouder aan toen ze de kamer uit ging en de deur achter zich sloot.

Het kantoor was sober en ouderwets, afgezien van een computer op een tafel naast het bureau. Aan een muur hingen foto's van de generaties Gladstone, mannen in een donker pak, staand naast een lijkwagen, grote, vierkante wagens die, naarmate de gedaantes op de foto's met de jaren verouderden, plaatsmaakten voor meer gestroomlijnde modellen. Voor hem stond het bureau, met de stoel waarin George Gladstone waarschijnlijk had gezeten toen hij hem afgelopen zondag had gebeld. Fielding wachtte nog een paar minuten en ging toen het kantoor uit. De rij voor de deur was verdwenen en Ray Crowder stond bij de ingang van de rouwkamer te praten met een man die net wilde vertrekken. Toen Fielding dichterbij kwam, knikte Crowder tegen hem.

'Heb je zin om hierna iets te gaan drinken?' vroeg hij. Fielding keek de rouwkamer in, waar het nog steeds druk was. Het aanbod was er, overgebracht op Crowders zuinige, sardonische wijze. Graag of niet, en Fielding had de neiging er niet op in te gaan. Waarom zou hij iets willen drinken met deze stuurse jongeman die hem overduidelijk niet mocht? Toch voelde hij zich verplicht ten opzichte van Denise, ten opzichte van haar familie, ongeacht de gedaante waarin ze verschenen. Hij hoopte dat anderen inbegrepen waren in de uitnodiging, misschien Kelly en Sandy, en hij antwoordde: 'Oké.'

'Een vriend van mij wil je graag ontmoeten', zei Ray. 'Hij heeft vroeger verkering gehad met Denise.'

Fielding betreurde het nu dat hij de uitnodiging had geaccepteerd. Hij was niet geïnteresseerd in een ontmoeting met een van Denises vroegere vriendjes. Waarom zou hij?

Wat konden ze in vredesnaam gemeen hebben?

Ray was nu in gesprek met een echtpaar. De vrouw zette haar naam in het gastenboek.

'Hé, bedankt dat jullie gekomen zijn, Brent. Sheila.'

'Geen probleem, Ray', zei de man. 'Veel sterkte.'

Crowder wendde zich tot Fielding. 'Over twintig minuten kunnen we hier wel weg. Rij maar achter me aan.'

'En Sandy?' vroeg Fielding.

'Kelly neemt haar en mama mee terug. Maak je maar geen zorgen.' En weg was hij, zigzaggend door de nog steeds volle rouwkamer.

Fielding liep de gang door op zoek naar een toilet en kwam langs de openstaande deur van rouwkamer 3; hij ving een glimp op van het bleke, kale hoofd van het lijk dat er lag. Een stuk of zes mensen stonden om de weduwe die er vlakbij zat; ze praatten zachtjes met elkaar. Een jongeman, die kwam aangelopen door de gang, glimlachte tegen hem.

'Zoekt u het toilet, meneer?' vroeg hij. Op zijn revers stond de naam George.

'Ja.'

'Aan het eind van de gang links.'

'Ik ben hier met de familie Crowder', zei Fielding. 'Mijn naam is Dan Fielding. Was u dat die ik in Engeland aan de telefoon heb gehad? Ik was met juffrouw Crowder.'

De jongeman glimlachte. 'U hebt met mijn vader gesproken, meneer Fielding. George de derde noemen ze me hier.'

Fielding herinnerde zich de kalme, Canadese stem die hem afgelopen zondag onder de Atlantische Oceaan door had bereikt. Het had geholpen.

'Uw vader wist precies wat er gedaan moest worden. Dat was een hele geruststelling. Ik zou hem graag bedanken.'

'Nou, mijn vader is vanavond weggeroepen met mijn broer, Geoff. Ze zijn ergens buiten de stad, dus het zal wel even duren. Maar ik zal hem overbrengen wat u hebt gezegd, meneer Fielding. Hij zal het zeer waarderen.'

Hij stond samen met Sandy en Lucille op het parkeerterrein. Ze rookten een sigaret, terwijl ze wachtten op Kelly en Ray, die bij de voordeur van het uitvaartcentrum stonden te praten. In het vale licht van het parkeerterrein zag Lucilles gezicht er betrokken uit.

'Hoe gaat het, Lucille?' vroeg Fielding.

'Mijn voeten zijn moe', zei ze, zonder hem aan te kijken. Ze klonk kregelig. 'Ik weet niet wat er met mijn zussen aan de hand is', zei ze. 'Als ze in godsnaam maar geen ongeluk hebben gehad. Ze hadden al hier moeten zijn. Ze zullen Denise ook willen zien.'

Het was de eerste keer dat ze haar dochters naam voluit gebruikte. Misschien een teken van ergernis over hoe alles verliep, maar misschien ook een glimp van de lange, moeizame tijd die haar wachtte, wanneer iedereen weer weg was en ze alleen voor de wintermiddagen stond en niet wist wat ze met de boeken en foto's, de zomerkleren in de kast aan moest. Middagen dat ze zichzelf de vraag stelde of het niet een beetje zinloos was om met roken te stoppen. Hij zag Kelly en Ray over het grasveld naar hen toe komen; Ray had zijn mobieltje aan zijn oor en Kelly hield zich vast aan zijn andere arm toen ze zich op haar hoge hakken voorzichtig een weg zocht over het natte gras.

Lucille zei: 'Dan, let erop dat Ray niet aan de sterkedrank gaat vanavond. Hij zou alleen bier moeten drinken.'

'Ik zal mijn best doen, Lucille', zei hij, zich afvragend hoe ze in vredesnaam van hem kon verlangen dat hij Ray Crowder ervan weerhield te drinken wat hij vanavond wilde drinken.

'Sorry dat we jullie hebben laten wachten', zei Kelly. Ze had een sjaal om haar hoofd gebonden en stak het sleuteltje in het slot van haar auto. Crowder, die nog steeds aan het bellen was, stond nu tegen zijn truck geleund. Terwijl Fielding naar de vrouwen keek die in de auto stapten, probeerde hij de mogelijke contouren uit te werken van de volgende paar uur met Ray Crowder. Op de achterbank van de Buick opende Lucille, een kleine, in elkaar gedoken gedaante, het raampje en riep: 'Kijk een beetje uit in die truck vanavond, Ray.'

Geconcentreerd op het telefoongesprek wuifde Crowder afwezig naar zijn moeder.

De grote auto reed langzaam het parkeerterrein af en Kelly remde behoedzaam toen ze de uitrit naar de weg naderde. De voorruiten waren beslagen door de vochtige nachtlucht en Fieldings haar was nat. Crowder had zijn mobieltje weggestopt, hij opende het portier van zijn truck met een hand en maakte met de andere zijn stropdas los.

'Lyle rijdt net weg bij het stadion', zei hij. 'Hij ziet ons daar. Rij maar achter me aan, oké?'

'Oké', zei Fielding en hij stapte in de Honda. Lyle was vermoedelijk Denises vroegere vriendje en hij reed weg bij een stadion, wat betekende dat hij ijshockeyde of het trainde of ernaar keek of er iets anders mee deed. Volgens de gebrekkige code van de kleinsteedse communicatie werd van de bezoeker verwacht dat deze de hiaten zelf invulde. En zo reed hij weer achter de remlichten van de rode pick-up aan, door een stad die er nu grotendeels verlaten bij lag, de hoofdstraat was donker en alleen een pizzatent en een Chinees restaurant waren nog open. Maar verder weg, in Lake Street, waren de benzinestations en snackbars volop verlicht en hij volgde de truck een breed terrein naast een wegcafé op. Toen hij de motor afzette, kon Fielding het zware gedreun van een basgitaar al horen. Crowder stond met zijn handen in zijn zakken bij de ingang op hem te wachten.

Blackie bestond uit een grote, eenvoudige ruimte met blootliggende balken en aan een kant een bar. Er stonden tientallen tafeltjes en een paar stellen dansten op opgenomen rockabillymuziek. Serveersters droegen bladen vol bier naar klanten die in de twintig of dertig waren, de mannen gekleed in spijkerbroek, overhemd en pet, de jonge vrouwen in denim heupbroek en T-shirt. Er was veel vertoon van bloot en tatoeages en de sfeer was opgewekt vulgair met een scheut agressie. Een vleesmarkt, dacht Fielding. Bier, tieten en testosteron. Er zou niet veel voor nodig zijn om hier een gevecht te laten uitbreken. Crowder leidde hem door het gedrang naar een tafeltje en een stevige man in een ijshockeyjack. Hij kamde zijn dikke, blonde haar met zijn vingers alsof hij net pas was gearriveerd. Het was rokerig en warm in het café en Fielding hing zijn regenjas over de rugleuning van zijn stoel en voelde zich belachelijk in zijn formele kleding. De blonde man sloeg hem gade, wachtend tot hij voorgesteld werd misschien. Fielding stak zijn hand uit.

'Dan Fielding.'

De man keek hem onbewogen aan en schudde hem de hand. 'Lyle Parsons. Hoe gaat het?'

'Goed, dank je', zei Fielding.

'Hij was met Denise in Engeland', zei Crowder en hij ging zitten en schonk bier in de glazen.

Parsons knikte. 'Een vreselijke kwestie.'

'Ja', zei Fielding.

Ze dronken van hun bier en keken alle drie naar de televisie boven de bar. Een ijshockeywedstrijd, piepkleine figuurtjes wervelden over het ijs en scheidsrechters in gestreepte truien volgden het spel. Een vrouw zong over een gebroken hart. De stilte tussen hen was onbeholpen en Fielding was blij toen Crowder aan Parsons vroeg hoe zijn team er dit jaar voorstond.

Parsons' vlezige, knappe gezicht klaarde op. 'Ze zullen het wel goed doen. Ik heb drie of vier echt sterke verdedigers en die jongen van Thompson staat nog een jaar in de goal. Achter de blauwe lijn zit het wel goed. De aanvallers...' Hij haalde zijn schouders op. 'Voor is het een beetje magertjes. Scoren zal niet makkelijk zijn. Maar doelpunten tegen zullen er ook niet zoveel zijn.'

Crowder keek Fielding aan. 'Lyle is trainer van een juniorenteam. Vroeger ijshockeyden we samen. Hij zit nu bij de Provinciale Politie van Ontario.'

Had Crowder hem hier mee naartoe genomen om hem de oude vlam van Denise te laten zien, die nu politieagent was, een betrouwbare burger die zijn donderdagavonden spendeerde aan de ijshockeytraining van kinderen? Wilde hij dat Fielding de man zag met wie Denise had kunnen trouwen, als ze het niet zo hoog in haar bol had gehad? En waartoe had dat trouwens geleid? Tot kerels als die halvezool hier naast hem, met zijn grijze flanellen broek en blazer, met zijn gepoetste gaatjesschoenen en die nichterige, groene regenjas met de aanstellerige schouderriempjes. Een gozer met wie ze naar Europa was gegaan en we weten allemaal wat er daar is gebeurd. Iets dergelijks speelde waarschijnlijk door zijn hoofd, dacht Fielding, terwijl hij luisterde naar de twee mannen, die praatten over de weg die ten noorden van de stad werd aangelegd. Uit hun gesprek maakte Fielding op dat Ray Crowder de kost verdiende als chauffeur van een vrachtwagen, waarmee hij nu grind vervoerde. Hij kwam ook te weten dat Kelly Swarbrick in het nieuwe callcenter aan de rand van de stad werkte. Van tijd tot tijd wierp Fielding een steelse blik op Parsons. Het kon zijn dat hij ergens op de middelbareschoolfoto op Denises boekenplank stond, een van de langere jongens op de achterste rij. En stel dat ze met hem was getrouwd? Naar de universiteit was gegaan en teruggekomen was als lerares. Een rustig leven was gaan leiden met deze man en een paar kinderen had gekregen. Die zouden dan nu zeven of acht zijn en ze zou thuis een roman zitten lezen, terwijl Lyle kinderen trainde in het stadion of nachtdienst had en met mensen kletste in de vierentwintiguurscafetaria aan de snelweg. Toch was het lastig om de Denise Crowder die hij had gekend in dit plaatje in te passen.

Een lichtelijk aangeschoten jongeman was naar hun tafeltje toe gekomen en hij bukte zich om een arm om Crowders schouders te slaan. 'Ik vond het zo erg toen ik het hoorde van je zus, man.'

'Bedankt', zei Crowder zacht, zonder zich te bewegen.

De man ging weer recht staan. 'Hou je haaks, hè, Crowder?'

'Ja, oké', zei hij en hij keek de man na toen die tussen de mensen door wegliep. 'Stomme lul', mompelde hij.

'Zeg dat wel, Ray', zei Lyle Parsons, toen ze naar het lichte wankelen van de man keken. Hij verdween in de gang naar de toiletten en Fielding moest wel tot de conclusie komen dat er zich iets had afgespeeld tussen hem en Crowder, iets wat kwaad bloed had gezet, maar dat er nu, door Denises dood, een soort wapenstilstand was verklaard. Hij verbaasde zich over de vele broze regelingen zoals deze, die onderdeel waren van het leven in een stad als Bayport.

'Hé, we moeten meer bier hebben', zei Crowder en hij wiebelde met de lege karaf. Lyle Parsons had zijn arm al opgestoken. 'Iets te eten erbij? Ik dacht aan kippenvleugels.'

Crowder zat onderuitgezakt in een soort kapiteinsstoel. Bij ieder tafeltje stond er een.

'Oké', zei hij. 'Daar lust ik er wel een paar van.'

Toen Parsons zijn kant op keek, zei Fielding: 'Waarom niet?' Hij was zich ervan bewust dat hij heel snel de lokale, laconieke manier van spreken had overgenomen. Deze verbale verkleuring was een gewoonte waaraan hij, als hij op reis was, zelden weerstand kon bieden. Toen hij een keer terugkwam van een redacteurencongres aan de Southern Methodist University ('De gevaren van het uitgeven van fictie'), zag hij dat Claire hem verwonderd aankeek en ten slotte vroeg: 'Waarom praat je zo?' En hij besefte dat hij zonder erbij na te denken teemde als een Texaan.

De in spijkerbroek en T-shirt geklede serveerster zette nog een karaf bier op tafel en nam de bestelling voor dertig kippenvleugels, medium doorbakken, op. Parsons schonk de glazen bij.

'Hoe laat is de begrafenis morgen, Ray?'

'Twee uur.'

'In de Johanneskerk?'

'Ja.'

Lyle Parsons keek omlaag naar zijn grote handen die het glas omvatten. 'Het wordt een circus, let maar op. Die lui van de tv zijn al in de stad. Ze zitten in de Inn. Cooney zei dat hij vanmiddag hun bus heeft gezien.'

Crowder keek naar de wedstrijd op het televisiescherm boven de bar. 'Dat kun je wel zeggen. Het wordt een circus. Als ze godverdomme maar niet proberen om met mij te praten. Ik heb geen zin om iets tegen hen te zeggen. Ze kunnen mam ook maar beter met rust laten.'

'Ik kan je geen ongelijk geven', zei Parsons. 'Ze kunnen heel brutaal zijn. Ik heb het gezien na zware ongevallen. Weet je nog dat ongeval op de Northport Road afgelopen voorjaar, toen die vier indiaanse jongeren zijn verongelukt? Die lui van de tv kwamen als vliegen op een stronthoop op die begrafenissen af. Ze interviewden iedereen en zijn ouwe moer. Mensen waren in tranen. Trokken zich de haren uit het hoofd. Dat was een circus.' Hij keek naar Fielding. 'Ik neem dat jij daar alles van weet. Ze zaten in Toronto ook achter je aan.'

'Ja, dat deden ze zeker.'

'Ik heb je op tv gezien, toen je op het vliegveld was. Het leek of je een spook had gezien.'

'Dat is een goeie omschrijving', zei Fielding en Parsons keek hem bevreemd aan, alsof zijn woordkeuze belachelijk werd gemaakt; in feite vond Fielding dat het precies beschreef hoe hij er op de tv uitgezien had.

'Dus,' zei Parsons toen hij zijn glas leeg had, 'hoe lang heb je Denise gekend?'

'Sinds de zomer', zei Fielding. 'Ze kwam in juni bij ons werken. Maar ze kwam in mei voor het sollicitatiegesprek.'

'Dus jij was zoiets als haar baas?'

'Niet precies haar baas. Ik heb wel, samen met een paar andere mensen van het bedrijf, het sollicitatiegesprek met haar gevoerd.'

'Maar je stond boven haar, niet? Ze was lager dan jij.'

'We gingen zo goed als gelijken met elkaar om. Maar ik was wel de leidinggevende redacteur. Ik werkte er tenslotte al veel langer.'

Hij zag waar Parsons heen wilde. Hij zag Fielding als de oudere man met macht over een jongere medewerker; hij had haar overgehaald met hem naar Europa te gaan en had haar vervolgens voor het weekend meegenomen naar een badplaats aan de zuidkust van Engeland. Met andere woorden, hij was een man die zijn machtspositie op de werkplek had misbruikt, bla, bla, bla. Maar Parsons was dan ook politieagent en het was de mentaliteit van de politie om iemand te schuld te geven. Toch stoorde Fielding zich aan de veronderstelling van die grote pummel. Wat wist hij er nou van? Als hij de mythe wilde geloven van de boosaardige heer en het hulpeloze dienstmeisje dan zou hij de enige niet zijn; de meeste mensen gaven waarschijnlijk dezelfde draai aan het verhaal. Hij had geen zin om zich te verdedigen en was blij toen de serveerster met hun eten kwam.

Alle drie keken ze naar de enorme schaal geroosterde kippenvleugels met de kom blauwekaassaus en de selderij-stengels.

'We kunnen maar beter nog een karaf bestellen', zei Crowder en de serveerster lachte tegen hem. Alle vrouwen in Blackie dragen hem vanavond een warm hart toe, dacht Fielding. Niet alleen zijn broeierige knapheid, maar ook het tragische verlies van zijn zus zou hun aanspreken. Er was geen vrouw in de tent die hem niet mee naar huis zou willen nemen om hem op alle mogelijke manieren te troos-ten.

'Oké,' zei Lyle Parsons, 'maar dan is het genoeg, denk ik. Rijden onder invloed, heren.' Hij lachte grimmig.

Ze aten zwijgend, zo nu en dan opkijkend naar de ijs-hockeywedstrijd. Ze veegden hun mond af aan een servetje en dronken meer bier, hoewel Fielding al genoeg op had. Parsons aandacht was nu bij de taak die voor hem lag. Een forse man met eten voor zijn neus. De serveerster kwam weer langs.

'Alles naar wens, jongens?'

Parsons keek op en zijn blik bleef bewonderend op haar borst hangen. 'Misschien nog een paar servetjes, Heidi.'

'Geen probleem.'

Even later vroeg Ray Crowder: 'Waar was jij precies toen mijn zus werd vermoord door die Engelse klootzak?' Hij had een stuk kip in zijn hand en keek ernaar alsof hij het iemand naar zijn hoofd wilde smijten, hoogstwaarschijnlijk mij, dacht Fielding. Dit was het dus. De reden waarom hij in Blackie zat met Ray Crowder en Lyle Parsons. Ze wilden de details horen.

'Ik zat in de auto', zei Fielding. 'We hadden allebei liggen slapen, maar toen werd Denise wakker.' Hij aarzelde. 'Ze moest nodig. Ze moest plassen. Het was donker. Er was verder niemand, dat dachten we tenminste. Dus stapte ze uit en ik viel weer in slaap. Ik was maar half wakker toen ze uitstapte.'

Beide mannen keken hem nu strak aan en hij nam aan dat ze hun best deden zich het tafereel voor te stellen.

'Waar gebeurde dat allemaal?' vroeg Parsons.

'We waren 's middags ergens gestopt', zei Fielding. 'Op een uitzichtpunt, een pittoreske plek, je moest van de weg af. Er was een trap naar het strand, dus maakten we een wandeling, maar toen begon het te regenen en gingen we terug naar de auto.' Hij was niet van plan hun te vertellen dat hij Woodley op het strand had gezien. De situatie was al hachelijk genoeg.

'Waarom lagen jullie in de auto te slapen?' vroeg Parsons. Zijn gezicht stond ernstig nu, een beetje onvriendelijk zelfs. De politie in Engeland had hem dit ook gevraagd en dezelfde vragen zouden tijdens het proces opnieuw worden gesteld.

'We waren allebei moe', zei hij. 'We hadden die hele week geen van beiden goed geslapen. En we hadden wat gedronken, daar in de auto. Het regende hard.' Hij zweeg. Het was onmogelijk om een positieve draai te geven aan wat er zich op dat parkeerterrein afgelopen zaterdag had voorgedaan. Parsons en Crowder waren opgehouden met eten; het kon zijn dat het hun allebei als buitengewoon stuitend voorkwam om geroosterde kip te eten terwijl ze het kwalijke verhaal van deze man aanhoorden. Evenmin was het moeilijk om te bedenken dat seks de kern van de zaak uitmaakte. Het stond op hun gezicht te lezen toen hij probeerde uit te leggen waarom Denise en hij in de auto in slaap waren gevallen. Maar geen van beide mannen was bereid hierop door te gaan. Ray Crowder wilde niets horen over seks tussen hem en Denise in een auto en het vroegere vriendje evenmin.

Crowder staarde weer naar het televisiescherm. 'Dus zij stapte uit om te gaan plassen en dat is de laatste keer dat je haar levend hebt gezien?'

'Ja', zei Fielding. 'Het was donker en ik heb er geen moment bij stilgestaan dat er nog iemand anders was.'

Ray Crowder bleef naar de televisie kijken. Hij scheen op meer informatie te wachten. Ten slotte vroeg hij: 'Nou, wanneer dacht je godverdomme dan dat er iets mis was?'

'Toen ik wakker werd', zei Fielding. 'Dat was misschien een uur later. Ik weet niet precies hoe laat Denise uit de auto is gestapt. Maar het was bijna halfacht toen ik wakker werd.'

'En wat deed je toen?' vroeg Parsons.

'Ik vroeg me uiteraard af waar ze was. Dus ik stapte uit en zocht het parkeerterrein af. Eerst dacht dat ze misschien de weg kwijtgeraakt was in het donker. Van de klip af gestruikeld misschien, maar dat leek onwaarschijnlijk. Ik had gewoon geen idee.'

Dat was natuurlijk niet waar. Hij wendde die onwetendheid voor. Hij had wel een idee gehad van wat er met haar gebeurd kon zijn en het had hem met afschuw en paniek vervuld. Hij kon zich heel goed herinneren dat hij aan de man op het strand had gedacht, zijn boze gezicht en bezeten manier van lopen, zijn vreemdheid. Maar in de versie van het verhaal die hij gaf, terwijl hij in deze rumoerige, vierderangskroeg naast Denises broer en Lyle Parsons zat, zou zijn wetenschap van Woodleys aanwezigheid op het strand niet inbegrepen zijn. Hij zou hun nu niet vertellen dat hij, toen hij dat desolate parkeerterrein afgelopen zaterdagavond in de regen had afgezocht, al een vaag vermoeden had gehad van wat er was gebeurd. Hij besefte dat het geen hoogstaand moment was in zijn leven, maar voorlopig zat er niets anders op.

'Toen ben ik terug naar de auto gegaan en heb ik de politie gebeld.'

'Jezus', mompelde Crowder.

'Hij moet in het donker hebben staan wachten', zei Fielding. 'Je zou geen moment gedacht hebben dat er in die stortregen een man stond te wachten.'

'En toen heeft hij haar gegrepen', zei Crowder zacht.

'Ja. Hij had blijkbaar ergens een busje staan, maar ik kon niets zien.'

Crowder keek hem even aan. 'Nee. Jij sliep.'

'Kalm aan, Ray', zei Parsons.

'Ja', zei Fielding. 'Ik sliep.'

Crowder duwde zichzelf naar voren en stootte een leeg glas om, dat Parsons behendig greep voordat het van tafel rolde. Crowder steunde op zijn ellebogen, met zijn gezicht op een paar centimeter van dat van Fielding.

'Je had beter op haar moeten passen, man. In die godvergeten uithoek met een godvergeten krankzinnige, rondzwervend in de regen.'

'Kom op, Ray', zei Parsons. 'Hij wist toch niet dat die kerel daar was.'

Crowder was weer onderuitgezakt in zijn stoel en staarde naar de televisie. Hij leek zo te walgen van alles en iedereen dat Fielding medelijden met hem kreeg. Een van de teams had een doelpunt gezet en er werd gejuicht aan de bar. Samen met de anderen keek Fielding naar de eindeloze herhalingen van de goal.

Voor Lyle Parsons leek het ergste van het verslag achter de rug. Hij doopte een kippenvleugel in de blauwekaassaus. 'Ze hebben die gozer dus de volgende morgen opgepakt?'

'In feite', zei Fielding, 'heeft Woodleys zwager hem naar het bureau gebracht. Woodley woonde bij zijn zus en zwager, die een stukadoorsbedrijf heeft of zoiets. Ze waren een dag weg en toen ze terugkwamen en Woodley er niet was, werden ze ongerust. Toen merkte de zwager dat het busje weg was en Woodley had niet eens een rijbewijs.'

'Waarom hebben zij de politie niet gebeld?' vroeg Parsons.

'Dat weet ik niet. Misschien dacht hij dat het geen zin had om de politie er toen bij te halen. Dus hebben ze op hem zitten wachten en toen hij eindelijk kwam opdagen, was het twee uur 's nachts, de zwager vermoedde iets en ik neem aan dat hij uiteindelijk uit hem heeft gekregen wat er was gebeurd en toen heeft hij hem naar het bureau gebracht. Later die ochtend hebben ze me in het hotel gebeld.'

Parsons steunde op zijn ellebogen. Zijn interesse leek nu beroepsmatig. 'En die vent had al eerder gezeten?'

'Ja. De politie zei dat hij acht jaar had gezeten wegens poging tot verkrachting of aanranding. Het slachtoffer was de dochter van een vrouw met wie hij toen samenwoonde. Ik weet de details niet precies, alleen dat hij zijn straf helemaal had uitgezeten. Vorig jaar met Kerstmis is hij vrijgekomen.'

Crowder snoof vol verachting. 'Die kerels komen vrij. Dat is toch godverdomme belachelijk, niet dan? Hij komt vrij en dan? Zeven, acht maanden later doet hij het weer. De politie doet er godverdomme niets aan.'

Parsons keek hem aan. 'Ik snap waar dat vandaan komt, Ray, maar je moet de politie niet de schuld geven. Die vent had zijn tijd uitgezeten.'

'Ze hadden die vent in de gaten moeten houden', zei Crowder. 'Ze hadden hem onder toezicht moeten stellen of zoiets. Je kunt ze toch godverdomme niet gewoon over straat laten lopen.'

'We kunnen niet iedereen in de gaten houden, Ray. Dat weet je best. Als die man voorwaardelijk vrij was, dan wel, ja. Een man die voorwaardelijk vrijgelaten is. Die houden we in de gaten. Maar deze man had zijn tijd uitgezeten.' Parsons schudde vol verbazing zijn grote hoofd. 'Het was gewoon pech. Maar als je het mij vraagt, dan vind ik het niet erg verantwoord om een jonge vrouw mee naar die plek te nemen en dan in de auto te gaan zitten drinken. Mijn god, waar dacht je aan?'

'Hij dacht nergens aan', zei Crowder met zijn blik nog op de tv gericht. 'Hij sliep.'

Het werd nu toch echt tijd om op te stappen, dacht Fielding. Hij hoefde niet in deze tent te blijven zitten en zich de les te laten lezen door deze twee kerels, hoewel hij het Ray Crowder niet kwalijk kon nemen dat hij zich zo voelde. Die middag had Ray in een kist gekeken en de lege huls gezien van wat ooit zijn zus was. Morgen zou hij moeten aanzien dat die kist in de grond werd neergelaten. Misschien dat hij als Laërtes zou proberen Fielding aan het graf te wurgen. En al deze ellende, die zich als een donkere vlek over de oceaan uitspreidde naar dit café in Ontario, was veroorzaakt door één man, die nu ergens in Engeland in een cel lag te slapen, misschien dromend van andere jonge vrouwen die op verlaten parkeerterreinen waren of in hun eentje een zondagse wandeling maakten over een landweggetje. Over een paar uur zou hij gewekt worden voor zijn ontbijt van havermout en thee, zijn uur op de luchtplaats, het bezoek van de heilssoldaat die een passage uit de bijbel zou voorlezen, waar George Allan Woodley wel of niet naar zou luisteren. Wie zou ooit de geest kunnen doorgronden van een man die in zijn eigen wereld verkeert en uitsluitend voorziet in zijn eigen behoeftes? Het enige wat we met zekerheid weten, dacht Fielding, is dat zulke mannen het leven van anderen verwoesten.

Boven de herrie in het café uit trachtte hij te luisteren naar wat Lyle Parsons vertelde over Denise en hun middelbare schooltijd in Bayport. Dat hij ergens achteraf op een boerderij had gewoond en met de bus naar school was gekomen. Dat hij Denise Crowder van een afstand had bewonderd, maar pas in de laatste klas de moed had kunnen opbrengen om haar mee uit te vragen. En hoe verbaasd hij was geweest toen ze ja zei. Onder het luisteren zag Fielding Denise voor zich als een kleine, sexy zeventienjarige, die op een lang vervlogen vrijdag in de middagpauze bij een drinkfonteintje met deze grote, blonde boerenjongen stond te lachen.

'Ze was heel slim', zei Parsons. 'Altijd aan het lezen, maar je kon ook lol met haar hebben. Een toffe meid. Veel van die slimme grieten zijn ook verwaand. Herinner je je Leah Seward nog, Ray? En Bernice Coleman? God, wat waren die verwaand.'

'Stront wie heeft jou gescheten', zei Crowder.

'Dat mag je wel zeggen', zei Parsons. 'Maar Denise voelde zich overal thuis. Ze ging naar feestjes. Dronk wat.'

Natuurlijk deed ze dat, dacht Fielding. Maar niet omdat ze de 'toffe griet' was die Parsons zich wilde herinneren. Ze ging omdat ze nieuwsgierig was – niet alleen naar wat er in boeken stond, maar ook naar wat er op feestjes gebeurde. Hoe de stijve van een jongen aanvoelde in haar hand op de achterbank van een auto. Wat een tweede glas Captain Morgan met cola met haar hoofd deed.

'Maar ze was voorzichtig', zei Parsons. 'Ik heb haar nooit dronken gezien. Ze dronk een paar glazen en dan hield ze op. Je moeder kan trots zijn op hoe ze dat meisje heeft opgevoed.'

'Ze was een goeie meid', zei Ray Crowder, die nu verveeld keek. Hij scheen uitgeraasd en maakte nu de indruk dat hij alleen gelaten wilde worden.

Toen zijn mobieltje ging, zakte hij achterover in de kapiteinsstoel, luisterde en mompelde af en toe een antwoord. De beller moest Kelly Swarbrick zijn, dacht Fielding, want alleen zij wist een grijns te ontlokken aan deze ongelukkige jonge- man. Ze wilde hem thuis in haar bed hebben en toen hij uitgeluisterd was, leek Crowder te zijn opgemonterd.

'Vrouwen,' zei hij tegen Parsons, 'die denken altijd dat je stomdronken wordt en met je wagen tegen een boom aan knalt. Godallemachtig, ik heb dertigduizend dollar op dat parkeerterrein staan.'

'Nou ja,' zei Parsons, 'je moet toegeven dat er bij zijn die dat doen, Ray. Ik heb er genoeg gezien die om een boom ge- vouwen waren en om andere dingen ook.'

'Nou, ik niet, oom agent', zei Crowder en hij leunde naar voren. 'Wil je dat blaaspijpje soms op me uitproberen?'

Parsons lachte zuur. Het woord 'agent' leek hem dwars te zitten; misschien dat hij nu eigenlijk al hoger de ladder opgeklommen zou moeten zijn. Maar Crowder genoot. Spot- ten ging hem goed af. Voor hem waren humor en sarcasme een en hetzelfde.

'We zullen gewoon een beetje voorzichtig zijn vanavond en dan komt het wel goed. Jij hebt niet veel gedronken', zei Parsons tegen Fielding. 'Dus dat is in orde.'

'Ik ben niet zo'n bierdrinker', zei Fielding.

'Nou, dan hadden we wel wat chiquers voor je kunnen bestellen', zei Crowder.

'Ik denk dat ik maar eens ga', zei Fielding en hij stond op en pakte zijn jas.

'Logeer je in de Inn?' vroeg Parsons.

'Nee, in het motel hier verderop aan de weg.'

Crowder trok een gezicht. 'In het Moonbeam Motel? Jezus, dat is een krot. Ik zou de lakens maar nakijken.'

'Nou, het is in ieder geval niet ver', zei Parsons.

'Hoeveel ben ik je schuldig?' vroeg Fielding.

De grote man wuifde loom met zijn hand boven de tafel. 'Laat maar zitten.'

'Je bent onze gast', zei Crowder langzaam.

Fielding haalde zijn schouders op. 'Goed, dan zie ik jullie morgen in de kerk.'

'Ja, dat zal wel', zei Crowder en hij keek weer naar de ijshockeywedstrijd.

Het was een opluchting om buiten te staan, de vochtige, zachte lucht in te ademen en te weten dat hij nooit meer een voet bij Blackie binnen hoefde te zetten. Ze hadden een idee willen hebben van wat er in Engeland was gebeurd en hij had geprobeerd dat te geven. Het was genoeg en hij was blij dat hij in zijn auto kon stappen en naar het motel kon rijden. Er stonden maar drie andere auto's voor de kamers geparkeerd. Toen hij langs de receptie kwam, zag Fielding een vrouw achter de balie naar het journaal zitten kijken. Beelden van een stad ergens in het Midden-Oosten. Een menigte boze, donkerharige mannen in hemdsmouwen die een doodskist door de straten droegen. Met hun vuisten zwaaiden.

Het rode lampje op de telefoon knipperde, net als in het hotel in Glynmouth, en toen hij opnam, hoorde hij de stem van Claire vragen of hij naar huis wilde bellen. Ze klonk geërgerd en Fielding vroeg zich aarzelend af of hij niet eerst een slaapmutsje moest inschenken voor hij met haar praatte. Maar hij vond toch maar van niet en toen ze opnam zei hij: 'Hoi, ik ben het.'

'Ja, hoi. Waar heb je de hele avond gezeten?'

'Ik was tot negen uur in het uitvaartcentrum en daarna ben ik met Denises broer en een vroeger vriendje van haar meegegaan. Ze wilden me uithoren. Ze hebben me naar een bar aan de snelweg meegenomen. Ik weet niet waarom ik meegegaan ben. Omdat ik het gevoel had dat ik de broer iets schuldig ben, denk ik. Hij was natuurlijk razend op mij.'

'Dat klinkt gezellig.'

'Nou ja, ik heb het overleefd.'

Claire zweeg even. 'Heather heeft een heel slechte dag gehad.'

'Wat is er aan de hand?' vroeg hij. 'Wat is er gebeurd?' Hij voelde hoe de spanning greep op hem kreeg en de adrenaline zijn werk deed.

'Ze praten over haar in de chatroom en ik heb begrepen dat een deel ervan behoorlijk hatelijk is. Je zult je wel kunnen voorstellen wat vijftienjarige meisjes kunnen verzinnen. Jij hebt natuurlijk de rol gekregen van dekhengst. Er wordt een hoop gekletst over je dode vriendin. Vragen als: "Zal Heather naar de begrafenis van haar vaders vriendin gaan?" Allison Harvey heeft er haar vandaag wat van laten zien. Daar heb je vriendinnen voor, niet? Om je te laten zien hoeveel mensen er blij zijn dat jij je rot voelt.'

'Daar is een woord voor', zei hij.

'Ik ken dat verrekte woord heus wel, Dan. Doe niet zo neerbuigend. Hoe dan ook, ze heeft over die troep gehoord. En die komt ook van andere scholen. Meisjes waar ze tegen gespeeld heeft.'

'De kleine krengen.'

'Je kunt ze noemen wat je wilt. Daar verander je niets mee. Vandaag werd het haar te veel, ze is in tranen thuisgekomen. Ze kon het niet aan om naar de training te gaan en je weet hoe vervelend ze het vindt om die te missen. Ik overweeg om haar een paar dagen thuis te houden. Dat wilde ik aan het begin van de week al, maar ze stond erop om naar school te gaan. Ze ging zich voor niemand verstoppen, zei ze. En ze wilde er klaar voor zijn om op zaterdag te spelen. Het is een belangrijke wedstrijd. Maar ze heeft de hele week al niet goed gegeten en geslapen. Je hebt die kringen onder haar ogen toch wel gezien? En vandaag kon ze er niet meer tegen. Ze kwam vroeg naar huis en is op bed neergeploft. Uiteraard denkt ze dat haar leven verwoest is.'

'Jezus. Kan ik haar spreken?'

'Een uur geleden misschien, hoewel ik eigenlijk niet denk dat ze met iemand wil praten. In ieder geval is ze eindelijk in slaap gevallen en ik maak haar niet wakker. Ze heeft haar uniform nog aan. Ik heb alleen een deken over haar heen gelegd. Dat gedoe is nog steeds op de televisie. Jezus, vanavond weer. Beelden van de stad, de kerk, de middelbare school waar ze op gezeten heeft.'

'Daar moet je niet naar kijken.'

'Ik kijk waar ik naar wil kijken. Vertel me niet waar ik naar moet kijken.'

'We moeten het stap voor stap nemen, Claire. Sorry voor het cliché.'

Toen ze geen antwoord gaf, zei hij: 'Het spijt me van alles.'

'Ja', zei ze. 'Ik geloof wel dat het je echt spijt.' Haar stem klonk moe, alsof ze heel lang en diep over alles had nagedacht en nu ontmoedigd was door wat er van haar leven was geworden. 'Maar het is wel gebeurd, niet?' zei ze. 'Daar valt niets aan te veranderen. Heather zal het moeten verwerken. Ik ook. En jij ook. In zekere zin verandert het niets om te zeggen dat het je spijt. Het helpt wel, maar het verandert niets. We moeten er allemaal doorheen, maar het zal er altijd blijven. Als iets eenmaal is gebeurd, is het gebeurd. Het is er. Een deel van je leven. Het kan niet uitgewist worden.'

'Wat bedoel je precies, Claire?'

'Ik bedoel dat we niet kunnen veranderen wat er is gebeurd. Het zal er altijd zijn. Jouw weekendromance. De dood van Denise Crowder. Heathers herinnering aan die hatelijke e-mails. Dat vrienden voortaan op een bepaalde manier tegen ons aan zullen kijken. "Weet je nog van al die sores die ze hadden toen dat meisje met wie Dan iets had in Engeland is vermoord?" Dat zal er allemaal altijd zijn en er valt niets aan te veranderen omdat het is gebeurd.'

Hij kon zich voorstellen dat ze hier de hele week over nagedacht had toen ze naar het journaal keek of wakker lag in bed; het verteerde een deel van ieder uur dat ze wakker was en het was er opnieuw de volgende ochtend, het eerste waarmee ze werd geconfronteerd. Een andersoortig verdriet dan dat van Lucille Crowder, zeker, maar niettemin verdriet, verdriet om de barst in haar huwelijk en omdat haar dochter ongelukkig was.

'Ben je er nog?' vroeg ze.

'Ja, natuurlijk.'

'Begrijp je wat ik bedoel, Dan?'

'Ja, ik begrijp het.'

En misschien beseften ze allebei dat er voorlopig genoeg was gezegd, dat het nu gevaarlijk kon zijn om deze gedachtegang verder door te zetten.

'Hoe laat is de begrafenis?' vroeg ze.

'Om twee uur.'

'Wanneer kom je naar huis?'

'Ik zal proberen zo snel mogelijk terug te komen. Waarschijnlijk vroeg in de avond. Het is ongeveer drie uur rijden vanaf hier.' Hij viel stil. Er leek niets meer te zeggen. 'Ik hoop dat alles goed is met Heather morgen.'

'Ze moet een nacht goed slapen.'

'Ja.'

Er volgde een broos moment van stilte voordat Claire zei: 'Nou, welterusten.'

'Welterusten', zei hij.

Fielding hing op en kleedde zich uit, terwijl hij aan een dag niet lang geleden dacht. Het was een zondagochtend in september, hij ging naar beneden om te ontbijten en luisterde op de trap naar Claire en Heather in de keuken. Ze lachten en spraken over de wedstrijd van de vorige dag, een wedstrijd die was gewonnen door St. Hilda en waarin Heather goed had gespeeld. Dit gelach in de keuken was een zeldzame wapenstilstand tussen moeder en dochter na een moeizame start van het schooljaar. Fielding had zichzelf beloofd dat hij die dag geen manuscripten zou lezen – de morgen was gereserveerd voor de *New York Times Book Review* en later zouden ze bij de Burtons gaan eten. Heather zou 's middags naar een vriendin gaan en Fielding hoopte op een paar uur in bed met zijn vrouw. Toen hij onder aan de trap kwam, zag hij het zonlicht door de tuindeuren over de vloer van de eetkamer en de slapende hond stromen. September was Fieldings favoriete maand en hij genoot vooral van het licht zoals het door het gebladerte van de bomen viel, een subtiel, luchtig licht, kenmerkend voor het seizoen en de afnemende kracht van de zon. Op de radio was kerkmuziek van eeuwen geleden te horen, Monteverdi misschien. Fielding rook wentelteefjes en hoorde zijn vrouw en dochter over de wedstrijd praten en toen hij de keuken in liep, dacht hij: dit is een mooi moment in mijn leven. Ik ben gelukkig. Probeer het te onthouden.

Terwijl hij in het Moonbeam Motel in bed lag, probeerde hij ieder detail van de paar ogenblikken op die september-ochtend op te roepen en terwijl hij het zich voor de geest haalde, hoorde hij dat het begon te regenen, een onverwachte stortbui die weldra op het dak trommelde en uit een regenpijp in plasjes onder het raam uiteen spatte. Hij wilde dat het de hele nacht door zou regenen en morgen overdag ook nog. Een vorm van antropomorfisme, als je het zo zou willen noemen, maar het leek niet meer dan gepast om een jonge vrouw te begraven op een dag dat de lucht zwaar van vocht was.

Op weg naar de stad zat Fieldings hoofd nog vol met nieuwe, onheilspellende informatie: in de afgelopen vijftig jaar waren de gletsjers op de bergen van West-Canada geslonken tot de omvang die ze tienduizend jaar geleden hadden; alle grote rivieren van de wereld waren vervuild; door de toegenomen consumptie van flessenwater droogden de beken en waterhoudende grondlagen uit; Noord-Amerikanen gebruikten dagelijks vier keer zoveel water als Europeanen en vijftien keer zoveel als de mensen in Azië en Afrika. De hele morgen had hij zittend in bed, met de kussens in zijn rug, *A History of Water* zitten lezen en met het deksel van de manuscriptdoos als ondergrond aantekeningen gemaakt. Twee keer was hij onderbroken door een vrouw met sluik, vaal haar en een tatoeage op haar enkel, die met lakens binnenkwam en de kamer wilde schoonmaken. Hij had haar telkens weggestuurd. Hij had de kamer tot één uur gehuurd en hij was eindelijk gegrepen door Tom Lundgrens sombere toekomstscenario, waarin grensconflicten konden uitbreken over het bezit van water, waarvan de prijs ooit die van olie, aardgas en elektriciteit zou evenaren.

Fielding had het verstrijken van de tijd amper opgemerkt en nu, na haastig een sandwich te hebben gegeten in een wegrestaurant, was hij aan de late kant. Het was bijna twee uur en hij zocht naar Metcalfe Street en de anglicaanse Johanneskerk, terwijl zijn gedachten nog steeds bij de voorspelling van de professor waren, van de mogelijke sociale en politieke chaos, tenzij we onze verkwistende gewoontes veranderden. Het zou Heathers wereld zijn, dacht hij, en zelfs als Lundgrens zienswijze pessimistisch was, dan was het nog zonneklaar dat de nieuwe eeuw heel anders zou worden dan de vorige. En hij vroeg zich af of een individueel leven in een wereld waarin mensen elkaar om water zouden kunnen vermoorden er nog evenveel toe zou doen. Zou er voor een enkel sterfgeval als dat van Denise Crowder nog plichtsge-trouw een droevige ceremonie worden gehouden? Of zou het einde van een leven even weinig aandacht krijgen als tijdens de jaren dat de pest heerste in de Middeleeuwen, toen de doden in kuilen werden gegooid en de rouwenden thuis-bleven?

De regen van die nacht was allang over, weggevaagd door een wind die van het meer af kwam en die de lucht had opgeklaard en de dag weer helder en stormachtig had ge-maakt. Toen hij door de zijstraten van de stad reed, zag hij zijn vergissing om zo laat aan te komen; voor de kerk stond de weg aan weerskanten vol auto's en hij moest een paar straten verder parkeren. Het was even na tweeën toen hij de hoek van Metcalfe Street omsloeg, licht hijgend van de draf vanaf zijn auto. Achter het politielint voor de kerk had zich een menigte verzameld, een ingetogen groep van nieuws-gierigen met niets anders om handen, op deze winderige herfstdag uit huis gehaald door hun eigen leedvermaak en de tv-camera's: huisvrouwen, gepensioneerden, mannen in een windjack met een honkbalpet op, tienermeisjes die de mid-dag vrij hadden genomen van school. Op het gazon voor het gebouw lagen boeketten gewikkeld in kegelvormig plastic, aandenkens van vreemden die tot medelijden waren bewo-gen door de dood van een jonge vrouw.

Fielding baande zich een weg door de drom mensen, iden-tificeerde zich bij de politieagent en werd doorgelaten. Ach-ter zich hoorde hij de gefluisterde opmerkingen.

'Dat is de man met wie ze was.'

Stenen treden met ijzeren leuningen leidden omhoog naar de kerk en Fielding was blij toen hij ze opklom dat de dienst nog niet was begonnen. Maar dat zou wel ieder moment kunnen gebeuren, want de achterdeur van de lijkwagen op het parkeerterrein naast het kerkgebouw stond al open. Fielding zag Ray Crowder en Lyle Parsons in een donker pak bij een paar andere mannen staan. Twee jonge vrouwen van het koor waren in hun witte gewaden door een zijdeur naar buiten gekomen en stonden te kijken naar een cameraman die de menigte op straat filmde. Toen hij de kerk binnenging, kwam de jonge vrouw van het uitvaartcentrum met haar ronde, onschuldige gezicht naar Fielding toe. Hoe heette ze ook alweer? Sharon? Ja.

'De kerk is vol, meneer', zei ze. 'Maar we hebben een zitplaats voor u vrijgehouden. Mevrouw Crowder heeft me gevraagd naar u uit te kijken.'

'Bedankt. Sorry dat ik zo laat ben.'

Boven hun gefluister uit hoorde hij het 'Nimrod'-thema uit de *Enigma Variaties* van Elgar, verrassend krachtig en vaardig gespeeld.

'U zit bij uw vrienden uit Toronto', fluisterde Sharon.

'Prima.'

Een oudere man begeleidde hem naar zijn plaats in het midden van de kerk. Hij schaamde zich dood dat hij zo laat was en al die blikken trok toen hij in de bank naast Linda McNulty schoof, die zonder iets te zeggen in zijn hand kneep. Toen hij de rij langs keek, zag hij Loren Schultz, Sy Hollis, Martha Young en Imogene Banks. Op de eerste bank zaten Sandy Levine en Lucille Crowder met een breedgerande, zwarte hoed op, naast haar zaten twee oudere vrouwen, haar zussen, veronderstelde Fielding, een oude man in een bruin pak, Kelly Swarbrick en haar dochter. Toen de muziek ophield, hoorde hij de ritselende geluiden van het koor dat zich opstelde voor de processie. Toen hoorde hij een vrouwenstem. Ze had een Engels accent dat hem aan Fiona Anderson deed denken.

Ik ben de Verrijzenis en het Leven, zei de Heer: wie gelooft
in Mij, zal leven, al is hij ook gestorven: en al wie leeft en
gelooft in Mij, zal niet sterven in eeuwigheid.

Even later werd de kist zwijgend langs hem gedragen door
Ray Crowder, pas kort geknipt, Lyle Parsons en vier andere
mannen, gevolgd door het koor en de priesteres, een vrouw
van middelbare leeftijd. De dienst was rustgevend door de
plechtige rituelen en terwijl Fielding luisterde naar de Engelse vrouw die de collecta las, dacht hij aan de talloze doden
die door de eeuwen heen in een kist hadden gelegen, terwijl
deze woorden boven hen werden uitgesproken. Toen het
koor 'Zacht en liefdevol, roept ons Jezus' inzette, herinnerde
hij zich een zomeravond, meer dan veertig jaar geleden,
toen hij dertien was; een zomer vol verveling met vrienden
die op kamp waren en de middelbare school die hem in
september wachtte. Hij was lang voor zijn leeftijd, maar
onhandig en bijziend; binnenkort moest hij een bril hebben
en hij zag er zeer tegenop om die naar zijn nieuwe school te
moeten dragen. Wat had hij zich eenzaam en verlaten gevoeld op die vroege, lichte zomeravonden, toen hij door de
straten van Toronto zwierf met voor zich de lege weken en
de middelbare school.

Op een avond was hij in een vechtpartij verwikkeld geraakt
met een woest uitziende jongen. Hij was een onbekend
schoolplein overgestoken toen de jongen en zijn twee kleinere vriendjes om hem heen kwamen staan en hem op de
grond duwden. Tot zijn eigen verrassing was hij snel opge-
sprongen en had teruggevochten, aangespoord misschien
door de enige wapens die de gepesten en de ellendigen over-
blijven, zijn eigen angst en woede. Binnen een paar minuten
moest hij door twee mannen, die op het trottoir langsliepen,
van de jongen af worden getrokken. Hij kon zich nog her-

inneren dat een van hen zei: 'Hé, laat los, maatje, straks stikt hij nog.'

Hij ontkwam met zijn nipte overwinning, maar hij voelde zich ook getuchtigd; toen hij van het schoolplein af liep, zat de jongen met een wit gezicht te hoesten. Stel dat de politie achter hem aan kwam? Hij was de openstaande deuren in gevlucht van een kerkzaal waar hij koorgezang hoorde.

Het was een soort bijeenkomst van Youth for Christ in de aula van een zondagsschool en hij was anderen achterna-gelopen de zaal met lambrisering in, waar metalen klapstoe-len stonden en waar de lucht van oude kasten hing. Er waren mannen in hemdsmouwen en vrouwen in bloemetjesjur-ken, jongens en meisjes van zijn leeftijd, maar ook oudere tieners. De predikant was Amerikaans en hij sprak over het goddeloze communisme, de waterstofbom, de naderende grote brand en de liefde die Jezus voor hen allemaal koes-terde. Het was een flegmatiek ogende man met donker, terugwijkend haar en een stoppelbaard. Hij had zijn jasje uitgedaan en toen hij zijn armen hief om de jongeren op te roepen naar voren te komen, waren de zweetplekken te zien. Een vrouw in het koor begon te zingen: 'Zacht en liefdevol, roept ons Jezus' en de rest viel haar bij. De Amerikaanse predikant smeekte hun naar voren te komen en de Verlosser te omhelzen en weldra gingen mensen dwars op hun stoel zitten om anderen langs te laten. Her en der in de zaal stonden jongeren op, bereid om gered te worden.

Vlak voor Fielding zat een meisje van ongeveer zijn leeftijd in een dirndlrok en een witte blouse. Ze was er samen met haar ouders en ze zagen er arm uit. Hij had naar haar gekeken toen ze verderop in de rij zat, maar om plaats te maken voor anderen waren zij en haar ouders voor hem gaan zitten. Voor ze verhuisden, had Fielding echter iets wreeds en akeligs, maar krachtigs in de lome blik van het meisje bespeurd. Toen ze voor hem zat, kon hij haar behabandje door de blouse heen zien en alles was tegelijk verwarrend en wonderbaarlijk: zijn gevecht met de woest uitziende jongen, het licht van de lange avond in de aularamen, de woorden van de predikant over heling en verlossing, de ronde wang van het meisje. Toen ze opstond om zich langs de anderen te wurmen, stak ze haar hand naar achteren om de rok tussen haar billen uit te trekken en een ogenblik later stond Fielding ook op om achter haar aan door het middenpad naar voren te lopen.

Die zomeravond was het begin van zijn korte, gepassioneerde liefdesaffaire met Jezus. Het meisje had hij nooit meer teruggezien, maar dat kon hem niet schelen. Het heerlijke was dat niets hem nog kon schelen – niet de afwezigheid van vrienden, niet het vooruitzicht van de middelbare school, niet de spottende opmerkingen van zijn moeder wanneer hij 's middags op de voorveranda het Nieuwe Testament zat te lezen. Hij was intens gelukkig met de wetenschap dat hij, mits hij een goed leven leidde en Jezus bad om hulp, op een dag het eeuwige leven zou bezitten. Hij ging zelfs bij een bijbelstudiegroep en bracht na de bijeenkomsten zo nu en dan een verlegen meisje naar huis. Toen de middelbare school begon, werd hij als buitenstaander beschouwd, een vreemde vogel, maar hij werd met rust gelaten en soms, tijdens een les of wanneer hij door de gang liep, voelde hij een golf van verrukking omdat hij wist dat niets hiervan belangrijk was. Toch zwakte met het verstrijken van de maanden de intensiteit van zijn gevoelens af door de realisatie dat het zwaar was om een goed leven te leiden, om iedere dag vrij van zonde te zijn en dat het bijna onmogelijk was om naar een knap meisje te kijken zonder lustvol te dromen.

Op een middag hoorde hij zijn ouders in de keuken over

hem praten. Zijn vader verdedigde hem met zijn gebruikelijke redelijkheid.

'Hij moet die dingen zelf uitzoeken, Jean.'

Maar zijn moeder klonk onvermurwbaar; ze was onrustig
en ze had haast, ze stond op het punt naar het ziekenhuis te
gaan voor een avonddienst.

'Nou, als hij die religieuze onzin niet van zich afzet, zal hij
blijven zitten. Je hebt zijn laatste rapport toch gezien.'

Een paar weken later werden zijn ogen onderzocht en
kreeg hij een bril. De wereld zag er plotseling groter en
helderder uit en hij kon nu de getallen en woorden op het
bord zien. Hij werd verliefd op een meisje dat, nu hij erover
nadacht, veel op Denise had geleken, sexy, slim en avontuur-
lijk, maar veel te wereldwijs voor hem. Ze ging uit met
jongens uit hogere klassen. Het was allemaal zo lang geleden, dacht hij, terwijl hij zijn aandacht weer op de woorden
van de priesteres richtte.

De dienst was bijna afgelopen en ze stond nu bij de kist en
strooide er zand overheen.

God, bij wie de geesten der doden het leven hebben, en in
wie de zielen der uitverkorenen zich in onvermengd geluk
verblijden; wij prijzen en loven Uw Heilige Naam voor al
uw dienaren, alle overleden gelovigen en door onze zuster
Denise aan te bevelen, en wij bidden dat wij met haar en
met alle mensen die hun leven in geloof zijn geëindigd en
tot U zijn ingegaan, daar met de zaligen het eeuwige leven
mogen bezitten.
Door Christus onze Heer.
Amen

De zes mannen grepen de handvatten van de kist en droegen hem met onbewogen gezicht en recht voor zich uit

kijkend het middenpad door. De priesteres volgde en daarna Lucille en Sandy, arm in arm, en de zussen, Kelly Swarbrick en het meisje in haar zwarte, katoenfluwelen jurkje en witte maillot. Vervolgens kwam de vreemd uitziende man in zijn slobberige zomerpak met dubbele rij knopen, zijn grote, bleke hoofd bijna haarloos, alsof hij recent een behandeling tegen kanker had ondergaan. Het koor zong samen met de gemeente: 'Leid mij o gij grote Jehova' en daarna liepen de mensen achter elkaar het felle licht van de middag in. De tv-camera's waren er en toen Fielding naar het parkeerterrein keek, zag hij een cameraman Sandy en Lucille filmen toen ze de limousine achter de lijkwagen in werden geholpen.

Imogene Banks schonk hem een volmaakt troostrijke glimlach. 'Een verschrikkelijk droevige dag, Dan.'

'Ja.'

'Hoe voel je je?'

'Beroerd.'

De anderen kwamen bij hen op het gazon staan en iedereen leek slecht op zijn gemak en popelend om ervandoor te gaan. Sy Hollis greep Fieldings hand.

'Jij gaat naar het kerkhof, niet, Dan?' Hij had een zonnebril opgezet en de uitdrukking op zijn gezicht was moeilijk te doorgronden.

'Ja,' zei Fielding, 'en ik kan maar beter gaan, want mijn auto staat een paar straten verderop. Ik denk dat ze zo vertrekken.'

'Juist', zei Hollis. 'Ik weet de weg niet, dus wij kunnen ook beter naar onze auto's gaan. We zien je daar.'

Fielding baande zich een weg tussen de mensen door die nog steeds op het gazon en de treden naar de straat rondhingen. Jurken en rokken werden tegen de benen van de vrouwen aangeblazen en een oudere man verloor zijn hoed. Hij scheerde over het parkeerterrein en een jongere man rende erachteraan. Fielding haastte zich naar zijn auto.

Het kerkhof was aan de andere kant van de stad, een klein eindje van de snelweg af, en er stonden maar een stuk of dertig mensen rond het graf. De lui van de televisie hadden kennelijk besloten om de begrafenisscène niet te filmen. Misschien, dacht Fielding, was het een tikkeltje te gewaagd voor de televisie. Onder de kale bomen lag een dikke laag bladeren, nog nat van de regen van de afgelopen nacht. De priesteres stond bij het open graf, haar grijzige haar waaide voor haar gezicht toen ze de fladderende bladzijden van het gebedenboek met beide handen vasthield. De kist stond op het toestel waarmee hij in de aarde zou worden neergelaten.

'Midden in het leven verkeren wij in de dood', zei ze.

Dat is zo waar, dacht Fielding. Een week geleden rond deze tijd hadden Denise en hij in een Libanees restaurant in Soho gegeten. Ze waren die middag van Frankfurt naar Londen gevlogen en ze had hem in het vliegtuig naar zijn plannen voor het weekend gevraagd. Toen hij zijn uitstapje naar Devon noemde, zei ze dat het leuk klonk. Ze was nog nooit op het Engelse platteland geweest. Had hij soms interesse in gezelschap? Hij wilde geen nee tegen haar zeggen, maar Devon was speciaal. Devon was van Claire en hem en dus had hij gezegd...

Wat had hij gezegd? Iets onzinnigs over wandelen over de voetpaden en dat je daar aan gewend moest zijn. In feite was hij helemaal niet van plan om veel te wandelen; daar was simpelweg geen tijd voor. Hij kon zich herinneren dat ze haar schouders had opgehaald. Ze wist dat hij loog. Maar in het kleine restaurant was hij na twee of drie glazen wijn van gedachten veranderd. En hij had haar gevraagd of ze nog interesse had en natuurlijk had ze dat en dat was dat. Over de tafel heen had ze zijn hand gepakt en geglimlacht.

'Moet ik morgenvroeg een wandelstok gaan kopen, Daniel?'

'Niet nodig', had hij gezegd.

Zo het de Almachtige God heeft behaagd zich in Zijn oneindige genade te ontfermen over de ziel van onze geliefde overleden zuster, vertrouwen wij haar lichaam toe aan de aarde, stof zijt gij en tot stof zult gij wederkeren, in de zekere hoop van de verrijzenis tot het eeuwige leven, door Christus onze Heer; die ons sterfelijke lichaam zal veranderen zodat het deel mag hebben aan Zijn heerlijkheid, volgens Zijn machtige werken waarmee Hij alles aan zich onderwerpt.

Fielding luisterde oplettend naar de ernstige, oude woorden, naar de statige luister van de hoog-anglicaanse taal van meer dan vierhonderd jaar geleden. Maar om dergelijke woorden aan het begin van de eenentwintigste eeuw te geloven kwam hem absurd voor. De kist verdween in de aarde en Fielding las de woorden op de zerk boven het open graf.

CLIFFORD JOHN CROWDER

1938 - 1998

Geliefde echtgenoot van Lucille Anne

1945 -

Mensen keerden terug naar hun auto. Sy Hollis was in gesprek met Sandy Levine en de wind blies door zijn haar terwijl hij naast haar stond in zijn trenchcoat met brede ceintuur. Martha Young verraste Fielding door op haar tenen te gaan staan en zijn wang te kussen. Gewoonlijk was ze niet zo demonstratief.

'We rijden terug nu, Dan. Zien we je maandagmorgen?'

'Ja, ik denk van wel, Mart', zei hij.

'Dat is goed. Je ziet er moe uit. Probeer wat uit te rusten dit weekend.'

'Ik zal het proberen', zei hij en hij keek haar na toen ze naar de anderen toe liep, die naar hem wuifden.

Zijn collega's mochten hem. Ze waren beleefd en zorgzaam, maar ze waren ook verbaasd en verward, teleurgesteld misschien ook over zijn verhouding met Denise Crowder. Dit had hun achting voor hem op onverklaarbare manier veranderd. Hij kon het op hun gezichten zien. Sy Hollis kwam naar hem toe en een ogenblik lang zeiden ze geen van beiden iets. Toen zei Hollis, terwijl hij om zich heen keek: 'Dit is vast een mooi stadje in de zomer.'

'Dat denk ik ook wel', zei Fielding.

Hollis sloeg hem vanachter zijn zonnebril gade. 'Om je de waarheid te zeggen, Dan, zie je er niet zo florissant uit.'

'Dat zeggen er meer, ja', zei Fielding.

'Wil je een paar dagen vrij?'

'Ik denk dat het beter is', zei Fielding, 'als ik gewoon doorga.'

Hollis trok zijn plopgezicht. 'Goed, daar kun je zelf het beste over oordelen. Je komt dus gewoon werken maandag?'

'Ja, volgens mij is dat het beste, Sy.'

'Prima', zei Hollis en hij zweeg om naar de zwaaiende takken omhoog te kijken. 'Ik neem aan dat je naar de Crowders gaat om iets te drinken?'

'Ja, waarschijnlijk wel.'

'We moesten ons verontschuldigen. Denises moeder heeft ons wel gevraagd, maar volgens mij is het meer iets voor familie en vrienden.'

Fielding keek naar Lucille, die in de armen van een van haar zussen leek te zijn bezweken. Anderen kwamen om hen heen staan en de treurende groep vrouwen in donkere kleren liep dicht bij elkaar gekropen naar de limousine op de cirkelvormige oprit.

'Dan ga ik maar', zei Hollis. 'Hou je taai, hè, Dan.'

'Bedankt, Sy', zei Fielding.

Hollis had maar een paar passen gezet voordat hij zich omdraaide. 'Ik neem aan dat je geen kans hebt gezien om naar Tom Lundgrens manuscript te kijken. Ik vraag het alleen omdat hij gistermiddag belde. Hij wilde weten wat we ervan vonden. Tom begrijpt dat je nu een moeilijke tijd doormaakt. Hij was alleen benieuwd of iemand anders het had gelezen.'

De wind blies Hollis' sprietige haar omhoog terwijl hij met zijn handen diep in zijn zakken van zijn trenchcoat stond. Fielding vond het niet prettig om bij het graf van Denise over zaken te praten.

'Kan ik daar maandag met je over praten?'

'Uiteraard', zei Hollis. 'Ik zou die man alleen graag in het weekend iets kunnen vertellen. Je weet hoe auteurs zijn.'

'Ik heb het snel doorgelezen', zei Fielding. 'Er moet nog aan gewerkt worden, maar het gaat hoofdzakelijk om de stijl. Het is hier en daar een beetje stroef en te technisch. Dat kan bijgeschaafd worden. Volgens mij is het de moeite van het uitgeven waard. Als je wilt, zal ik hem morgen bellen.'

Hollis knikte. Hij was verrast door het nieuws. 'Nou, dat is mooi, Dan. Heel mooi. Ik ben blij het te horen. Bedankt.' Hij draaide zich om en liep naar de auto waar de anderen stonden te wachten.

Een oudere man in een donkere regenjas zat geknield op een mat de groene doek op te vouwen die als kunstgras langs de grafrand had gediend; hij vouwde hem langzaam op en stopte de hoeken in, alsof hij dit al talloze keren had gedaan. Fielding vroeg zich af of deze ongehaaste aandacht voor details bij George Gladstone senior hoorde, en toen hij het vroeg, keek de man met een smal, gerimpeld gezicht op.

'Meneer?'

'Mijn naam is Dan Fielding. We hebben elkaar afgelopen zondag aan de telefoon gesproken.'

'O, ja', zei Gladstone en hij kwam overeind en stak zijn hand uit. 'Mijn zoon George zei dat hij u gisteravond heeft gesproken. We stellen uw opmerkingen over onze service zeer op prijs.'

'U hebt me afgelopen zondag heel erg gerustgesteld, meneer Gladstone.'

'Daar zijn we voor, meneer Fielding', zei hij.

Bij een schuurtje aan de andere kant van het kerkhof stonden twee mannen naast een graafmachine. Ze rookten een sigaret en wachtten waarschijnlijk tot iedereen weg was, zodat ze het graf dicht konden gooien en naar huis konden om te eten. George Gladstone zat weer op zijn knieën en haalde het toestel uit elkaar waarmee de kist was neergelaten. Terwijl hij daar stond, kon Fielding de gegroefde zijkant van het graf en de donkere glans van geboend hout zien.

Toen hij opkeek, zag hij Ray Crowder en Kelly Swarbrick vlug op zich afkomen, Kelly drukte zich tegen Ray aan en hield met twee handen zijn arm vast.

'Mama wil weten of je mee terug naar het huis gaat', zei Crowder.

'Natuurlijk. Ik wil je moeder en Sandy graag gedag zeggen.'

Crowder knikte en getweeën draaiden ze zich om en liepen terug naar de anderen, die zich tussen een rij grafzerken door een weg zochten naar de cirkelvormige oprit waar de auto's stonden. Fielding haastte zich over het vochtige gras en de bladeren naar zijn eigen wagen. Hij wilde dolgraag zijn dochter spreken en toen hij in de auto zat, belde hij naar huis op zijn mobieltje; terwijl hij op de verbinding wachtte, zag hij de limousine van het uitvaartcentrum door het hek de weg op rijden. Andere auto's volgden.

Toen Heather opnam, klonk haar stem zwak en versuft, alsof ze net wakker was geworden.

'Heather, met papa.'

'O, hallo, pap.'

'Hallo. Sliep je nog?'

'Ja. Alleen een dutje. Ik ben vandaag niet naar school gegaan. Mama vond het beter dat ik een dagje thuisbleef. Dan heb ik een lang weekend voor mezelf.'

'Ja, ze vertelde me gisteravond dat je het gisteren zwaar hebt gehad.'

'Zo erg was het niet. Een paar waardeloze e-mails van mensen waar ik absoluut op neerkijk.'

'Wis ze', zei hij.

'O, dat heb ik al gedaan. Maar weet je...'

'Ja, ik denk dat ik het wel weet. Maar dit was te verwachten, Heather, het spijt me.'

'Ik weet het. Mama zegt dat het wel gauw voorbij zal zijn. Dan wordt het weer rustig. Als dat gedoe op de tv eenmaal afgelopen is en er niets meer over jou en juffrouw Crowder in de krant staat.'

'Nou, daar heeft ze gelijk in. Ze zullen wel gauw andere dingen vinden om over te schrijven en dan kunnen we proberen ons gewone leven weer op te pakken.'

'Ik hoop het', zei ze. 'Wanneer kom je thuis?'

'Vanavond, maar het zal wel laat zijn. Ik ga nog een uurtje naar de Crowders. Ik blijf niet lang.'

'Dat is goed.'

'Is je moeder in de buurt?'

'Nee, ze is naar de film met mevrouw Burton. *The Hours*, of zo. Mevrouw Burton deed er heel enthousiast over toen ze mama kwam halen. Je weet hoe ze kan zijn. Ze had het boek gelezen waar die film over gaat en dat vond ze heel mooi. Ze zeurt mama al een tijd aan haar hoofd om ernaar-toe te gaan. Dus zijn ze vanmiddag gegaan. Mevrouw Bur-ton zei dat het goed zou zijn voor mama. Om haar gedach-ten te verzetten.'

'Goed idee', zei hij. 'Zeg haar maar dat ik heb gebeld en dat ik wat later zal zijn dan ik dacht. Ik zal er tegen negen of tien uur zijn.'

'Oké.'

'Pas goed op jezelf, hè?'

'Jij ook, pap.'

Tegen de tijd dat hij bij Lucille aankwam, zat het huis vol mensen die klonken of ze al aan hun tweede glas bezig waren. Er was uiteraard geen sprake van feestelijkheid, maar de aanwezigen waren meer ontspannen, en ongetwij-feld dankbaar dat de formele ceremonie achter de rug was en een minder gedragen stemming nu was toegestaan. Zo hier en daar zag hij op de gezichten van mensen die met elkaar in gesprek waren een zweem van een glimlach. Del was weer in de keuken en met de hulp van twee andere vrouwen had ze een maal bereid van salade en een koude vleesschotel; er waren ook schalen met sandwiches, cake en gebak. Lucille zat op de bank en werd bediend door haar zussen, donkerharige, knappe vrouwen van in de zestig. Lucille was de enige die in huis rookte; anderen waren door de deur van het terras naar buiten gestapt om op het gras-veld in de achtertuin een sigaret te roken. Fielding zag Sandy Levine met een jong stel praten en opnieuw benijdde hij haar gemak met vreemden. Het was niet moeilijk om de tegenzin te voelen die mensen hadden om met hem te praten. Hij was noch een vriend van de familie noch strikt gesproken een zakelijke kennis; in plaats daarvan was hij de man die zijn vrouw met Denise had bedrogen en haar in zekere zin in gevaar had gebracht. Waar moest je het in vredesnaam met zo iemand over hebben?

De wind was gaan liggen, de zon zakte in het meer achter de bomen en liet een zalmkleurige lucht achter die met de minuut bleker werd. Fielding stond met een glas wijn bij de terrasdeur naar de picknicktafel en de barbecue te kijken, naar de gasten op het gazon en de vroege avondlucht. Het was er gewoon en plezierig, een plek om in het weekend vanuit de stad naartoe te komen, waar ze op een zaterdag-ochtend in juli met haar moeder kon gaan zitten om de laatste roddels over het stadje te horen en zoveel los te laten over haar eigen leven als ze kwijt wilde – een plek waar ze op een dag haar eigen kinderen kon zien spelen met hun groot-moeder. De mensen maakten nu ruimte voor Lucille, die was opgestaan. Anderen drongen zich door de terrasdeur naar binnen en Sandy lachte tegen hem toen ze langskwam. Langzaam stierf het gemompel weg toen Lucille, die nu alleen bij de eettafel stond, nerveus om zich heen keek met een zakdoekje in haar hand geklemd.

'Allereerst', zei ze, 'wil ik jullie allemaal bedanken dat jullie mee terug zijn gegaan om ons te helpen met herdenken en afscheid nemen van Dee. Sommigen van jullie zijn van ver gekomen, onder wie mijn eigen twee zussen, Sylvie en Ma-thilde en hun mannen, Don en Laurent, die met de auto uit Montreal zijn gekomen. En ook die lieve Bonneverre, die zoveel jaar met Cliff op de Tilden heeft gewerkt. Bonneverre is vaak te gast geweest in dit huis en Dee was dol op hem. Ze heeft zo gelachen om zijn verhalen en zijn grappen. Weet je nog, Bonneverre?'

De oude man zat in een hoek van de kamer en toen mensen zich naar hem omdraaiden, knikte hij.

'Dank je', zei Lucille, 'dat je het hele eind vanuit Thunder Bay bent gekomen.'

Hier en daar werd geklapt en weer boog de oude man zijn grote, bleke hoofd.

'Natuurlijk moet ik Denises speciale vriendin, Sandy Levine, hier noemen, die uit New York is overgekomen. Ze zal een paar woorden zeggen, maar eerst wil ik het woord geven aan juffrouw Robertson, Dees lievelingslerares.'

Het bleef stil toen mensen van hun glazen nipten en naar Florence Robertson keken die naar voren liep. Lucille scheen bijzonder trots te zijn dat de oude lerares bij haar in huis was en nu over Denise zou spreken. Onder het strak gekrulde, witte haar fronste Florence Robertson haar wenkbrauwen en het was de gelaatsuitdrukking van iemand wier aard naar constante veroordeling neigde; Fielding stelde zich voor dat ze als kind al dat strakke gezicht had opgezet, klaar om iets op anderen aan te merken en met die afkeurende blik voor de dag te komen. Ze had een aantal geschreven vellen in haar hand en zei droog: 'Ik betwijfel ten zeerste, mevrouw Crowder, dat Denise mij als haar lievelingslerares beschouwde.'

Hier en daar werd gelachen, terwijl ze haar bril goed zette en zich over haar taak boog. 'Denise Crowder kwam bij mij in de hoogste klas in september 1986. Zij was bijna zeventien en ik was vierenzestig en ik kan u verzekeren dat we het over heel veel dingen niet eens waren.' Er werd meer gelachen, maar ongelijkmatig en licht. Wat zou het oude mens nu weer gaan zeggen. 'Ik zal eerlijk zijn. Ik vond Denise vrijpostig en eigenzinnig en naar mijn menig veel te zeker van zichzelf. Maar tegelijkertijd moet ik zeggen dat ze voor een meisje van haar leeftijd, zoals ik al snel ontdekte, een opmerkelijke kennis van de Engelse literatuur had. Ik herinner me een essay over Edgar Allan Poe dat ze voor me had geschreven. Ik vond het buitengewoon en ik moet bekennen dat ik er toentertijd ernstig aan twijfelde of het wel haar eigen werk was. Het was dermate professioneel. Maar natuurlijk was het wel haar eigen werk en ik kwam er al snel achter wat een begaafde jonge vrouw ze eigenlijk was...'

Terwijl Fielding luisterde, zag hij voor zich hoe de zestienjarige Denise de degens kruiste met haar spijkerharde, oude lerares Engels, ze was het meisje dat na de les bij het tafeltje van de docent staat om strijd te voeren over een cijfer of een argument in een van haar essays te verdedigen. Maar Florence Robertson begon een beetje zeurderig te worden en ze raakte de aandacht van een deel van haar publiek kwijt – mannen en vrouwen voor wie de middelbare school misschien niets meer was geweest dan tijd doorgebracht met luisteren naar verhalen waarvoor ze geen greintje belangstelling hadden en waarvan ze de zin niet inzagen, een saaie periode tussen hun kinderjaren en de rest van hun leven in. Maar Florence Robertson eindigde haar speech met zwier, door toe te geven dat 'de jongedame me heeft bewezen dat eerste indrukken zo verkeerd kunnen zijn en ik wil zeggen hoe trots ik was toen ik hoorde dat ze bij een uitgeverij in New York werkte. Ten slotte kan ik er alleen aan toevoegen dat ik uiterst geschokt en verdrietig was en ben over haar vroegtijdige dood. Dit is een zeer tragische dag voor ons allemaal.'

Er werd geapplaudisseerd, aanvankelijk aarzelend, en de oude vrouw keek nogal verschrikt toen Lucille haar omhelsde. Sandy Levine kwam naar voren en begon te spreken over de jonge vrouw, die zes jaar geleden bij haar op kantoor was gekomen, verlangend om haar weg in de uitgeverswereld te vinden. 'Denise', zei ze, 'was jong, energiek en vol zelfvertrouwen.' Sandy had haar toespraak behendig toegesneden op haar toehoorders, wetend dat de meeste evenveel benul hadden van het uitgeven van boeken als van astrofysica, maar toch was haar toon niet neerbuigend en waren

242

haar woorden doorspekt met charmante anekdotes. Iedereen lachte toen ze het over Denises gevoel voor humor had en haar ongedwongen waardering van de absurditeiten van het leven. Sandy vertelde over een bezoek aan het kantoor door een opgeblazen auteur en in het kielzog ervan, Denises vernietigend nauwkeurige imitatie van de man. Toen Sandy uitgesproken was, werd er geestdriftig geklapt en Lucille, lachend in weerwil van haarzelf, drukte een zakdoekje tegen haar ogen en zei: 'Ja. Dat was Dee. Precies.'

Toen de gesprekken weer op gang kwamen, stapte Fielding het terras op, in de hoop dat de frisse lucht een sluimerende hoofdpijn zou verdrijven. Hij zou wachten tot Lucille een moment voor zichzelf had, dan kon hij haar gedag zeggen en vertrekken. Het was donker nu, maar nog steeds zacht genoeg om buiten te staan in zijn pak. Achter hem ging de terrasdeur open toen meer gasten zacht pratend naar buiten kwamen voor een sigaret. Tot zijn verrassing verscheen Lucille ook. Ze had een vest om haar schouders geslagen en ze rookte en had een glas wijn in haar hand.

'Ik heb je gezocht, Dan,' zei ze, 'maar er zijn zoveel mensen. Dat is fijn, natuurlijk. Ik ben er blij om, maar...' Ze haalde haar schouders op. 'Let maar niet op me, ik denk dat ik een beetje aangeschoten ben. Ik heb de afgelopen paar jaar helemaal niets gedronken. Niet sinds het overlijden van mijn man.' Ze kwam dichter bij hem staan. 'Cliff en ik', zei ze, 'dronken vroeger best veel. Volgens mij is het zijn dood geweest. Hij heeft ten slotte kanker gekregen, maar volgens mij had al die alcohol zijn lever verzwakt.' Ze fluisterde bijna tegen hem. 'De arme man. Als hij was blijven leven, zou hij nu vierenzestig zijn. Maar het is waarschijnlijk het beste zo. Denise was alles voor hem. Ze was zijn oogappel. Dit zou zeker zijn einde hebben betekend.'

Rondom hen stonden mensen in groepjes en Lucille zei:

'Laten we even naar de heg lopen.' Ze had haar arm door de zijne gestoken, zoals Denise had kunnen doen en ze liepen naar het einde van de tuin. Fielding rook de lucht van sigaretten en ceders. Lucille nam een slok wijn en keek omhoog naar de donkere lucht.

'Ik vond het prettig om met je te praten gisteravond in Dees kamer. Het was fijn om met jou die oude foto's te bekijken.'

'Ik vond het ook fijn', zei hij.

Ze zwegen allebei gedurende wat Fielding een lange tijd leek en ten slotte zei ze: 'Ik vind je een aardige man, Dan, en ik begrijp waarom Dee je mocht.'

'Bedankt,' zei hij, 'maar ik ben niet zo aardig als je denkt.'

'Dat kan best wel zijn,' zei ze, 'maar Dee mocht je. Ze had het vaak over je als ze het weekend thuis was. Dat je iets grappigs had gezegd tijdens een vergadering waar ze om moest lachen.'

Wat vreemd om dit te horen! Hij had zich nooit kunnen indenken dat hij tijdens redactievergaderingen of ieder ander tijdstip een gunstige indruk op Denise Crowder had gemaakt. Als ze hem hier iets van had laten blijken, dan had hij dat volstrekt gemist.

'Ze zei dat je een beetje verlegen was, maar dat vond ze nou net zo leuk aan je. Natuurlijk wist ze dat je getrouwd was en in New York had ze problemen gehad met een getrouwde man. Daar heeft ze het een tijd heel moeilijk mee gehad. Maar ze mocht jou heel graag. Dat kon ik merken aan de dingen die ze over je zei.'

Hij snapte waar Lucille heen wilde; ze wilde meer weten over zijn relatie met haar dochter. Wat voelde hij voor haar? Had zij hem aan het lachen gemaakt? Had hij aan haar gedacht als hij thuis was? Had hij overwogen zijn vrouw en dochter voor Denise in de steek te laten? Was het dat soort relatie, gebaseerd op oprechte gevoelens? Met andere woorden, waren ze verliefd geweest? Hoe kon hij haar vertellen dat het niet meer was geweest dan een paar dagen in Europa? Een van die episodes in een leven waar de meeste mensen een schuldig behagen in scheppen, hopend dat bedrog hun geheim voor altijd zal verhullen. Twee weken geleden zou hij niet eens naar waarheid hebben kunnen zeggen dat hij Denise Crowder mocht.

Misschien dat Lucille iets aanvoelde doordat hij bleef zwijgen, want ze gooide plotseling de rest van haar wijn onder de ceder.

'Ach, wat maakt het ook uit', zei ze. 'Ik ben heel trots op Denise. Op haar zelfvertrouwen en ambitie. Mijn god, ik heb me zo vaak afgevraagd, waar komt dat allemaal vandaan? Ze was anders dan de rest. Dat kon ik zelfs toen ze nog heel klein was al zien en het maakte me vaak bang. Ik wist dat ik haar op een dag kwijt zou zijn. Ik bedoel niet aan een man of zo, ik bedoel op een andere manier. Dat ik haar niet meer echt zou begrijpen. Weet je wat ik bedoel?'

'Ja', zei Fielding. 'Ik denk dat mijn vader datzelfde gevoel over mij heeft gehad.'

Lucille scheen hem niet te horen. 'We hadden in dit huis vaak feestjes. Een goeie tijd was het. Volop te eten en te drinken, er werd gedanst en gekaart. Vrienden brachten hun kinderen mee. We hadden een hoop lol. Maar Denise verdween altijd na een poosje. Dan zat ze op haar kamer met de deur dicht te lezen. Haar vader kon daar soms zo kwaad om worden. "Waar is Denise?" zei hij dan. "Waarom is ze niet hier beneden met de andere kinderen?" Maar eigenlijk wilde hij met haar opscheppen. Laten zien hoe slim ze was. Dat kon ik zien. "Zo maakt ze nooit vrienden", zei hij vaak. En die had ze ook niet veel. In ieder geval geen vriendinnen.

De hele tijd op de middelbare school hadden andere meisjes iets tegen haar. Zo leek het tenminste. Volgens mij waren ze jaloers. Dee kon de jongens om haar vinger winden en daar werden de andere meisjes razend om.' Lucille schudde haar hoofd en lachte een beetje bitter. 'Ik weet nog dat ze een keer zei: "Mam, over een paar jaar ben ik hier weg. Dan woon ik in de grote stad en kom ik alleen terug naar Bayport om jou en papa te zien." Toen ze in de derde klas zat, geloof ik, kreeg ze een baantje bij de Dairy Queen, daar werkte ze in de zomer. De beste caissière die ze ooit hebben gehad, dat zei de man die toen de eigenaar was, Jack Lambert. Hij was gisteravond in het uitvaartcentrum en toen zei hij het weer. Hij zei dat Dee die snackbar in Lake Street praktisch in haar eentje runde. En ze zag er zo leuk uit in dat uniform. De snelste en de slimste achter de kassa. Dat zei Jack.

Weet je, Dan, ik heb me nooit zorgen gemaakt over hoe ze het zou redden, of over jongens of iets dergelijks. Vanaf dat ze klein was, heb ik geweten dat ze voor zichzelf zou kunnen zorgen. Ze was zo zelfstandig. Toen ze naar de universiteit ging, had ze haar eigen geld. Ik geloof dat haar vader haar duizend dollar heeft gegeven, maar het meeste was van haarzelf.'

Ze hoorden tumult op het terras en zagen een struikelende gedaante bij de deur. Kelly Swarbrick had Ray Crowder vast en een ander stel kwam te hulp; er werd gelachen over een gemiste tree. Lucille keek naar de verlichte deuropening en de donkere gedaantes.

'Ik dacht dat hij in het souterrain met Cala tv zat te kijken', zei Lucille. 'Hij zei dat hij geen toespraken wilde horen.'

Ze had nog een sigaret gepakt en probeerde heftig en zonder succes een lucifer aan te steken. Het leek of ze plotseling genoeg had van de pure bezoeking van het leven: de verslaving aan begeerte en oude, slechte gewoontes, de machteloze afhankelijkheid van het toeval, de duizend natuurrampen die dreigen ons te gronde te richten. Fielding pakte het doosje lucifers uit haar hand en gaf haar vuur.

'Iemand heeft een fles meegebracht', zei ze, en terwijl ze met de sigaret in haar mond praatte, stak ze haar armen door de mouwen van haar vest. 'Iemand heeft hem sterkedrank gegeven.'

Ze zagen Ray en Kelly om het huis naar voren lopen.

'Kelly neemt hem mee om een eindje te wandelen', zei Fielding. 'Ze let wel op hem.'

'Kelly is op zich best een goede vrouw', zei Lucille. 'Ze zorgt goed voor haar dochtertje. Dat moet ik haar nageven. Maar ze is het niet voor Ray. Ze is niet die ene.' Lucille trok hard aan haar sigaret, zoog de rook diep haar longen in en praatte terwijl er wolken uit haar mond stroomden. 'Het is hart-verscheurend om haar zo haar best te zien doen. Dee had het al snel in de gaten. De eerste keer dat ze hen samen zag, zei ze: "Dat houdt geen stand. Het is te eenzijdig. Ray houdt best wel van haar, maar hij zal er genoeg van krijgen dat ze zo aan hem hangt."'

Lucille zweeg om haar vest dicht te knopen.

'Kelly begon een keer op een avond in de zomer over zich-zelf te vertellen. Ray was ergens naartoe. Ze vertelde ons dat ze van school was gegaan en dit baantje en dat baantje had gehad. Cala's vader had leren kennen. Een echte hufter. Ze woonde een tijdje met hem samen, maar kneep er toen tussenuit. Ze zei niet waarom, maar ik vermoed dat hij haar sloeg. Ze is met het kind naar Windsor gegaan, waar ze als stripper is gaan werken. Ze noemde het exotisch dansen, maar het komt op hetzelfde neer, niet? Daarna is ze hier teruggekomen en heeft ze werk in dat nieuwe callcenter gevonden. En Ray leren kennen. Toen ze die avond naar huis was, stampte Dee haar gewoon de grond in. Ze zei dat ze het zat was om dat gezeur te horen over nooit een opleiding hebben gehad. "Mam," zei ze, "ik heb met massa's meisjes als Kelly op school gezeten. Tieten van hier tot Tokio op hun vijftiende en jongens stonden in de rij om het met hen te doen. Altijd te druk met hun haar om hun huiswerk te maken. En dan tien jaar later jammeren dat ze nooit een opleiding hebben gehad. Hoeveel hersens heb je nou nodig om de middelbare school af te maken? En waarom ziet ze er nog steeds zo ordinair uit? Die heupbroeken en al dat haar. Jezus!" O, Kelly was bang van haar. Dat zag je aan de manier waarop ze naar Dee keek telkens als ze wat zei. Ik heb met Kelly te doen. Ze is in veel opzichten een goed mens.'

Lucille knipte haar sigaret weg op het gras.

'Het wordt fris. We kunnen beter naar binnen gaan.'

Toen ze naar het huis toe liepen zei Lucille: 'Je zult wel terug naar Engeland moeten voor het proces.'

'Ja, daar moet ik bij zijn.'

'Wanneer denk je dat het zal zijn?'

'Ik weet het eigenlijk niet, Lucille. De rechercheur met wie ik te maken had, zei dat het waarschijnlijk laat in het voorjaar zal zijn. Die dingen vergen tijd.'

'Ja', zei ze. 'Dat kan ik me voorstellen.' Ze zweeg even. 'Ik denk erover om ook te gaan. Ik wil het niet echt, maar ik heb het gevoel dat ik erbij moet zijn. Mijn oudste zus, Mathilde, vindt dat ik het met rust moet laten. Laat de rechtbank die man aanpakken. Ze zegt dat ik beter zal slapen als ik die man nooit onder ogen krijg. En ik ben niet zo'n reiziger. Ik ben naar Chicago geweest, naar Detroit, Superior, Wisconsin, zulke plaatsen. Dat was jaren geleden met de boot, maar op een boot zie je niet veel, alleen de haven.' Ze stokte. 'Cliff en ik zijn een keer naar Las Vegas geweest. Dat was een jaar voordat hij overleed. Hij zag er gewoon vreselijk uit en ik moest er steeds aan denken dat hij doodging. Ik loop hier onder al die lichtjes, ga naar shows waar mensen om grapjes van komieken lachen, maar ik ben op vakantie met een stervende man. Dat bleef maar door mijn hoofd gaan, terwijl ik naar al die oudere vrouwen keek in de cafetaria's of achter de fruitmachines. Weduwes! En dacht maar steeds: volgend jaar om deze tijd ben ik ook een weduwe. Ik zou daar nooit naar terug kunnen. En Engeland zou net zo triest zijn, neem ik aan.'

Ze waren bij de plavuizen van het terras aangekomen en in het licht van het huis zag ze er gekweld uit. Het leek ten slotte allemaal te veel te worden toen ze naar binnen keken naar de pratende mensen, die hun handen gebruikten om iets te benadrukken en instemmend knikten terwijl ze luisterden. Van buiten zag het eruit als een gewoon feestje op een vrijdagavond.

'Wat vind je, Dan?' vroeg ze. 'Zou ik naar Engeland moeten gaan voor het proces van die man?'

Hij had erover nagedacht. Over haar in de vreemdheid van een Engelse stad met zijn oude gebouwen en smalle straten. In de rechtszaal kijkend naar de bepruikte gedaantes met hun accent en maniertjes. Proberend er wijs uit te worden. Televisiekijkend aan het eind van de dag in een pension.

'Daar heb ik niet echt een antwoord op,' zei hij, 'maar ik denk dat ik het eens ben met je zus. Ik weet gewoon niet wat het je op zal leveren als je erbij bent. Ze hebben de man die het heeft gedaan. Hij gaat naar de gevangenis. Waarschijnlijk voor de rest van zijn leven. Ik zou er nog wat langer over nadenken, Lucille. Over daarnaartoe gaan, bedoel ik.'

'Ja', zei ze. 'Je hebt gelijk. Ik moet erover nadenken.'

Ze bleven nog even naar de mensen binnen staan kijken.

'Het spijt me dat het allemaal is gebeurd, Lucille', zei hij.

'Ja, natuurlijk, Dan. Dat is niet moeilijk te zien.'

Er viel weer een stilte tussen hen en toen zei ze: 'Nou, ik kan maar beter naar binnen gaan. Ze zullen niet weten waar ik ben gebleven.'

In het warme, rumoerige huis gingen mensen voor hen opzij toen ze binnenkwamen, ze glimlachten tegen Lucille en een vrouw raakte haar arm aan toen ze langsliep. Sandy Levine zat op de bank naast de oude man die Bonneverre heette. Hij vertelde een verhaal waarbij hij snijbewegingen maakte met zijn grote handen. Toen Sandy hen in de gaten kreeg, zei ze iets tegen de oude man en stond toen op. Ze kon zien dat Fielding op weg naar buiten was. Hij had zijn regenjas uit de gangkast gepakt en Lucille schudde hem de hand.

'Tot ziens, Dan', zei ze. 'Ik ben blij dat je Denises vriend was.'

Hij had in de achtertuin wat meer tegen haar willen zeggen, iets over haar moed en ruimhartigheid, haar hartelijkheid. Maar dat had hij niet gedaan en nu was het te laat; ze had zich al omgedraaid om een man en een vrouw te bedanken die ook weggingen.

Sandy Levine zei: 'Als je ooit in New York bent, dan hoop ik dat je me zult bellen. Ik zou je heel graag nog eens zien.'

'Dat zal ik doen, Sandy. Dank je wel.'

Toen hij de voordeur had dichtgetrokken, bleef hij even staan luisteren naar het gemurmel van stemmen binnen en liep toen de treden af en het gazon over. Hij herkende de twee gedaantes die door de straat aan kwamen lopen en het donkere gras overstaken meteen. Het was onmogelijk ze te ontwijken en toen ze een meter van elkaar af waren, bleef Ray Crowder staan en zei: 'Hé man, ga je ons weer verlaten?'

'Ja', zei Fielding. 'Ik heb net afscheid genomen van je moeder.'

'Maar je was niet van plan om afscheid van mij te nemen, hè?' Er leek geen antwoord mogelijk op Crowders vraag, dus zei Fielding niets. De jongeman was dronken, maar ook weer niet zo heel erg. Hij wil me slaan en met iets anders zal hij geen genoegen nemen, dacht Fielding. Misschien zou hij zijn bril af moeten zetten. Maar dat kon als provocatie worden opgevat, een uitnodiging om te vechten. Hij vroeg zich af hoe lang het echtpaar in de gang nodig zou hebben om afscheid te nemen van Lucille en naar hun auto te lopen.

'Wat vindt je vrouw hier allemaal van, hè?'

Fielding dacht na over de vraag. 'Ik denk dat ze teleurgesteld is in mij.'

'Teleurgesteld.' De hoon in Crowders stem was tastbaar. 'Godverdomme, is me dat even pech hebben. Zijn vrouw is teleurgesteld in hem.'

'Ray?' zei Kelly. 'Toe, schat, laten we naar binnen gaan. Laat hem nou.'

Ze had Crowders arm nog steeds vast, maar nu trok hij hem los. 'Waarom hou jij godverdomme je kop niet, Kelly? Je praat te veel. Weet je dat? Je praat gewoon te veel.'

Kelly Swarbrick haalde haar schouders op. Alsof ze het allemaal al eens eerder had gehoord. Ze zette de kraag van haar jack op en liep om het huis heen naar het terras aan de achterkant. Fielding en Crowder draaiden zich om en zagen haar om de hoek van de garage verdwijnen, waarna ze zich weer naar elkaar toe keerden. 'Je had beter op mijn zus moeten passen, klootzak.'

Terwijl Fielding wankelde en achteroverviel, maakte hij zich zorgen over zijn bril en de rit naar huis. Hij had het moeten zien aankomen. In feite had hij zoiets verwacht, maar het kwam te snel, de klap raakte hem op zijn linkerwang; zijn bril hing nu scheef, aan een oor leek het. Alles werd wazig en donker en een kant van zijn gezicht was verdoofd. Boven hem stond Crowder te vloeken, maar de woorden leken van heel ver te komen en er klonk ook geschreeuw en rennende voetstappen. Het gras voelde vochtig en koud aan in zijn nek. Hij herkende de stem van Lyle Parsons.

'Jezus christus, Ray, wat heb je nou gedaan?'

Fielding kon Crowders antwoord niet onderscheiden, er klonken nu ook andere stemmen en hij stelde zich voor dat mensen het huis uit stroomden, popelend om te zien wat er gaande was. Iets om morgen over te praten. En dan zou het zich snel door de stad verspreiden en onderdeel worden van de folklore rond Denise Crowders dood. Maar Lucille zou razend zijn op haar zoon. Een grote gedaante knielde naast hem; hij hoorde gehijg en rook de vage zuurheid van Lyle Parsons' adem.

'Is alles goed met je? Kun je opstaan?'

'Ik denk van wel,' zei Fielding, 'maar mijn bril. Ik ben mijn bril kwijt.' Hij steunde nu op zijn ellebogen en achter hem haakte iemand de bril om zijn oren. Hij zag de schoenen en benen van mensen die naast hem stonden. Langzaam ging hij rechtop zitten en Parsons hielp hem overeind. Hij had een ijl gevoel in zijn hoofd en luisterde maar half toen Parsons iedereen zei terug naar het huis te gaan. Het was voorbij en er viel niets meer te zien. Ray Crowder liep tussen twee mannen in naar de zijkant van het huis. Een van hen had zijn arm om Rays schouders en praatte tegen hem.

'Denk je dat het zal lukken?' vroeg Parsons.

'Ik denk van wel', zei Fielding.

'Weet je zeker dat je niet even mee terug naar binnen wil?'

'Nee, nee. Ik ga nu.'

Samen liepen ze over het grasveld naar de straat en Fieldings auto.

'Je hebt geluk gehad', zei Parsons. 'Als hij nuchter was geweest, lag je nu in het ziekenhuis. Ik zag het uit het raam.'

'Bedankt.'

'Je moet nog een heel eind rijden. Denk je dat je dat aankunt?'

'Ik denk van wel.'

'Heb je vanavond iets gedronken?'

'Niet echt. Misschien een half glas wijn.'

'Nou, dat moet dan wel in orde zijn.'

Ze stonden elkaar onder een straatlantaarn behoedzaam aan te kijken en Fielding vroeg zich af hoe intiem Lyle Parsons en Denise Crowder al die jaren geleden met elkaar waren geweest. Wellicht meer dan hij aanvankelijk had gedacht.

'Nou, pas goed op jezelf', zei Parsons.

'Ja. Jij ook.'

Hij stapte in, blij dat hij weer zat en keek de breedgeschouderde, logge gestalte van Lyle Parsons na toen hij terug de straat door liep en de oprit van de Crowders in sloeg. Fieldings linkeroog begon te tranen en hij drukte er een zakdoek tegenaan.

Rijdend door de straten van de stad wierp hij hier en daar een blik op de ramen van de huizen en de verlichte televisieschermen. Op de hoofdstraat zag hij een jongen en een meisje. Ze waren van Heathers leeftijd en aten pizza uit een doos, terwijl ze lachend over de brede, verlaten straat liepen. Toen de straat overging in de autoweg, passeerde hij de snackbars en restaurantjes en het café, waarvan het parkeerterrein halfvol was en de zware dreun van de muziek zelfs tot in de auto kort doordrong. Hij reed langs het Moonbeam Motel, waar hij die ochtend *A History of Water* had uitgelezen en weldra lag de stad achter hem en trokken de koplampen een lichtspoor door het donker van het platteland. Fielding keek naar buiten en werd gegrepen door de verschrikkelijke onherroepelijkheid van de dood. Denise Crowder rustte onder de aarde en de bladeren en alles wat er overbleef, lag in de herinneringen van hen die haar hadden gekend. Maar herinneringen zetelen in het bewustzijn en mettertijd schuiven de doden geleidelijk naar de verste uithoeken, waarvan ze enkel terugkeren wanneer ze worden opgeroepen door een aandenken of een liedje, op verjaardagen of in dromen.

Ze zat televisie te kijken in de werkkamer en nadat hij de voordeur had geopend, zijn jas had uitgetrokken, voelde hij de abrupte stilte van het huis toen ze het toestel uitzette. Even later stond ze in de gang naar hem te kijken toen hij zijn jas ophing. Pas toen hij naar haar toe liep, zag ze zijn gezicht.

'Mijn god, wat is er met jou gebeurd?'

Ze stond met gevouwen armen in een badjas in de deur naar de keuken.

'Ik heb een stomp in mijn gezicht gehad', zei hij en hij bleef voor haar staan. 'Ik lette niet op. Ik wist dat het eraan zat te komen. Ik zag het gewoon niet.'

'Wie heeft dit gedaan? De broer?'

'Ja, Ray haalde uit op het gazon voor het huis, net toen ik wilde vertrekken. Hij was een beetje aangeschoten.'

'Jezus.'

'Ik kan het hem niet echt kwalijk nemen. Hij denkt dat ik verantwoordelijk ben voor wat er is gebeurd. Hij heeft vanavond zijn hart gelucht. Zijn moeder zal er meer van slag over zijn dan ik.'

Claire fronste haar voorhoofd, alsof ze niets meer over de familie Crowder wilde horen.

'Laat mij er maar even naar kijken', zei ze en ze liep de keuken in.

Hij volgde haar, kneep zijn ogen samen tegen het felle licht en ging aan tafel zitten.

'Hoe gaat het met Heather?'

'Met Heather is het goed. Ze slaapt.' Claire stond bij de gootsteen en liet koud water over een doek lopen. 'Ze slaapt op het moment heel veel', zei ze. Ze kwam aan tafel naast hem staan. 'Ik vraag me af of ze niet een lichte vorm van Pfeiffer heeft. Ik ga volgende week met haar naar Janet.'

Ze had zijn bril afgezet, drukte de doek tegen zijn gezicht en betastte zijn jukbeen met haar vingers.

'Toen ik Marlene vanochtend sprak, zei ze dat Janet jou terug wil zien. Daar heb je niets van gezegd.'

'Nee', zei hij. 'Ik ben woensdagmiddag naar haar toe gegaan. Mijn bloeddruk was een beetje te hoog.'

'Daar heb je ook niets van gezegd.'

De aanraking van haar vingers maakte hem een beetje slaperig.

'Doet dit pijn?' Ze drukte licht op zijn jukbeen.

'Een beetje. Niet zo heel erg.'

'Ik denk niet dat er iets gebroken is. Heeft Janet je iets voorgeschreven?'

'Een paar witte pilletjes.'

'Lorazepam, waarschijnlijk.'

'Ja, ik geloof dat het dat was.'

'Je kunt er maar beter vanavond eentje van nemen, dan slaap je tenminste.'

'Ja, dat zal ik doen', zei hij.

Ze was achter hem gaan staan. Fielding sloot zijn ogen, leunde met zijn hoofd tegen haar buik en voelde haar vingers op zijn gezicht. Het was genoeg. Voorlopig was het genoeg.

Richard B. Wright bij De Geus

Clara en Nora

De jonge, knappe Nora vertrekt in 1934 naar New York om daar haar geluk te beproeven. Haar oudere zusje Clara blijft achter in hun geboortedorp Whitfield in Canada. In de brieven die ze elkaar sturen, beschrijven de zusjes hun dromen en hoop voor de toekomst. Tegen de achtergrond van de turbulente jaren dertig proberen de zusjes Callan ieder op eigen wijze uit het web van sociale verwachtingen te blijven.